La vuelta al mundo en 80 días

Título original:
La tour du monde en quatre-vingts jours, 1873

Juan Ignacio Luca de Tena, 15. 28027 Madrid
www.anayainfantilyjuvenil.com
e-mail: anayainfantilyjuvenil@anaya.es

Diseño y cubierta: Gerardo Domínguez
Retrato de autor: Enrique Flores

Primera edición, octubre 2002
7.ª imp., junio 2007
8.ª imp., octubre 2007
9.ª imp., febrero 2008
10.ª imp., febrero 2008
11.ª imp., octubre 2009
12.ª imp., julio 2010

ISBN: 978-84-667-1655-0
Depósito legal: NA-1998-2010
Impreso en RODESA
(Rotativas de Estella S. A.)
Impreso en España - Printed in Spain

La vuelta al mundo en 80 días

Jules Verne

Traducción:
Javier Torrente Malvido

Presentación y apéndice:
Jesús Urceloy

Ilustración:
Enrique Flores

PRESENTACIÓN

JULES VERNE

No quiero en esta introducción, amigo lector, apabullarte. Llenarte la cabeza de fechas y datos, de bibliografías. Sencillamente darte a conocer a un tal Jules Verne, escritor, persona. Y, ya que estamos con La vuelta al mundo en 80 días, *descubrirte algunos pequeños secretos. Ya sabes que los buenos escritores escriben a menudo entre líneas.*

Jules nació en Nantes, hijo de Pierre y de Sophie, un 8 de febrero de 1828. Papá era un tipo serio, responsable, elegante y culto que se ganaba la existencia como abogado. Mamá era hija de armadores y tenía un espíritu soñador, romántico: una chica encantadora, la verdad. El negocio de papá iba viento en popa. Y a Jules, con el tiempo, le vinieron a acompañar cuatro hermanitos.

Jules tenía en casa una excelente biblioteca, y con la ayuda de mamá y del mar, que quedaba cerca de casa, pronto —a los once años— decidió embarcarse como grumete en un velero. Por ver mundo, por la aventura. Pero no contaba con papá Pierre, que desbarató el proyecto y que castigó a su hijo con una promesa: lo obligó a jurar que nunca viajaría, salvo en sueños. Quería que su hijo fuese como él, un gran abogado. Tal vez en ese momento Jules decidió ser escritor.

Y con el tiempo fue ambas cosas. Se ganaba la vida como agente de bolsa y como autor de teatro. Se fue a París con veinte años y allí fijó su residencia. Conoció a Alexandre Dumas, que le estrenó una obra con resultado incierto, y a muchos músicos, como el gran Jacques Offenbach, con los que escribió muchos libretos operísticos. Sus obras teatrales, de las que escribió más de treinta, no es que sean malas, sino que se vieron ensombrecidas por sus novelas de aventuras. Verne, para dolor de mucho erudito, es y seguirá siendo el escritor más leído de la literatura francesa.

Es famoso que Verne escribía en la Biblioteca de París, que allí recopilaba sus datos, y que desde ese mundo de libros imaginó sus grandes aventuras. No es del todo cierto. Verne fue un gran viajero. Ganó tanto dinero con sus novelas que tuvo hasta cuatro barcos, con los que recorrió casi todo el Mediterráneo y buena parte del Atlántico. Viajó a los Estados Unidos y conoció el norte de África. No está mal para alguien que no se «movió» de París, ¿verdad?

En el año 1873, cuando contaba 45, dio a la prensa el libro que —siendo ya un autor reconocido— lo lanzaría a la fama absoluta. Este libro que tienes en las manos. Y con unos personajes de lo más curioso. Si te fijas y traduces al español sus nombres, verás que ocultan cierta simbología y paralelismo con sus actitudes en la novela. Te puedo adelantar que el Sr. Fogg y su criado Passepartout en el fondo son una caricatura del padre de Verne y de sí mismo: el que quisiera haber sido Jules si su padre no hubiese desbaratado aquella aventura adolescente. Verás que Aouda es un pequeño homenaje a la madre del escritor... Y verás que —aunque parezca un libro humorístico— hay un trasfondo de melancolía, un no sé qué de poso amargo...

He dicho que seré breve, pero te conmino a que leas el apéndice que he escrito, que es donde he puesto un buen montón de datos que aquí no cabían. Aderezados con su pizca de literatura y un no sé qué también de humor y de misterio. Hasta pronto.

Jesús URCELOY

Capítulo I

En el que Phileas Fogg y Passepartout se aceptaron mutuamente, el uno como amo y el otro como criado

En el año 1872, la casa número 7 de Saville row, Burlington Gardens —casa en la que murió Sheridan[1], en 1816—, estaba habitada por Phileas Fogg, *esq.*[2], uno de los miembros más singulares y señalados del Reform Club de Londres, y ello pese a que parecía tener a gala no hacer nada que pudiera llamar la atención.

Tener a gala: Hacer gala, preciarse y gloriarse de algo.

Sucedía, pues, Phileas Fogg —personaje enigmático del que nada se sabía, salvo que se trataba de un hombre cortés y uno de los más distinguidos caballeros de la alta sociedad inglesa— a uno de los más grandes oradores que honraron a Inglaterra.

Se comentaba su parecido con Byron[3] —por la cabeza, ya que era irreprochable de pies—, pero un Byron con bigotes y patillas, un Byron impasible, que hubiese vivido mil años sin envejecer.

[1] Richard Brinsley Sheridan (1751-1816), dramaturgo y político británico. Después de obtener diversos éxitos como dramaturgo, se dedicó a la política activa, ocupando varios cargos en distintos ministerios. En 1787-1788, con motivo del proceso a un general, pronunció diversos discursos que han pasado a la historia parlamentaria inglesa.

[2] Abreviatura de *esquire.* Tratamiento honorífico que se da a los que no tienen todavía títulos nobiliarios; era el primer peldaño, por así decirlo, de la nobleza británica. Aunque no hay equivalencia exacta en castellano, sería algo así como nuestro antiguo «hidalgo».

[3] George Gordon, lord Byron (1788-1824), poeta británico, uno de los mayores poetas del romanticismo inglés, autor de *La peregrinación de Childe Harold, El infiel, La desposada de Abydos, El corsario, Lara* y *El sitio de Corinto,* entre otras obras. Su poesía ejerció una enorme influencia en toda la literatura europea de principios del siglo XIX. Tenía una deformidad de nacimiento en un pie, a la que alude Verne aquí.

Dársena: Parte resguardada artificialmente, en aguas navegables, dispuesta para la carga y descarga.

Armador: El que prepara y dispone todo lo necesario para una embarcación.

Pulular: Abundar, multiplicarse.

Entomológica: Relativa a la entomología, parte de la zoología que trata de los insectos.

Inglés, sin duda alguna, Phileas Fogg no era probablemente londinense. Nunca se le vio en la Bolsa, ni en la Banca, ni en ninguno de los establecimientos de la City[4]. Ni las dársenas ni los muelles de Londres recibieron nunca un navío cuyo armador fuese Phileas Fogg. Aquel *gentleman*[5] no pertenecía a ningún consejo de administración. Su nombre nunca había sonado en ningún colegio de abogados, ni en el Temple, ni en el Lincoln's inn, ni en el Gray's inn. Nunca pleiteó ni ante el Tribunal del Canciller, ni ante el Banco de la Reina, ni ante el Tesoro público, ni ante el Tribunal eclesiástico. No era ni industrial, ni negociante, ni comerciante, ni agricultor. No pertenecía ni a la *Institución Real de Gran Bretaña,* ni a la *Institución de Londres,* ni a la *Institución de los Artesanos,* ni a la *Institución Russell,* ni a la *Institución Literaria del Oeste,* ni a la *Institución del Derecho,* ni a la *Institución de las Artes y las Ciencias* reunidas, que se encuentra bajo el patrocinio de Su Graciosa Majestad. En fin, no pertenecía a ninguna de las numerosas sociedades que pululan por la capital de Inglaterra, desde la *Sociedad de la Armónica,* hasta la *Sociedad Entomológica,* fundada principalmente con el fin de destruir los insectos dañinos.

Phileas Fogg era miembro del Reform Club, y eso era todo.

A quien se asombre de que un *gentleman* tan misterioso figurase entre los miembros de aquella memorable asociación, habrá que responderle que entró por recomendación de los hermanos Baring[6], en cuya casa tenía crédito abierto. De ahí una cierta «reputación», debido especialmente a que sus cheques eran

[4] Barrio del centro de Londres, donde están situados la mayoría de los bancos y de las oficinas de las grandes compañías mercantiles y financieras.

[5] «Caballero». (En inglés en el original).

[6] Baring Brothers and Co. era un banco británico fundado por sir Francis Baring (1740-1810) en asociiación con su hermano John. Se convirtió en uno de los mayores bancos europeos, con poder también en Estados Unidos.

regularmente pagados a la vista por el saldo de su cuenta corriente, invariablemente acreedor.

Acreedor: Tratándose del saldo de una cuenta, a favor.

¿Era rico aquel Phileas Fogg? Sin duda alguna. Pero cómo había hecho su fortuna era algo que ni los mejor informados podían explicar, y el señor Fogg era la última persona a quien convendría dirigirse para averiguarlo. En cualquier caso, no despilfarraba nada, aunque tampoco era avaro, pues allá donde fuese necesaria una ayuda para una causa noble, útil o generosa, él la prestaba silenciosa e incluso anónimamente.

En definitiva, nadie menos comunicativo que aquel caballero. Hablaba lo menos posible, y parecía tanto más misterioso cuanto silencioso era. No obstante, su vida era de lo más transparente, pero todo cuanto hacía era siempre tan matemáticamente idéntico, que la imaginación, insatisfecha, le buscaba tres pies al gato.

¿Había viajado? Probablemente, ya que nadie conocía mejor que él el mapamundi. No existía lugar, por remoto que fuera, del que no pareciese tener un conocimiento especial. En ocasiones, con pocas palabras, breves y claras, rectificaba las mil versiones que circulaban por el club sobre viajeros perdidos o descaminados, señalaba las auténticas probabilidades, y sus palabras parecían a menudo inspiradas por una visión, pues los acontecimientos acababan siempre por darle la razón. Era un hombre que debía de haber viajado por todas partes, al menos con su imaginación.

No obstante, lo cierto es que, desde hacía muchos años, Phileas Fogg nunca abandonó Londres. Los que tenían el honor de conocerlo un poco mejor que los demás atestiguaban que —salvo en el trayecto directo que recorría diariamente para ir de su casa al club— nadie podría pretender haberlo visto nunca en otra parte. Su única distracción consistía en leer los periódicos y jugar al *whist*[7]. En aquel juego silen-

[7] Juego de naipes británico que se juega entre dos parejas y es parecido al *bridge*. Se juega en silencio, de donde le viene el nombre (*whist* significa «silencio», en inglés.

cioso, tan apropiado a su naturaleza, ganaba con frecuencia, pero sus ganancias nunca entraban en su bolsillo y constituían una suma importante en su presupuesto para obras de caridad. Por otra parte, debemos señalarlo, el señor Fogg jugaba evidentemente por jugar, no por ganar. El juego era para él un combate, una lucha contra una dificultad, pero una lucha sin movimiento, sin desplazamiento, sin cansancio, lo que convenía perfectamente a su carácter.

A Phileas Fogg no se le conocían ni mujer ni hijos —lo que puede ocurrir en las mejores familias—, ni parientes ni amigos —lo que ya es un poco más raro—. Phileas Fogg vivía solo en su casa de Saville row, donde no entraba nadie. Jamás hablaba de la misma. No necesitaba más que un solo criado. Almorzaba y cenaba en el club a horas cronométricamente determinadas, en la misma sala, en la misma mesa, sin hablar con sus colegas, sin invitar a ningún extraño; regresaba a su casa solo para acostarse, a las doce en punto de la noche, y nunca hizo uso de las confortables habitaciones que el Reform Club tiene a disposición de los miembros del círculo. De las veinticuatro horas del día, pasaba diez en su domicilio, ya fuera para dormir, ya para ocuparse de su aseo personal. Si paseaba, lo hacía invariablemente con pasos regulares, por el suelo entarimado de marquetería del vestíbulo, o por la galería circular coronada por una bóveda de vidrieras azules, que estaba sustentada por veinte columnas jónicas de pórfido rojo. Si cenaba o almorzaba, la cocina, la despensa, la repostería, la pescadería y la lechería del club abastecían su mesa con sus suculentas reservas; los criados del club, graves personajes vestidos de negro y calzados con zapatos de suela de muletón, le servían en una porcelana especial y sobre una admirable mantelería de lienzo de Sajonia; las copas sin igual del club contenían su jerez, su oporto, su clarete mezclado con canela, culantrillo y cinamomo; y, en fin, el hielo del club —hielo

Círculo: Club, sociedad, casino.

Entarimado: Suelo formado por pequeñas tablas de madera pulida.

Marquetería: Embutido en las tablas con pequeñas chapas de madera de varios colores.

Columna jónica: La perteneciente al orden jónico. Su altura es de ocho a ocho y media veces su diámetro inferior y su capitel está adornado con volutas.

Pórfido: Roca formada por cristales de feldespato y cuarzo incluidos en una masa de color rojo oscuro. Es muy estimada para decoración de edificios.

Muletón: Tela de algodón o lana afelpada, de mucho abrigo.

Culantrillo: Helecho que suele criarse en las paredes de los pozos y otros sitios húmedos; se usa en infusión, como pectoral y sudorífico.

Cinamomo: Árbol meliáceo, de cuyo fruto, parecido a una cereza pequeña, se extrae un aceite usado en medicina y en la industria.

traído de los lagos de América— conservaban sus bebidas en un satisfactorio estado de frescor.

Si vivir en tales condiciones puede ser calificado de excentricidad, deberemos acordar que la excentricidad es una buena cosa.

Excentricidad: Calidad de excéntrico, es decir, raro, extravagante.

Sin ser suntuosa, la casa de Saville row se encarecía por su suma comodidad. Además, y dadas las invariables costumbres de su inquilino, el servicio era muy limitado. No obstante, Phileas Fogg exigía a su único criado una puntualidad y una regularidad extraordinarias. Aquel mismo día, el 2 de octubre, Phileas Fogg había despedido a James Forster —el muchacho era culpable de haberle llevado el agua para el afeitado a ochenta y cuatro grados Fahrenheit en lugar de a ochenta y seis[8]—, y estaba esperando a su sucesor, quien debería presentarse entre las once y las once y media de la mañana.

Phileas Fogg, sentado a escuadra en su sillón, con los dos pies unidos como los de un soldado en formación, las manos apoyadas en las rodillas, el cuerpo derecho y la cabeza erguida, contemplaba la marcha de la aguja del reloj de pared —un complicado aparato que marcaba las horas, los minutos, los segundos, el día de la semana, la fecha y el año—. A las once y media en punto, el señor Fogg, según su costumbre cotidiana, debería salir de casa para dirigirse al Reform Club.

En aquel momento llamaron a la puerta del saloncito en el que se encontraba Phileas Fogg.

James Forster, el despedido, apareció.

—El nuevo criado —anunció.

Un muchachote de una treintena de años se asomó y saludó.

—¿Es usted francés y se llama John? —le preguntó Phileas Fogg.

[8] La escala Fahrenheit se divide en 180 grados, del 32, punto de fusión del hielo, al 212, punto de ebullición del agua. En grados centígrados, sería 28,8° y 30°, respectivamente.

—Jean, si no ofende al señor —respondió el recién llegado—. Jean Passepartout[9], un apodo que me ha quedado y que justifica mi aptitud natural para salir airoso de cualquier trance. Creo ser un hombre honrado, señor, pero, para ser sincero, le diré que he tenido varios oficios. He sido cantor ambulante, artista ecuestre en un circo, caracoleador como Léotard, y funámbulo como Blondin[10]; después, y con el fin de que mis habilidades sirvieran para algo, me convertí en profesor de gimnasia, y, por último, fui sargento de los bomberos en París. Tengo incluso en mi historial incendios memorables. Pero hace cinco años que me fui de Francia y, deseando probar la vida familiar, soy ayuda de cámara en Inglaterra. Entonces, como me encontraba sin trabajo, al saber que el señor Phileas Fogg era el hombre más puntual y sedentario del Reino Unido, me he presentado en la casa del señor con la esperanza de vivir tranquilo y olvidar, incluso, el nombre de Passepartout...

Funámbulo: Equilibrista que hace ejercicios en la cuerda o el alambre.

Ayuda de cámara: Criado cuyo principal oficio es cuidar del vestido de su amo.

—Passepartout me agrada —respondió el caballero—. Poseo muy buenos informes sobre usted. ¿Conoce usted mis condiciones?

—Sí, señor.

—Pues bien. ¿Qué hora tiene usted?

—Las once y veintidós —respondió Passepartout tras haber sacado de las profundidades del bolsillo de su chaleco un enorme reloj de plata.

—Va usted retrasado —le dijo el señor Fogg.

—Que el señor me perdone, pero eso es imposible.

—Retrasa usted cuatro minutos. No importa. Basta con tener en cuenta la diferencia. Por tanto, a par-

[9] Passepartout, en francés, significa «que sirve para todo», «comodín».

[10] Jean-François Gravelet (1824-1897), llamado *Blondin,* acróbata francés que en 1859 cruzó las cataratas del Niágara sobre un alambre de 330 m de largo situado a una altura de 48 metros. Jules *Léotard* (1838-1870), acróbata francés creador del trapecio volante, que debutó con el Circo Napoleón en París en 1859, y de cuyo nombre procede el de los leotardos.

tir de este momento, las once y veintinueve[11] de la mañana de este miércoles, 2 de octubre de 1872, está usted a mi servicio.

Dicho esto, Phileas Fogg se levantó, cogió su sombrero con la mano izquierda, lo colocó en su cabeza con un movimiento de autómata y desapareció sin añadir una palabra.

Autómata: Máquina que imita la figura y los movimientos de un ser animado.

Passepartout oyó cómo se cerraba la puerta de la calle por primera vez: era su nuevo amo, que salía; después, la oyó por segunda vez: era su predecesor, James Forster, que se iba a su vez.

Passepartout quedó solo en la casa de Saville row.

[11] Evidente lapsus del autor, ya que entre las once y veintidós, marcadas por el reloj de Passepartout, y las once y veintinueve, señaladas por el señor Fogg, hay una diferencia de siete minutos, no de cuatro. Este tipo de error al calcular el tiempo lo comete varias veces más adelante.

Capítulo II

Donde Passepartout se convence de que por fin ha encontrado su ideal

—Juraría —se dijo Passepartout, un poco turbado al principio—, que conocí en casa de la señora Tussaud tipos tan animados como mi amo.

Habría que señalar aquí que los «tipos» de la señora Tussaud son figuras de cera, muy visitadas en Londres, y a las que tan solo les falta la palabra.

Durante los pocos instantes que vislumbró a Phileas Fogg, Passepartout examinó, rápida pero cuidadosamente, a su futuro amo. Se trataba de un hombre que podría tener cuarenta años, de noble y hermoso rostro, elevada estatura, al que no afeaba la ligera obesidad; cabellos y patillas rubios, la frente tersa y unida sin señal de arrugas en las sienes, rostro tirando más a pálido que a sonrosado, y una dentadura magnífica. Parecía poseer en su más alto grado eso que los fisonomistas llaman «el reposo en la acción», facultad común a todos aquellos que hacen más trabajo que ruido. Sereno, flemático, de mirada clara y con los párpados inmóviles, pertenecía a ese tipo acabado de ingleses de sangre fría que tanto abundan en el Reino Unido, y cuya actitud un poco académica ha sido tan magistralmente dibujada por el pincel de Angelika Kauffmann[1]. Visto a través de los diversos actos de su existencia, aquel caballero daba la impre-

Tersa: Limpia, lustrosa.

Fisonomista: Que se dedica al estudio de la fisonomía (aspecto particular del rostro de una persona) o que tiene facilidad natural para recordar y distinguir a las personas por esta.

Flemático: Sereno, tranquilo, impasible.

[1] Angelika Kauffmann (1741-1807), pintora suiza, residió en Londres de 1765 a 1781, ingresando en la Academia real en 1768. Su estilo recuerda el de Reynolds, cuyo retrato pintó. Al final de su carrera pintó cuadros de historia, pero lo mejor de su obra son los retratos; sus cuadros se hallan en los principales museos del mundo.

sión de un ser bien equilibrado, ponderado, y tan perfecto como un cronómetro de Leroy o de Earnshaw[2]. Y es que, en efecto, Phileas Fogg era la exactitud personificada, lo que se veía claramente en «la expresión de sus pies y de sus manos», ya que en el hombre, al igual que en los animales, las extremidades son los órganos más expresivos de las pasiones.

Ponderado: Que procede con tacto y prudencia.

Phileas Fogg era de esas personas matemáticamente exactas que, nunca precipitadas pero siempre dispuestas, son parcas en pasos y movimientos. Nunca daba una zancada de más, yendo siempre por el camino más corto. No se le escapaba ni una sola mirada al techo. No se permitía ningún gesto superfluo. Nunca se le vio ni emocionado ni turbado. Era el hombre menos apresurado del mundo, pero siempre llegaba a tiempo. Por ello se comprenderá que viviese solo y, por así decirlo, lejos de toda relación social. Sabía que en la vida hay que tener relaciones sociales, y como estas entretienen, no se rozaba con nadie.[3]

Parca: Sobria, moderada; corta, escasa.

En cuanto a Jean, alias Passepartout, un auténtico parisiense de París, que vivía en Inglaterra desde hacía cinco años y realizaba en Londres el oficio de ayuda de cámara, había buscado en vano un amo con el que pudiera encariñarse.

Passepartout no era uno de esos Frontines o Mascarillos[4] que, cargados de espaldas, la cabeza erguida y la mirada dura, no son más que bribones insolentes. No, Passepartout era un buen chico, de fisonomía

[2] Pierre *Leroy* (1717-1785), relojero parisiense, inventor del cronómetro, ganó el premio de la Academia de Ciencias de París al mejor invento para medir el tiempo tanto en tierra como en alta mar. Thomas *Earnshaw* (1749-1829), relojero inglés, primero en fabricar cronómetros sencillos y económicos, de cara a su utilización por el público.

[3] Verne utiliza aquí un juego de palabras: *Il savait que dans le vie il faut faire la part des frottements* (aquí, «relaciones sociales») *et comme les frottements* (en el doble sentido de «relaciones sociales» y «frotamiento») *retardent, il ne se frottait* (aquí, «rozaba») *à personne.*

[4] *Frontin,* personaje del teatro francés, era un ser audaz e insolente que se ocupaba de los placeres de su amo. *Mascarillo,* personaje como el anterior, pero de la comedia italiana.

agradable, con los labios un poco salientes, siempre dispuestos a saborear o a acariciar; un ser apacible y servicial, con una de esas cabezas redondas y bonachonas que a uno le gusta estén sobre los hombros de un amigo. Tenía los ojos azules, la tez animada, el rostro lo suficientemente carnoso para que él mismo pudiera verse los pómulos de sus mejillas, el pecho ancho, las caderas fuertes, una musculatura vigorosa, y poseía una fuerza hercúlea que los ejercicios de su juventud habían desarrollado admirablemente. Sus cabellos castaños eran un poco rebeldes. Si los escultores de la Antigüedad conocían dieciocho formas de componer la cabellera de Minerva[5], Passepartout no conocía más que una sola para arreglar la suya: se la escarmenaba un poco, y ya estaba peinado.

Escarmenar: Carmenar, desenredar, desenmarañar y limpiar el cabello, la lana o la seda.

La más elemental de las prudencias no nos permite predecir si el carácter expansivo de aquel muchacho se acomodaría con el de Phileas Fogg. ¿Sería Passepartout el criado profundamente exacto que su amo necesitaba? No lo comprobarían más que con el tiempo. Después de haber tenido, como sabemos, una juventud bastante vagabunda, aspiraba al reposo. Habiendo oído ensalzar el metodismo inglés y la proverbial frialdad de sus caballeros, se fue a Inglaterra en busca de fortuna. Pero hasta entonces la suerte le volvió la espalda. No pudo echar raíces en ninguna parte. Había pasado por diez casas diferentes. En todas eran caprichosos, desiguales, aventureros o viajeros, lo que no podía convenir a Passepartout. Su último amo, el joven lord Longsferry, miembro del Parlamento, frecuentemente regresaba a su domicilio a hombros de los policías después de haber pasado la noche en las *oysters rooms*[6] de Hay Market. Passepartout, deseando ante todo llegar a respetar a su amo,

Metodismo: Doctrina de una secta protestante de origen inglés, iniciada por John y Charles Wesley en 1729, que busca un nuevo método de salvación en la oración, la lectura en común de la Biblia y la vigilancia recíproca.

Proverbial: Muy notorio y conocido.

Lord: Título de honor dado en Gran Bretaña a los individuos de la primera nobleza.

[5] Diosa de la mitología romana, asimilada de la Atenea griega, símbolo de la sabiduría y de la inteligencia, protectora de la ciudad de Roma. Formaba parte de la tríada capitolina con Júpiter y Juno.

[6] «Ostrerías». (En inglés en el original).

se arriesgó a hacerle algunas respetuosas observaciones que fueron mal recibidas, por lo que se despidió. Se enteró mientras tanto de que Phileas Fogg, *esquire*, buscaba un criado. Un personaje cuya existencia era tan regular que no dormía fuera de casa, que no viajaba, que no se ausentaba jamás ni por un día, no podía menos que convenirle. Se presentó y fue admitido en las circunstancias que ya conocemos.

Passepartout —ya habían dado las once y media— se encontró, pues, solo en la casa de Saville row. Inmediatamente inició su inspección. La recorrió desde la bodega hasta el desván. Aquella casa limpia, arreglada, severa, puritana y bien organizada para el servicio, le agradó. Le hizo el efecto de una bella concha de caracol, pero de una concha iluminada y calentada al gas, pues el hidrocarburo satisfacía todas las necesidades de luz y calor. Passepartout encontró sin trabajo en el segundo piso la habitación que le estaba destinada. Diferentes timbres eléctricos y tubos acústicos la ponían en comunicación con los aposentos del entresuelo y del primer piso. Sobre la chimenea, un reloj eléctrico comunicaba con el reloj del dormitorio de Phileas Fogg, y ambos aparatos marcaban en el mismo instante el mismo segundo.

Hidrocarburo: Término general usado para los compuestos orgánicos que contienen solamente carbono e hidrógeno en su molécula.

«¡Esto me gusta! ¡Esto me gusta!» —se dijo Passepartout.

También observó en su habitación una nota que estaba fijada sobre la pared encima del reloj. Era el programa del servicio cotidiano. Incluía —desde las ocho de la mañana, hora reglamentaria a la que Phileas Fogg se levantaba, hasta las once y media, hora reglamentaria a la que abandonaba su casa para ir a almorzar al Reform Club— todos los detalles del servicio: el té y las tostadas de las ocho y veintitrés, el agua para afeitarse a las nueve y treinta y siete, el peinado a las diez menos veinte, etc. Después, de once y media de la mañana y hasta medianoche —hora en la que el metódico caballero se acostaba—, todo estaba anotado, previsto, regularizado. Passepartout se ofreció la alegría de meditar sobre aquel programa y de grabar en su memoria los diferentes artículos.

Levita: Vestidura de hombre, hoy poco usada, ceñida al cuerpo y con mangas, cuyos faldones cruzan por delante.

En cuanto al guardarropa del señor, estaba magníficamente instalado y maravillosamente concebido. Cada pantalón, levita o chaleco tenía un número de orden que estaba reproducido sobre un registro de entrada y salida, indicando la fecha en la que, según la estación, aquellas vestimentas deberían ser llevadas por turno. La misma reglamentación había para el calzado.

En definitiva, aquella casa de Saville row —que debería haber sido el templo del desorden en la época del ilustre pero disipado Sheridan—, confortablemente amueblada, revelaba una posición acomodada. No tenía ni biblioteca, ni libros, que no hubiesen sido útiles para el señor Fogg, puesto que el Reform Club ponía a su disposición dos bibliotecas, una consagrada a las letras, y la otra, al derecho y a la política. En el dormitorio había una caja fuerte, de tamaño medio, cuya instalación la protegía tanto de un peligro de incendio como del de robo. No había ningún tipo de armas en la casa, ningún utensilio de caza o de guerra. Todo denotaba las costumbres más pacíficas.

Después de haber examinado aquella morada con todo detenimiento, Passepartout se frotó las manos, alegró su ancho rostro, y exclamó gozosamente:

—¡Esto me gusta! ¡Esto es lo que yo quería! ¡El señor Fogg y yo nos entenderemos perfectamente! ¡Un hombre casero y puntual! ¡Una auténtica máquina! ¡Pues bien, no me desagrada servir a una máquina!

Capítulo III

Donde se entabla una conversación que puede costar cara a Phileas Fogg

Phileas Fogg salió de su casa de Saville row a las once y media, y, después de haber puesto quinientas setenta y cinco veces su pie derecho delante de su pie izquierdo, y quinientas setenta y seis veces su pie izquierdo delante de su pie derecho, llegó al Reform Club, amplio edificio construido en Pall Mall[1], cuya edificación no había costado menos de los tres millones.

Phileas Fogg se dirigió inmediatamente al comedor, cuyas nueve ventanas daban a un bello jardín con árboles ya dorados por el otoño. Allí se instaló frente a su mesa habitual, que ya estaba dispuesta. Su almuerzo se compuso de unos entremeses, un pescado hervido sazonado con una *reading sauce* de primera calidad, un rosbif escarlata guarnecido de *mushrooms*[2], un pastel relleno de ruibarbo y grosellas verdes y un trozo de queso, todo ello rociado con unas tazas de un té excelente, cosechado especialmente para el servicio del Reform Club.

A las doce y cuarenta y siete, el caballero se levantó de la mesa y se dirigió hacia el gran salón, una pieza suntuosa ornamentada con cuadros lujosamente enmarcados. Allí un criado le entregó el *Times* sin cor-

Rosbif: Carne de vaca que se unta con manteca y se asa ligeramente, de modo que su interior quede poco hecho.

Ruibarbo: Planta poligonácea, de hojas anchas y rizoma grueso de sabor amargo.

Grosella: Fruto del grosellero; es una baya pequeña, roja y de sabor agridulce.

[1] Célebre calle del West End de Londres, trazada en el emplzamiento de un antiguo juego de mallo (de ahí su nombre). En ella se hallan el ministerio de la Guerra (War office) y los principales clubes de Londres.

[2] La *reading sauce* es un tipo de salsa. Los *mushrooms* son champiñones. (En inglés en el original).

tar, y Phileas Fogg se entregó a un laborioso despliegue con una destreza que denotaba una gran experiencia en la difícil operación. La lectura de aquel periódico entretuvo a Phileas Fogg justo hasta las tres y cuarenta y cinco, y la del *Standard* —que le sucedió— duró hasta la cena. Esta comida se efectuó en las mismas condiciones que el almuerzo, salvo la adición de una *royal british sauce.* A las seis menos veinte el caballero reapareció en el gran salón y se absorbió en la lectura del *Morning Chronicle.*

Media hora más tarde, varios miembros del Reform Club hicieron su entrada y se aproximaron a la chimenea, en la que ardía un fuego de hulla. Se trataba de los compañeros de juego habituales del señor Phileas Fogg, y, como él, empedernidos jugadores de *whist:* el ingeniero Andrew Stuart, los banqueros John Sullivan y Samuel Fallentin, el hombre de negocios Thomas Flanagan, y Gauthier Ralph, uno de los administradores del Banco de Inglaterra, personajes ricos y considerados, incluso en aquel club, que contaba entre sus miembros con la flor y nata de la industria y las finanzas.

Hulla: Carbón fósil que tiene entre un 75 y un 90 por ciento de carbono, y se conglutina al arder.

La flor y nata: Lo más escogido.

—Bueno, Ralph —preguntó Thomas Flanagan—, ¿qué hay del asunto del robo?

—Bueno —respondió Andrew Stuart—, pues que el Banco perderá su dinero.

—Yo, por el contrario —dijo Gauthier Ralph—, espero que echemos el guante al autor del robo. Se ha enviado a los más hábiles inspectores de policía a América y Europa, a los principales puertos de embarque y desembarque, y a ese señor le va a resultar muy difícil escapar.

—Pero ¿tienen, entonces, la descripción del ladrón? —preguntó Andrew Stuart.

—Para empezar, no se trata de un ladrón —respondió Gauthier Ralph con toda seriedad.

—¿Cómo? ¿No es un ladrón un individuo que ha sustraído cincuenta y cinco mil libras (un millón

trescientos setenta y cinco mil francos)[3] en billetes de banco?

—No —respondió Gauthier Ralph.

—¿Es, entonces, un industrial? —preguntó John Sullivan.

—El *Morning Chronicle* asegura que es un caballero.

El que dio aquella respuesta no era otro que Phileas Fogg, cuya cabeza emergía en aquellos momentos de un mar de papeles amontonados a su alrededor. Al mismo tiempo, Phileas Fogg saludó a sus colegas, quienes le devolvieron el saludo.

El hecho en cuestión, sobre el que todos los periódicos del Reino Unido discutían ardorosamente, había ocurrido tres días antes, el 29 de septiembre. Un fajo de *banknotes*[4], que alcanzaba la enorme suma de cincuenta y cinco mil libras, fue sustraído de la mesa del cajero principal del Banco de Inglaterra.

A quien se sorprendía de que tal robo hubiese podido producirse con tanta facilidad, el subgobernador, Gauthier Ralph, se limitaba a responderle que en aquellos momentos el cajero estaba ocupado registrando un ingreso de tres chelines y seis peniques, y que no podía estar atento a todo.

Pero debemos señalar aquí —lo cual lo hace más explicable— que aquel admirable establecimiento que es el Bank of England[5] parece preocuparse extremadamente por la dignidad del público. ¡Ni un guardia, ni un inválido[6], ni una reja! El oro, la plata y los billetes están expuestos libremente y, por así decirlo, a merced del primero que llegue. No eran capaces de

Subgobernador: Empleado que ayuda y sustituye en sus funciones al gobernador (representante del gobierno en el Banco de la nación).

Chelín: Moneda inglesa de plata, vigésima parte de la libra esterlina, fuera de la circulación desde 1971.

Penique: Moneda inglesa de cobre, centésima parte de la libra; antes, duodécima parte del chelín.

A merced: A voluntad de, a arbitrio de.

[3] Unos 9.000 euros, aproximadamente, al cambio de la época; hoy, algo más de 78.000 euros. Para las sucesivas referencias y su equivalencia, téngase en cuenta que la libra valía entonces 29 céntimos y, hoy, algo más de un euro y medio.

[4] «Billetes de banco». (En inglés en el original».

[5] «Banco de Inglaterra». (En inglés en el original).

[6] Probablemente se refiera a guardas o vigilantes jurados, ya que en Francia se da el nombre de inválidos a los militares retirados, que posiblemente ejercen ese oficio.

sospechar ni de la honorabilidad de cualquier transeúnte. Uno de los mejores observadores de las costumbres inglesas cuenta lo siguiente: en una de las salas del Banco, donde se encontraba un día, tuvo la curiosidad de ver de cerca un lingote de oro que pesaba entre siete y ocho libras, y que se encontraba expuesto sobre la mesa del cajero; cogió el lingote, lo examinó, lo pasó a su vecino, este a otro, y, así, hasta que el lingote, pasando de mano en mano, llegó hasta el fondo de un oscuro corredor, y no regresó a su emplazamiento hasta media hora más tarde, sin que el cajero hubiese siquiera levantado la cabeza.

Libra: Unidad de peso que en Gran Bretaña equivale a 453,6 gramos.

Pero el 29 de septiembre los hechos no se desarrollaron de la misma manera. El fajo de billetes no regresó y cuando el magnífico reloj de pared, situado encima del *drawing office*[7], señaló a las cinco el cierre de las oficinas, el Banco de Inglaterra no tuvo más remedio que pasar cincuenta y cinco mil libras a cargo de pérdidas y ganancias.

Debidamente reconocido el robo, agentes y detectives elegidos entre los más sagaces fueron enviados a los principales puertos, a Liverpool, a Glasgow, a El Havre, a Suez, a Brindisi, a Nueva York, etc., con la promesa de que, en caso de éxito, recibirían una recompensa de dos mil libras (50.000 F) y el cinco por ciento de la suma que fuese recuperada. Mientras esperaban los informes que debería suministrar la investigación iniciada inmediatamente, aquellos inspectores tendrían como única misión la escrupulosa observación de todos los viajeros que llegasen o partieran.

Sagaz: Vivo, astuto, perspicaz.

Ahora bien, precisamente, y así lo decía el *Morning Chronicle*, se tenía la sospecha de que el autor del robo no pertenecía a ninguna de las sociedades de ladrones existentes en Inglaterra. Durante aquella jornada del 29 de septiembre, se vio a un caballero, elegante, de buenos modales y aire distinguido, ir y venir por

[7] «Departamento de cartera». (En inglés en el original).

la sala de pagos, escenario del robo. La encuesta permitió rehacer con bastante exactitud la descripción de aquel caballero, descripción que fue remitida inmediatamente a todos los detectives del Reino Unido y del continente. Algunas almas cándidas —y, entre ellas, Gauthier Ralph— se creían, pues, con fundamento para pensar que el ladrón no escaparía.

Como puede suponerse, el suceso acaparaba la atención en Londres y en toda Inglaterra. Se discutía de forma apasionada en torno a las posibilidades de éxito o fracaso de la policía metropolitana. No debe, pues, extrañar que los miembros del Reform Club se ocuparan del mismo tema, tanto más si tenemos en cuenta que uno de los subgobernadores del Banco se encontraba entre ellos.

El honorable Gauthier Ralph no quería dudar del resultado de las investigaciones y opinaba que la recompensa ofrecida serviría para agudizar sensiblemente el celo y la inteligencia de los agentes. Pero su colega, Andrew Stuart, distaba mucho de compartir esta confianza. La discusión continuó, pues, entre aquellos caballeros, ya sentados a la mesa de *whist*, Stuart frente a Flanagan y Fallentin frente a Phileas Fogg. Durante el juego, los jugadores no hablaban, pero entre baza y baza la interrumpida conversación se reanudaba animadamente.

Celo: Cuidado, esmero, diligencia.

Baza: Número de naipes que en ciertos juegos recoge el que gana la mano.

—Sostengo —dijo Andrew Stuart—, que la suerte juega a favor del ladrón, el cual es sin duda alguna un hombre muy hábil.

—¡Pero, hombre! —respondió Ralph—. No existe ni un solo país donde pueda refugiarse.

—¡No me diga!

—¿Dónde quiere usted que vaya?

—No lo sé —respondió Andrew Stuart—, pero, después de todo, la Tierra es bastante grande.

—Lo fue en otro tiempo... —dijo a media voz Phileas Fogg, y añadió—: Le toca a usted cortar —al tiempo que le entregaba las cartas a Thomas Flanagan.

La discusión se suspendió durante el juego. Pero pronto la reanudó Andrew Stuart, diciendo:

—¿Cómo que en otro tiempo? ¿Acaso la Tierra ha disminuido de tamaño?

—Sin duda alguna —respondió Gauthier Ralph—. Opino como el señor Fogg. La Tierra ha disminuido de tamaño, puesto que hoy puede recorrerse diez veces más rápidamente que hace cien años. Y eso, en el caso que nos ocupa, hará la investigación más rápida.

—¡Y también facilitará la fuga del ladrón!

—Le toca jugar a usted, señor Stuart —dijo Phileas Fogg.

Pero el incrédulo Stuart no estaba convencido y, una vez acabada la baza, dijo:

—Hay que reconocer, señor Ralph, que ha encontrado una forma muy curiosa de afirmar que la Tierra ha disminuido de tamaño. Así, porque ahora se puede dar la vuelta al mundo en tres meses...

—En ochenta días solo —intervino Phileas Fogg.

—En efecto, señores —añadió John Sullivan—, en ochenta días desde que se ha abierto la sección del Great Indian Peninsular railway, entre Rothal y Allahabad; y he aquí el cálculo establecido por el *Morning Chronicle:*

Paquebote: Embarcación que lleva correo y pasajeros de un puerto a otro.

De Londres a Suez, por el Monte Cenis y Brindisi, por ferrocarril y en paquebotes	7 días
De Suez a Bombay, en paquebote	13 días
De Bombay a Calcuta, por ferrocarril.	3 días
De Calcuta a Hong Kong, en paquebote	13 días
De Hong Kong a Yokohama (Japón), en paquebote	6 días
De Yokohama a San Francisco, en paquebote	22 días
De San Francisco a Nueva York, por ferrocarril	7 días
De Nueva York a Londres, en paquebote y ferrocarril	9 días
Total	80 días

—¡Sí, ochenta días[8]! —exclamó Andrew Stuart, quien, por falta de atención, hizo un renuncio—, pero sin tener en cuenta el mal tiempo, los vientos contrarios, los naufragios, los descarrilamientos, etcétera.

Renuncio: Falta que se comete renunciando (en los juegos).

—Todo incluido —respondió Phileas Fogg, mientras seguía jugando, ya que aquella vez la discusión no respetaba el *whist.*

—¿Incluso si los hindúes o los indios arrancan los raíles? —exclamó Andrew Stuart—. ¿Si detienen los trenes, saquean los furgones y quitan el cuero cabelludo a los viajeros?

—Todo incluido —respondió Phileas Fogg, quien, abatiendo su juego, añadió—: Dos triunfos mayores.

Triunfo: Carta del palo de más valor en ciertos juegos.

Andrew Stuart, a quien le tocaba «dar», dijo, al tiempo que recogía las cartas:

—Teóricamente, tiene usted razón, señor Fogg, pero en la práctica...

—En la práctica también, señor Stuart.

—Me gustaría verlo.

—Solo depende de usted. Partamos juntos.

—¡Líbreme el cielo! —exclamó Stuart—. Pero apostaría cuatro mil libras (100.000 F) a que tal viaje, realizado en esas condiciones, es imposible.

—Por el contrario, es muy probable —respondió inmediatamente el señor Fogg.

—¡Pues muy bien, hágalo usted!

—¿La vuelta al mundo en ochenta días?

—Sí.

—Estoy de acuerdo.

—¿Cuándo?

—Inmediatamente.

—¡Eso es una locura! —exclamó Andrew Stuart, quien comenzaba a sentirse molesto por la insisten-

[8] Esta relación de la página anterior reproduce casi exactamente, cambiando algunas ciudades, la aparecida en 1870 en un artículo publicado en *Le Magasin Pittoresque* con motivo de la apertura del canal de Suez. Artículo que posiblemente motivó a Verne para escribir esta obra.

cia de su compañero—. ¡Anda! ¡Más vale que sigamos jugando!

—Entonces vuelva a dar —respondió Phileas Fogg—, porque ha dado mal.

Andrew Stuart tomó de nuevo las cartas con un gesto febril y, de pronto, dejándolas sobre la mesa, afirmó:

—¡Pues bien, sí, señor Fogg, sí! ¡Apuesto cuatro mil libras!...

—Mi querido Stuart —dijo Fallentin—, cálmese usted. Esto no es serio.

—Cuando digo que apuesto —respondió Andrew Stuart— lo hago siempre en serio.

—¡Sea! —aceptó el señor Fogg. Y, después, volviéndose hacia sus colegas, añadió—: Tengo veinte mil libras (500.000 F) depositadas en el establecimiento de los hermanos Baring. Estoy dispuesto a arriesgarlas...

—¡Veinte mil libras! —exclamó John Sullivan—. ¡Veinte mil estupendas libras que puede usted perder a causa de cualquier retraso imprevisto!

—Lo imprevisto no existe —respondió sencillamente Phileas Fogg.

Lapso: Espacio de tiempo.

—Pero, señor Fogg, ese lapso de ochenta días no ha sido calculado más que como un mínimo de tiempo.

—Un mínimo bien empleado basta para todo.

—Pero, para no rebasarlo, hay que saltar matemáticamente de los trenes a los paquebotes, y de los paquebotes a los ferrocarriles.

—Saltaré matemáticamente.

—Eso es una broma.

—Un buen inglés no bromea nunca cuando se trata de algo tan serio como una apuesta —respondió Phileas Fogg—. Apuesto veinte mil libras al que quiera a que daré la vuelta al mundo en ochenta días o menos, es decir, en mil novecientas veinte horas, o ciento quince mil doscientos minutos. ¿Aceptan ustedes?

—Aceptamos —respondieron los señores Stuart, Fallentin, Sullivan, Flanagan y Ralph después de haberse consultado.

—Bien —dijo el señor Fogg—. El tren de Dover sale a las ocho y cuarenta y cinco. Lo cogeré.

—¿Esta misma noche? —preguntó Stuart.

—Esta misma noche —respondió Phileas Fogg—. Por tanto —añadió mientras consultaba su calendario de bolsillo—, puesto que hoy es miércoles 2 de octubre, deberé estar de regreso, en Londres, en este mismo salón del Reform Club, el sábado 21 de diciembre, a las ocho cuarenta y cinco de la noche; de no ser así, las veinte mil libras depositadas actualmente en mi cuenta, en el establecimiento de los hermanos Baring, les pertenecerán de hecho y de derecho, señores. He aquí un cheque por dicha suma.

Se levantó acta de la apuesta, que fue firmada de inmediato por los seis interesados. Phileas Fogg estaba tranquilo. Indudablemente, no había apostado para ganar, y no comprometió más que veinte mil libras —la mitad de su fortuna—, porque preveía que podría necesitar la otra mitad para llevar a cabo aquel difícil, por no decir inejecutable proyecto. En cuanto a sus adversarios, parecían inquietos, no a causa del valor de la suma puesta en juego, sino porque sentían una especie de escrúpulo por luchar en tales condiciones.

Levantar acta: Extender una relación escrita de lo sucedido, tratado o acordado en una junta.

Acababan de dar las siete de la tarde. Ofrecieron al señor Fogg suspender la partida de *whist,* a fin de que pudiera hacer sus preparativos para el viaje.

—Estoy siempre dispuesto —respondió aquel impasible caballero, y, dando las cartas, añadió—: Diamantes son triunfos. Le toca a usted, señor Stuart.

Diamantes: Uno de los cuatro palos de la baraja francesa, compuesta, además, por tréboles, corazones y picas.

Capítulo IV

En el que Phileas Fogg asombró a Passepartout, su criado

Guinea: Antigua moneda inglesa de oro, que se pagaba a 21 chelines, en lugar de los 20 de una libra normal.

A las siete y veinticinco, Phileas Fogg, después de haber ganado una veintena de guineas al *whist*, se despidió de sus honorables colegas y abandonó el Reform Club. A las siete y cincuenta abría la puerta de su casa y entraba en ella.

Passepartout, que había estudiado concienzudamente su programa, quedó muy sorprendido al ver al señor Fogg, reo de inexactitud, aparecer a aquella hora insólita. De acuerdo con la nota, el inquilino de Saville row no debería regresar hasta las doce de la noche exactamente. Phileas Fogg subió primero a su dormitorio, y después llamó:

—Passepartout.

Passepartout no respondió. Aquella llamada no podía serle dirigida a él. No era la hora adecuada.

—Passepartout —volvió a llamar el señor Fogg, sin elevar el tono de su voz.

Passepartout se presentó.

—Es la segunda vez que lo llamo —observó el señor Fogg.

—Pero aún no son las doce —dijo Passepartout, reloj en mano.

—Lo sé —prosiguió Phileas Fogg—, y no se lo reprocho. Salimos dentro de diez minutos hacia Dover y Calais.

Una especie de mueca se esbozó en el rostro redondo del francés. Resultaba evidente que no había entendido bien.

—¿El señor se desplaza? —preguntó.

—Sí —respondió Phileas Fogg—. Vamos a dar la vuelta al mundo.

Passepartout, con los ojos desmesuradamente abiertos, los párpados y las cejas levantados, los brazos distendidos, el cuerpo hundido, presentaba todos los síntomas del asombro rayando en el estupor.

—¡La vuelta al mundo! —murmuró.

—En ochenta días —respondió el señor Fogg—. Así es que no tenemos ni un solo instante que perder.

—Pero ¿las maletas...? —preguntó Passepartout, que balanceaba inconscientemente su cabeza de derecha a izquierda.

—Nada de maletas. Solo una bolsa de viaje. Ponga dentro dos camisas de lana y tres pares de calcetines. Otro tanto para usted. Compraremos lo que sea necesario por el camino. Baje mi mackintosh[1] y mi manta de viaje. Lleve buenos zapatos. Aunque caminaremos poco o nada. ¡Vamos!

Passepartout habría querido responderle. No pudo. Salió del dormitorio del señor Fogg, subió al suyo, se desplomó sobre una silla y, empleando una frase bastante vulgar de su país, dijo:

—¡Esta sí que es buena! ¡Y yo que quería tranquilidad...!

Y, maquinalmente, realizó los preparativos para el viaje. ¡La vuelta al mundo en ochenta días! ¿Tendría que habérselas con un loco? No... ¿Se trataría de una broma? Iban a Dover, bueno. A Calais, sea. Después de todo, aquello no podía contrariar en exceso al buen mozo, quien, desde hacía cinco años, no había pisado el suelo patrio. Tal vez irían incluso hasta París, y a fe que volvería a ver con agrado la gran capital. Pero indudablemente un caballero tan poco pródigo de sus pasos se pararía allí... ¡Sí, sin duda alguna, pero tam-

Habérselas con uno: Tratar con él, y especialmente disputar o contender con él.

A fe: En verdad.

Pródigo: Disipador, gastador.

[1] «Impermeable». (En inglés en el original).

poco era menos cierto que partía, que se desplazaba un caballero tan casero hasta entonces!

A las ocho, Passepartout tenía preparado la modesta bolsa que contenía su guardarropa y el de su amo; después, con el espíritu todavía turbado, salió de su dormitorio, cuya puerta cerró con todo cuidado, y se reunió con el señor Fogg.

El señor Fogg ya estaba dispuesto. Llevaba bajo su brazo el *Bradshaw's continental railway steam transit and general guide*[2], que debería suministrarle todas las indicaciones necesarias para el viaje. Cogió la bolsa de las manos de Passepartout, la abrió, y metió en ella un abultado fajo de *banknotes*, que son de curso legal en todos los países.

—¿No ha olvidado nada? —preguntó.

—Nada, señor.

—¿Mi *mackintosh* y mi manta de viaje?

—Aquí los tiene.

—Está bien, coja esta bolsa.

El señor Fogg devolvió la bolsa a Passepartout.

—Y tenga mucho cuidado con ella —añadió—. Dentro hay veinte mil libras (500.000 F).

La bolsa estuvo a punto de caer de las manos de Passepartout, como si las veinte mil libras fueran de oro y pesaran considerablemente.

El amo y el criado descendieron entonces, y cerraron la puerta de la calle con una doble vuelta de llave.

Al final de Saville row había una parada de coches. Phileas Fogg y su criado subieron a un *cab*[3], que se dirigió rápidamente hacia la estación de Charing Cross[4], terminal de uno de los ramales del South Eastern railway[5].

[2] «Itinerarios de ferrocarriles y vapores y guía general de Bradshaw». (En inglés en el original).

[3] «Coche de caballos de alquiler». (En inglés en el original).

[4] Terminal de ferrocarril que se encuentra en la encrucujada homónima, en el extremo del Strand, al sur de Trafalgar Square.

[5] Ferrocarril del Sudeste.

A las ocho y veinte el *cab* se detuvo delante de la verja de la estación. Passepartout saltó a tierra. Su amo lo siguió y pagó al cochero.

En aquel momento, una pobre mendiga, que llevaba un niño de la mano, con los pies descalzos sobre el lodo, tocada con un sombrero andrajoso del que colgaba una pluma lamentable, y con un chal a jirones sobre sus harapos, se acercó al señor Fogg y le pidió una limosna.

Tocar: Cubrir la cabeza.

Chal: Pañuelo mucho más largo que ancho, que se ponen las mujeres en los hombros como abrigo o adorno.

Jirón: Trozo desgarrado, desgarrón.

El señor Fogg sacó de su bolsillo las veinte guineas que acababa de ganar al *whist* y se las ofreció a la mendiga.

—Tome, buena mujer —le dijo—, me alegro de haberme encontrado con usted.

Y siguió su camino.

Passepartout sintió como una sensación de humedad alrededor de sus pupilas. Su amo había dado un paso en su corazón.

El señor Fogg y él entraron rápidamente en la gran sala de la estación. Una vez allí, Phileas Fogg dio a Passepartout la orden de adquirir dos billetes de primera clase para París. Después, al darse la vuelta, vio a sus cinco colegas del Reform Club.

—Señores, me voy —les dijo—, y los diferentes visados que me pongan sobre un pasaporte que llevo al efecto permitirán que ustedes puedan, a mi regreso, controlar mi itinerario.

Visado: Acción de visar y diligencia que se pone en el documento que se visa; especialmente, la que los cónsules estampan en los pasaportes.

—¡Oh, señor Fogg —respondió cortésmente Gauthier Ralph—, eso es innecesario! ¡Confiamos plenamente en su honor de caballero!

—Es mejor así —dijo el señor Fogg.

—No olvide usted que deberá regresar... —señaló Andrew Stuart.

—Dentro de ochenta días —replicó el señor Fogg—, el sábado 21 de diciembre de 1872, a las ocho horas y cuarenta y cinco minutos de la noche. Adiós, señores.

A las ocho y cuarenta, Phileas Fogg y su criado se instalaron en el mismo compartimiento. A las ocho y cuarenta y cinco sonó un silbido y el tren se puso en marcha.

La noche estaba oscura. Caía una lluvia menuda. Phileas Fogg, reclinado en un rincón, no hablaba. Passepartout, todavía conmocionado, apretaba mecánicamente contra sí la bolsa de *banknotes*.

Pero cuando el tren todavía no había pasado por Sydenham, Passepartout lanzó un auténtico grito de desesperación.

—¿Qué le ocurre? —preguntó el señor Fogg.

—Pues... que... en mi precipitación..., con la emoción..., he olvidado...

—¿Qué?

—Apagar el farol de gas de mi habitación.

—Pues bien, muchacho —respondió fríamente el señor Fogg—, arderá a sus expensas.

A sus expensas: A su costa, por su cuenta.

Capítulo V

En el que aparece un nuevo valor en el mercado de Londres

Al partir de Londres, sin duda Phileas Fogg no sospechaba la gran resonancia que iba a provocar su viaje. La noticia de la apuesta se extendió, primero, por el Reform Club, y produjo una auténtica conmoción entre los miembros del honorable círculo. Después, del club, la conmoción pasó a los periódicos a través de los reporteros, y de los periódicos, al público de Londres y de todo el Reino Unido.

Aquel «asunto de la vuelta al mundo» fue comentado, discutido, disecado con tanta pasión y ardor como si se hubiese tratado de un nuevo caso Alabama[1]. Unos tomaron partido por Phileas Fogg, otros —y muy pronto fueron una mayoría considerable— se pronunciaron contra él. Aquella vuelta al mundo que realizar, no ya en teoría o sobre el papel, en un mínimo de tiempo y con los medios de comunicación actualmente existentes, no solo era imposible, ¡era insensata!

Disecar: Figuradamente, analizar cuidadosamente

[1] La cuestión del *Alabama* fue un conflicto entre Gran Bretaña y Estados Unidos surgido durante la guerra de Secesión, debido a que Gran Bretaña había proporcionado diversos navíos de guerra, entre ellos el *Alabama*, a los sudistas. Tras la victoria de los nordistas, el gobierno norteamericano acusó a Gran Bretaña de haberle causado daños directos e indirectos, por haber destruido varios navíos nordistas y haber permitido a los sudistas equipar y abastecer navíos en sus puertos, violando las normas de la neutralidad. En aplicación del tratado de Washington de 8 de mayo de 1871, se creó un tribunal arbitral y se determinaron las reglas del derecho que debía aplicar; estos dos hechos constituyeron una novedad. El 14 de septiembre de 1872, el tribunal dictó sentencia en Ginebra, obligando a Gran Bretaña a pagar once millones y medio de dólares. La cuestión del *Alabama* tuvo una gran resonancia, y constituyó el primer arbitraje entre dos grandes estados realizado por una jurisdicción colegial.

El *Times*, el *Standard*, el *Evening Star*, el *Morning Chronicle* y otra veintena de periódicos de gran tirada se declararon contra el señor Fogg. Tan solo el *Daily Telegraph* lo defendió, en cierta medida. Phileas Fogg fue tratado generalmente de maníaco, de loco, y sus colegas del Reform Club fueron censurados por haber aceptado aquella apuesta, que denunciaba un debilitamiento de las facultades mentales de su autor.

Aparecieron artículos extremadamente apasionados, pero lógicos, sobre el tema. Bien sabido es el interés que provoca en Inglaterra todo lo concerniente a la geografía. Por eso, ni un solo lector, fuera cual fuese la clase social a que perteneciese, dejaba de devorar las columnas consagradas al caso de Phileas Fogg.

Durante los primeros días, algunos espíritus audaces —las mujeres principalmente— estuvieron con él, sobre todo cuando el *Illustrated London News* publicó su retrato, tomado de la fotografía depositada en los archivos del Reform Club. Algunos caballeros osaban decir: «¡Eh! Y, después de todo, ¿por qué no? ¡Cosas más extraordinarias se han visto!». Se trataba, sobre todo, de los lectores del *Daily Telegraph.* Pero muy pronto se advirtió que incluso aquel periódico empezaba a flaquear.

En efecto, el 7 de octubre apareció un extenso artículo en el *Boletín de la Sociedad Real de Geografía.* Trató el tema desde todos los puntos de vista, y demostró la locura de la empresa. Después de aquel artículo, todo estaba contra el viajero, tanto los obstáculos humanos como los obstáculos de la naturaleza. Para tener éxito en tal aventura habría que admitir una correspondencia milagrosa de los horarios de salida y de llegada, correspondencia que no existía. En rigor, y en Europa, donde se realizan recorridos de una extensión relativamente mediana, se puede contar con la llegada de los trenes a su hora; pero cuando se necesitan tres días para atravesar la India y siete días para cruzar los Estados Unidos, ¿podrían basarse sobre su exactitud los elementos de tal problema? ¿Y los accidentes de las máquinas, los descarrilamientos, los choques, el mal tiempo, la acumulación de la nieve? ¿Es que todo aquello no jugaba contra Phileas Fogg? Y en los paquebotes, ¿no se encontraría, durante el invierno, a merced de las tormentas o de las nieblas? ¿Era acaso tan raro que los mejores veleros de las líneas transoceánicas experimentasen retrasos de dos o tres días? En consecuencia, bastaría con un retraso, uno solo, para que la cadena de comunicaciones fuese irreparablemente hecha trizas. Si Phileas Fogg perdía, aunque no fuese más que por unos segundos, un paquebote, se vería obligado a esperar al siguiente, y por eso incluso su viaje se vería comprometido irrevocablemente.

Hacer trizas: Destrozar.

El artículo hizo estragos. Casi todos los periódicos lo reprodujeron, y las acciones Phileas Fogg bajaron sensiblemente.

Estrago: Daño, ruina.

Durante los primeros días que siguieron a la partida del caballero se habían comprometido importantes desafíos sobre la suerte de su aventura. Es bien conocido el mundo de las apuestas en Inglaterra, mundo más inteligente y más relevante que el del juego. Apostar forma parte del temperamento inglés. Por ello, no solo los diferentes miembros del Reform Club cruzaron considerables apuestas a favor o contra Phileas Fogg, sino que la gran masa del público entró en el juego. Phileas Fogg fue inscrito, como un caballo de carreras, en una especie de *studbook*[2]. También lo convirtieron en un valor de bolsa, que fue inmediatamente cotizado en el mercado de Londres. Se compraban y se vendían acciones «Phileas Fogg», en firme o con prima, y se realizaron enormes negocios con ellas. Pero cinco días después de su partida, después del artículo del *Boletín de la Sociedad de Geografía*, las ofertas empezaron a afluir. Las Phileas Fogg bajaron. Se

En firme: Con carácter definitivo.

Prima: Suma que en ciertas operaciones de bolsa el comprador paga al vendedor por el derecho de rescindir el contrato.

[2] «Registro genealógico de caballos». (En inglés en el original).

ofrecían por lotes. Primero de cinco, después de diez, hasta que no se aceptaron más que los veinte, cincuenta o cien.

Le quedó un solo partidario. El viejo y paralítico lord Albermale. El honorable *gentleman,* clavado en su sillón, habría dado toda su fortuna por poder dar la vuelta al mundo, ¡incluso en diez años!, y apostó cinco mil libras (100.000 F) a favor de Phileas Fogg. Y cuando, al mismo tiempo que la necedad del proyecto, se le demostraba su inutilidad, se contentaba con responder: «Si la empresa es realizable, bueno es que sea un inglés el primero en llevarla a cabo».

Entre tanto, los partidarios de Phileas Fogg se hacían cada vez más raros; todo el mundo, y no sin razón, lo atacaba; ya no se cotizaba más que a ciento cincuenta o doscientos contra uno, cuando, siete días después de su partida, un incidente totalmente inesperado hizo que ya no se cotizase en absoluto.

En efecto, aquel día, a las nueve de la noche, el director de la policía metropolitana recibió un despacho que decía así:

Despacho: Telegrama.

Suez a Londres.

Rowan, director policía, administración central, Scotland plaza.

Persigo ladrón de Banco, Phileas Fogg. Envíen sin retraso orden de detención a Bombay (India inglesa).

FIX, *detective.*

El efecto que aquel telegrama produjo fue inmediato. El honorable *gentleman* desapareció para dejar sitio al ladrón de *banknotes.* Su fotografía, depositada en el Reform Club junto a las de todos sus colegas, fue examinada. Reproducía, rasgo por rasgo, al hombre cuya descripción había sido suministrada por la encuesta. Se recordó lo misteriosa que era la existencia de Phileas Fogg, su aislamiento, su inesperada marcha, y pareció evidente que aquel personaje, con el pretexto de un viaje alrededor del mundo, y sustentándolo por una apuesta insensata, no tenía otra idea que la de despistar a los agentes de la policía inglesa.

Capítulo VI

En el que el agente Fix demuestra una impaciencia harto legítima

Harto: Bastante.

He aquí en qué circunstancias fue enviado aquel despacho concerniente al señor Phileas Fogg.

El miércoles 9 de octubre se esperaba en Suez, para las once de la mañana, al paquebote *Mongolia,* de la Compañía Peninsular y Oriental, *steamer*[1] de hierro, con hélice y *spardek*[2], que desplazaba dos mil ochocientas toneladas y que poseía una potencia nominal de quinientos caballos. El *Mongolia* realizaba regularmente la travesía de Brindisi a Bombay, pasando por el canal de Suez. Se trataba de uno de los más rápidos veleros[3] de la compañía, y siempre había superado las velocidades reglamentarias, establecidas en diez nudos entre Brindisi y Suez, y en nueve nudos cincuenta y tres centésimas entre Suez y Bombay.

Nudo: Unidad de velocidad naval, equivalente a una milla por hora.

Mientras esperaban la llegada del *Mongolia,* dos hombres se paseaban por el muelle, entre una muchedumbre de indígenas y extranjeros que afluían a la ciudad, no hacía mucho una aldea, a la que la gran obra del señor de Lesseps[4] aseguró un futuro considerable.

[1] «Buque de vapor». (En inglés en el original).

[2] Término inglés que designa a aquellos buques de pasaje que poseen un entrepuente ligero sobre los camarotes y los salones superiores.

[3] El autor emplea el término *marcheur,* que debe ser traducido por «velero», lo que no supone ninguna contradicción, ya que los buques como el *Mongolia,* como veremos más adelante, eran mixtos, de vapor y vela.

[4] Ferdinand Marie, vizconde de Lesseps (1805-1894), diplomático francés que fue cónsul en El Cairo y Barcelona y embajador en Roma, negoció en 1854 con Sa'id Bajá, virrey de Egipto, la concesión para la apertura del canal de Suez. La inauguración del canal se realizó en 1869, y a esta «obra» se refiere Verne.

De aquellos dos hombres, uno era el agente consular del Reino Unido, establecido en Suez, quien —pese a los molestos pronósticos del gobierno británico y a las siniestras predicciones del ingeniero Stephenson[5]— veía cada día los navíos ingleses atravesar aquel canal, reduciendo así a la mitad la vieja ruta de Inglaterra a las Indias por el cabo de Buena Esperanza.

El otro era un hombrecito delgado, con un rostro bastante inteligente, nervioso, que contraía con una notable persistencia sus músculos superciliares. A través de sus largas pestañas brillaban unos ojos muy vivos, pero cuyo ardor sabía controlar perfectamente. En aquel momento daba ciertas muestras de impaciencia, yendo y viniendo, sin poder estarse quieto.

Superciliar: Perteneciente o relativo a la zona de las cejas.

Aquel hombre se llamaba Fix, y era uno de los «detectives» o agentes de policía ingleses que fueron enviados a los diferentes puertos después del robo cometido en el Banco de Inglaterra. Aquel Fix debería vigilar con la mayor cautela a todos los viajeros que cogiesen la ruta de Suez y, si alguno de ellos le parecía sospechoso, «seguirlo» a todas partes mientras esperaba la orden de detención.

Precisamente dos días antes recibió del director de la policía metropolitana la descripción del presunto autor del robo. Se trataba de las de aquel personaje distinguido y elegante, que fue visto en la sala de pagos del Banco.

El detective, muy seducido evidentemente por la fuerte recompensa prometida en caso de éxito, esperaba, pues, con impaciencia fácil de comprender la llegada del *Mongolia.*

—¿Y dice usted, señor cónsul —preguntó por décima vez—, que ese barco no puede tardar?

[5] Seguramente se refiere a Robert Stephenson (1803-1859), ingeniero británico, hijo de George Stephenson, fabricante de la primera locomotora a vapor; continuador de la obra de su padre, se dedicó al tendido de vías férreas en diversos países, entre ellos Egipto. El gobierno británico se opuso enérgicamente a la construcción del canal de Suez, aunque sin resultados, como sabemos.

—No, señor Fix —respondió el cónsul—. Fue visto ayer a lo largo de Port Said, y los ciento sesenta kilómetros del canal no cuentan para tal velero. Le repito que el *Mongolia* siempre ha ganado la prima de veinticinco libras que el gobierno otorga por cada adelanto de veinticuatro horas sobre los tiempos reglamentarios.

—¿Y ese paquebote viene directamente de Brindisi? —preguntó Fix.

—Del mismo Brindisi, donde ha recogido el correo de las Indias; de Brindisi, de donde zarpó el sábado a las cinco de la tarde. Así es que tenga usted paciencia, que no puede tardar en llegar. Pero lo que no comprendo es cómo, con la descripción que ha recibido, podrá reconocer a su hombre, si es que se encuentra a bordo del *Mongolia.*

—Señor cónsul —respondió Fix—, a esa clase de personas más que reconocerlas se las huele. Es olfato lo que hay que tener, y el olfato es como un sentido especial en el que concurren el oído, la vista y el olor. He detenido en mi vida a más de uno de esos caballeros y, con tal que mi ladrón se encuentre a bordo, le prometo que no se me escapará de entre las manos.

—Se lo deseo, señor Fix, ya que se trata de un robo importante.

—¡Un robo magnífico! —respondió el agente, entusiasmado—. ¡Cincuenta y cinco mil libras! ¡No nos encontramos frecuentemente con tales gangas! ¡Los ladrones se están haciendo mezquinos! ¡La raza de los Sheppard[6] se extingue! ¡Ahora se dejan colgar por unos cuantos chelines!

—Señor Fix —respondió el cónsul—, habla usted de tal forma, que le deseo encarecidamente el mayor

[6] John (Jack) Sheppard (1702-1724), famoso delincuente inglés, especialista en fugarse de la cárcel de Newgate, hasta que fue ahorcado en 1724. Se atribuye al escritor inglés Daniel Defoe (1659-1731) un relato de hazañas, y es también protagonista de la novela *Jack Sheppard* (1839), del escritor inglés William Harrison Ainsworth (1805-1882).

de los éxitos; pero vuelvo a repetirle que, en las condiciones en que usted se encuentra, me temo que sea bastante difícil. Sabe usted perfectamente que, de acuerdo con la descripción que ha recibido, el ladrón puede confundirse con cualquier hombre honrado.

—Señor cónsul —respondió dogmáticamente el inspector de policía—, los grandes ladrones siempre parecen personas honradas. Comprenderá usted perfectamente que los que tienen cara de pícaros tan solo tienen una opción, y es la de seguir siendo probos, porque, si no, serían detenidos. Hay que fijarse sobre todo en las fisonomías honradas. Trabajo difícil, estoy de acuerdo, y que no es una profesión, sino un arte.

Se ve que el llamado Fix no carecía de cierta dosis de amor propio.

Mientras tanto, el muelle iba cobrando animación. Marinos de diferentes nacionalidades, comerciantes, corredores de comercio, cargadores y *fellahs*[7] iban afluyendo. La llegada del paquebote era evidentemente inmediata.

El tiempo era bastante bueno, pero algo frío a causa del viento de levante. Algunos alminares se destacaban sobre la ciudad bajo los pálidos rayos solares. Hacia el Sur, una escollera de dos mil metros de longitud se extendía como un brazo sobre la rada de Suez. Por la superficie del mar Rojo navegaban diversos barcos de pesca o cabotaje, algunos de los cuales conservaban las elegantes líneas de las antiguas galeras.

Mientras paseaba entre aquella muchedumbre, Fix, por hábito profesional, escudriñaba a todos los transeúntes de una rápida ojeada.

Ya eran las diez y media.

—¡Pero es que no va a llegar nunca ese paquebote! —exclamó al escuchar el sonido del reloj del puerto.

—Ya no puede estar lejos —le respondió el cónsul.

Probo: Íntegro, honrado, recto.

Corredor de comercio: Funcionario que interviene en la negociación de letras, en los contratos de compraventa de efectos comerciales y en los de seguros.

Alminar: Torre de una mezquita.

Escollera: Obra hecha de piedras arrojadas al fondo del agua, para formar un dique o para resguardar el pie de otra obra de la acción de las olas o las corrientes.

Rada: Bahía, ensenada.

Cabotaje: Navegación comercial hecha a lo largo de la costa.

Galera: Nave antigua de vela latina y remo.

Escudriñar: Examinar, inquirir y averiguar cuidadosamente.

[7] Voz árabe que significa «labrador» y que designa a los campesinos egipcios. Su plural es, en realidad, *fellahin*.

—¿Cuánto tiempo permanecerá en Suez? —preguntó Fix.

—Cuatro horas. El tiempo necesario para surtirse de carbón. De Suez a Adén, al otro extremo del mar Rojo, hay mil trescientas diez millas, y hay que abastecerse de combustible.

Milla: Medida itineraria inglesa, equivalente a 1.609,3 metros o 1.760 yardas.

—Y desde Suez ¿ese barco va directamente a Bombay? —preguntó Fix.

—Directamente, sin transbordos.

—Pues bien —dijo Fix—, si el ladrón ha tomado esta ruta y este barco, debe de haber planeado desembarcar en Suez, para poder alcanzar así las posesiones holandesas o francesas de Asia por otros medios. Debe saber que en la India, que es territorio inglés, no se encontraría seguro.

—A menos que sea un hombre inteligente —respondió el cónsul—. Sabe usted perfectamente que un criminal inglés siempre estará mejor escondido en Londres que en el extranjero.

Tras aquella afirmación, que dio mucho que pensar al agente, el cónsul regresó a sus oficinas, situadas a escasa distancia. El inspector de policía quedó solo, presa de una impaciencia nerviosa, con el extraño presentimiento de que su ladrón debía de encontrarse a bordo del *Mongolia,* y, para ser sinceros, si aquel pillo había abandonado Inglaterra con la pretensión de alcanzar el Nuevo Mundo, la ruta de las Indias, menos vigilada o más difícil de vigilar que la del Atlántico, debía de haber obtenido su predilección.

Fix no pudo abandonarse a sus reflexiones por mucho tiempo, ya que unos agudos pitidos anunciaron la llegada del paquebote. Toda la horda de cargadores y *fellahs* se precipitó sobre el muelle en un tumulto bastante inquietante, tanto para la integridad física, como para las vestimentas de los pasajeros. Una decena de falúas se apartó de la orilla y salió al encuentro del *Mongolia.*

Horda: Grupo de gente que vive y actúa sin disciplina ni moderación.

Falúa: Embarcación menor con carroza, propia de los jefes de marina.

Muy pronto pudo verse el gigantesco casco del *Mongolia* pasando entre ambas orillas del canal, y daban justamente las once cuando el *steamer* fondeó en la rada, mientras el vapor salía ruidosamente por los tubos de escape.

Fondear: Echar anclas.

Los pasajeros eran bastante numerosos a bordo. Algunos de ellos continuaron sobre el *spardeck*, contemplando el pintoresco panorama de la ciudad; pero la mayor parte desembarcó en las falúas que abordaron el *Mongolia*.

Fix examinaba escrupulosamente a todos cuantos ponían el pie sobre el muelle.

En aquel momento, uno de ellos se le acercó después de haberse desembarazado vigorosamente de los *fellahs* que lo asaltaban con sus ofertas de diferentes servicios, y le preguntó muy cortésmente si podía indicarle dónde se encontraban las oficinas del agente consular inglés. Y, al mismo tiempo, aquel pasajero mostraba un pasaporte, sobre el que sin duda alguna deseaba que se le pusiera el visado británico.

Fix cogió el pasaporte instintivamente y, de una rápida ojeada, lo examinó.

Un movimiento involuntario estuvo casi a punto de traicionarlo. La hoja tembló entre sus manos. La descripción que en él constaba era idéntica a la que había recibido del director de la policía metropolitana.

—Este pasaporte no es el suyo —dijo al pasajero.

—No —respondió aquel—, es el pasaporte de mi señor.

—¿Y dónde está su señor?

—Se ha quedado a bordo.

—Pero —prosiguió el agente— es necesario que se presente personalmente en las oficinas consulares a fin de establecer su identidad.

—¿Cómo? ¿Es eso necesario?

—Es indispensable.

—¿Y dónde están esas oficinas?

—Ahí, en la esquina de la plaza —respondió el inspector, al tiempo que indicaba una casa situada a unos doscientos pasos.

—Entonces voy a buscar a mi señor, a quien no va a gustarle mucho tener que molestarse.

Y, dicho esto, el pasajero saludó a Fix y regresó a bordo del *steamer.*

Capítulo VII

Que prueba, una vez más, la inutilidad de los pasaportes en materia de policía

El inspector regresó al muelle y se dirigió rápidamente hacia las oficinas consulares. Inmediatamente, y ante lo apremiante de su petición, fue conducido ante el cónsul.

—Señor cónsul —le dijo sin más preámbulos—, tengo fuertes motivos para pensar que nuestro hombre se encuentra a bordo del *Mongolia.*

Y Fix le contó lo ocurrido entre él y el criado con respecto al pasaporte.

—Bien, señor Fix —respondió el cónsul—, no me disgustaría verle la cara a ese pillo. Pero tal vez no se presente en mi oficina, al menos si es lo que usted supone. A un ladrón no le gusta dejar tras él las señales de su paso, y, por otra parte, la formalidad del pasaporte ya no es obligatoria.

—Señor cónsul —le contestó el agente—, si, como cabe esperar, se trata de un hombre inteligente, vendrá.

—¿Para hacer visar su pasaporte?

—Sí. Los pasaportes nunca sirven para otra cosa que para molestar a las personas honradas y favorecer la huida de los pillos. Le afirmo que este estará en regla, pero espero que usted no le ponga el visado…

—¿Por qué no? Si el pasaporte está en regla —respondió el cónsul—, no tengo ningún derecho a negarle el visado.

—No obstante, señor cónsul, necesito retener aquí a ese hombre, al menos hasta que haya recibido de Londres una orden de detención.

—¡Ah! Eso, señor Fix, es asunto suyo —le respondió el cónsul—; pero yo no puedo...

El cónsul no acabó su frase. En aquel momento llamaron a la puerta de su despacho, y el ordenanza introdujo a dos extranjeros, uno de los cuales era precisamente el criado que había hablado con el detective.

Eran, en efecto, amo y criado. El amo presentó su pasaporte, rogando escuetamente al cónsul que tuviese a bien estamparle su visado.

Escuetamente: Sin rodeos.

Este cogió el pasaporte y lo leyó atentamente, mientras Fix, en un rincón del despacho, observaba o más bien devoraba al extranjero con la vista.

Cuando el cónsul acabó la lectura:

—¿Es usted Phileas Fogg, *esquire?* —preguntó.

—Sí, señor —respondió el *gentleman.*

—¿Y este hombre es su criado?

—Sí. Un francés llamado Passepartout.

—¿Viene usted de Londres?

—Sí.

—¿Y adónde va?

—A Bombay.

—Bien, señor. ¿Tenía usted idea de que esta formalidad del visado es inútil, y que ya no exigimos la presentación de pasaporte?

—Lo sé, señor —respondió Phileas Fogg—, pero deseo que su visado deje constancia de mi paso por Suez.

—Como usted quiera.

Y el cónsul selló el pasaporte, después de haberlo firmado y fechado. El señor Fogg pagó los derechos de visado y, después de haber saludado fríamente, salió seguido de su criado.

—¿Qué le parece? —preguntó el inspector.

—Me parece —respondió el cónsul— que tiene toda la pinta de un hombre perfectamente honrado.

—Es posible —respondió Fix—, pero no se trata de eso. ¿No cree usted, señor cónsul, que ese flemático

caballero se parece en todos sus rasgos al ladrón cuya descripción he recibido?

Convengo en ello, pero, como usted sabe, todas las descripciones...

Convenir: Estar de acuerdo

—Sabré a qué atenerme —respondió Fix—. El criado me parece mucho menos inaccesible que su amo. Además, tratándose de un francés, no podrá mantener la boca cerrada. Hasta pronto, señor cónsul.

Dicho esto, el agente salió y se puso a buscar a Passepartout.

Mientras tanto, tras abandonar las dependencias consulares, el señor Fogg se dirigió al muelle. Allí dio algunas instrucciones a su criado; luego se embarcó en una falúa, regresó a bordo del *Mongolia* y se metió en su camarote. Entonces cogió su agenda, en la que figuraban las siguientes notas:

«Salida de Londres, el miércoles 2 de octubre, a las 8,45 de la tarde.

Llegada a París, el jueves 3 de octubre, a las 7,20 de la mañana.

Salida de París, el jueves, a las 8,40 de la mañana.

Llegada a Turín, por el Mont Cenis, el viernes 4 de octubre, a las 6,35 de la mañana.

Salida de Turín, el viernes, o sea, el mismo día 4, a las 7,20 de la mañana.

Llegada a Brindisi, el sábado 5 de octubre, a las 4 de la tarde.

Embarcado a bordo del *steamer Mongolia,* el sábado, a las 5 de la tarde.

Llegada a Suez, el miércoles 9 de octubre, a las 11 de la mañana.

Total de horas invertidas: 158 y media; es decir, 6 días y medio».

El señor Fogg había escrito aquellos datos sobre un itinerario dispuesto por columnas, que indicaban —desde el 2 de octubre hasta el 21 de diciembre— el mes, el día de la semana, la fecha, las llegadas reglamentarias y las efectivas en cada escala principal: París, Brindisi, Suez, Bombay, Calcuta, Singapur, Hong Kong, Yokohama, San Francisco, Nueva York, Liverpool y Londres, lo que le permitía calcular las ventajas obtenidas o las pérdidas sufridas en cada lugar del recorrido.

Aquel metódico itinerario lo tenía todo en cuenta, y permitía al señor Fogg saber en todo momento si iba con adelanto o con retraso.

Marcó, pues, aquel día, miércoles 9 de octubre, su llegada a Suez, que, al coincidir con la fecha prevista, no le daba ni ventaja ni retraso alguno.

Después se hizo servir el desayuno en su camarote. Y, por lo que respecta a una visita a la ciudad, ni se le pasó por la imaginación, pues pertenecía a esa raza de ingleses que delegan en sus criados la visita a los países que atraviesan.

Capítulo VIII

En el que Passepartout habla un poco más de lo que posiblemente convendría

Passepartout, quien no se creía obligado a dejar de visitar ningún sitio, fue alcanzado en el muelle por el señor Fix en pocos instantes.

—Hola, amigo mío —le dijo Fix al abordarlo—. ¿Ya han visado su pasaporte?

—¡Ah, es usted! —respondió el francés—. Muchas gracias. Ya estamos perfectamente en regla.

—Qué. ¿Contemplando el paisaje?

—Sí. Pero vamos tan rápidos, que me parece que viajo en un sueño. ¿Así es que estamos en Suez?

—En Suez.

—¿En Egipto?

—En Egipto, efectivamente.

—¿Y en África?

—En África.

—¡En África! —repitió Passepartout—. No puedo creerlo. Imagínese usted, señor, que yo creía que no llegaríamos más allá de París, y tan solo hemos estado en esa magnífica capital de las siete y veinte hasta las ocho y cuarenta de la mañana; justo el tiempo de ir de la estación del Norte hasta la de Lyon, y no la hemos podido ver más que a través de los cristales de un coche de caballos y bajo una lluvia torrencial. ¡Cuánto lo siento! ¡Me habría gustado ver el Père Lachaise y el Circo de los Campos Elíseos[1]!

---

[1] El *Père Lachaise* es el cementerio parisiense situado en el lugar donde estaba la casa de campo que Luis XIV había hecho construir para el jesuita François D'Aix de

—¿Tanta prisa tienen? —preguntó el inspector de policía.

—Yo, no, pero mi señor sí. A propósito, necesito ir a comprar calcetines y camisas. Hemos partido sin ningún equipaje, tan solo con una bolsa de viaje.

Bazar: Tienda en que se venden productos diversos.

—Voy a conducirlo a un bazar, donde podrá usted encontrar todo lo que necesita.

—Señor —respondió Passepartout—, es usted realmente muy amable...

Y ambos se pusieron en camino. Passepartout no dejaba de hablar.

—Sobre todo —dijo—, tengo que estar muy atento para no perder el barco.

—Tiene usted todo el tiempo que necesite —respondió Fix—; todavía no son más que las doce.

Passepartout sacó su abultado reloj.

—¿Las doce? —dijo—. ¡Vamos! Son las nueve y cincuenta y dos minutos.

—Su reloj retrasa —respondió Fix.

—¡Mi reloj! ¡Un reloj de familia, que era de mi bisabuelo! ¡No varía ni cinco minutos al año! ¡Es un auténtico cronómetro!

—Ya comprendo lo que ocurre —respondió Fix—. Usted conserva la hora de Londres, que tiene dos horas de retraso con respecto a Suez[2]. Tendrá que acordarse de ponerlo al día en cada país.

—¿Yo? ¡Tocar mi reloj! —exclamó Passepartout—. ¡Nunca!

—Bueno, pues entonces no irá usted de acuerdo con la hora solar.

—¡Peor para el sol, señor! ¡Será él quien tenga la culpa!

la Chaise (1624-1709), que fue confesor del rey durante 34 años. Los *Campos Elíseos* es una de las avenidas de París, que une la plaza de la Estrella con la de la Concordia y los jardines de las Tullerías; en ella está situado el palacio del Elíseo, residencia de los presidentes de la República francesa desde 1873.

[2] Efectivamente, por cada grado de la esfera terrestre que se desplaza uno, se avanza o retrocede, según se dirija hacia el Este o el Oeste, cuatro minutos con respecto al punto de partida, es decir, una hora por cada quince grados.

Y el buen muchacho volvió a meter su reloj en el chaleco con un gesto soberbio.

Unos instantes después, Fix le dijo:

—¿De modo que han salido precipitadamente de Londres?

—Ya lo creo. El miércoles pasado, a las ocho de la noche, y, contrariamente a sus costumbres habituales, el señor Fogg regresó del círculo, y tres cuartos de hora más tarde partíamos.

—¿Pero adónde va su amo?

—¡Siempre hacia adelante! ¡Da la vuelta al mundo!

—¿La vuelta al mundo? —exclamó Fix.

—Sí. ¡Y en ochenta días! Una apuesta, según me dijo; pero, entre nosotros, yo no me lo creo. Eso no tendría ningún sentido. Hay algo más.

—¡Ah! ¿Es un extravagante ese señor Fogg?

—Eso creo.

—Entonces, ¿es rico?

—Evidentemente. Y lleva una bonita suma con él. En *banknotes* nuevecitos. Y no ahorra nada por el camino. ¡Fíjese! ¡Ha prometido una magnífica recompensa al maquinista del *Mongolia* si llegamos a Bombay con adelanto!

—¿Y usted conoce hace mucho a su amo?

—¿Yo? —respondió Passepartout—. Entré a su servicio el mismo día de nuestra partida.

Podemos imaginarnos fácilmente el efecto que esas respuestas debieron producir en el ánimo ya sobreexcitado del inspector de policía.

Aquella salida precipitada de Londres poco tiempo después del robo, aquella enorme suma que llevaba consigo, aquel interés por llegar a países lejanos bajo el pretexto de una apuesta excéntrica, todo ello confirmaba y debería confirmar a Fix en sus ideas. Consiguió que el francés continuase hablando y adquirió la certeza de que aquel muchacho no sabía de su amo más que vivía aislado en Londres, que se decía que era rico sin conocer nadie el origen de su for-

tuna, que se trataba de un hombre impenetrable, etc. Pero, al mismo tiempo, Fix tuvo la certeza de que Phileas Fogg no desembarcaría en Suez y de que iba realmente a Bombay.

—¿Está lejos Bombay? —preguntó Passepartout.

—Bastante lejos —respondió el agente—. Necesitarán todavía una docena de días de navegación.

—¿Y dónde dice usted que está Bombay?

—En la India.

—¿En Asia?

—Naturalmente.

—¡Diablos! Es que hay algo que..., hay algo que me preocupa... ¡Mi farol!

—¿Qué farol?

—Mi farol de gas. Olvidé apagarlo y está consumiendo gas a mis expensas. Y he calculado que me costará dos chelines cada veinticuatro horas, es decir, seis peniques más de lo que gano en ese tiempo; así es que, por poco que el viaje se prolongue...

¿Comprendió Fix el asunto del gas? Era poco probable. Ya no escuchaba nada y estaba tomando una decisión. El francés y él llegaron al bazar. Fix dejó a su compañero que hiciese sus compras, le recomendó no perderse la salida del *Mongolia,* y regresó a toda prisa a las oficinas del agente consular.

Ya convencido, Fix había recobrado toda su sangre fría.

—Señor —dijo al cónsul—, ya no me queda ninguna duda. Tengo a mi hombre. Se hace pasar por un excéntrico que quiere dar la vuelta al mundo en ochenta días.

—Entonces es un cuco —respondió el cónsul—, y pretende regresar a Londres después de haber despistado a todas las policías de los dos continentes.

Cuco: Astuto y taimado.

—Ya lo veremos —respondió Fix.

—¿Está usted seguro de no equivocarse? —preguntó una vez más el cónsul.

—Yo no me equivoco.

—Entonces, ¿por qué ese ladrón ha insistido en dejar constancia de su paso por Suez con el visado?

—Porque..., yo no sé nada, señor cónsul —respondió el detective—, pero escúcheme.

Y en unas cuantas palabras le explicó los puntos más sobresalientes de su conversación con el criado del susodicho Fogg.

—En efecto —reconoció el cónsul—, todas las presunciones están contra ese hombre. ¿Qué va usted a hacer?

—Enviar un telegrama a Londres con la petición de que me remitan una orden de detención a Bombay; embarcar en el *Mongolia* y seguir a mi ladrón hasta las Indias, y allí, en aquella tierra inglesa, abordarlo amablemente, la orden de detención en la mano y la mano sobre el hombro.

Después de aquellas palabras, pronunciadas con toda frialdad, el agente se despidió del cónsul y fue a la oficina de telégrafos. Desde allí envió al director de la policía metropolitana el telegrama que ya conocemos.

Un cuarto de hora más tarde, Fix, con su ligero equipaje en la mano, bien provisto, por otra parte, de dinero, se embarcaba a bordo del *Mongolia,* y poco después el rápido *steamer* navegaba a toda marcha por las aguas del mar Rojo.

CAPÍTULO IX

Donde el mar Rojo y el mar de las Indias se muestran propicios a los planes de Phileas Fogg

La distancia entre Suez y Adén es exactamente de mil trescientas diez millas, y el pliego de condiciones de la compañía concedía a sus paquebotes un lapso de tiempo de ciento treinta y ocho horas para recorrerla. El *Mongolia,* cuyas calderas iban a todo vapor, intentaba reducir el tiempo estipulado.

Pliego de condiciones: Documento en que figuran las condiciones a las que deben sujetarse las dos partes que formalizan un contrato.

La mayor parte de los pasajeros embarcados en Brindisi tenían la India como punto de destino. Los unos iban a Bombay, los otros, a Calcuta, pero vía Bombay, ya que, desde que un ferrocarril atravesaba en toda su anchura la península indostánica, se hacía innecesario doblar la punta de Ceilán.

Entre los pasajeros del *Mongolia* había varios funcionarios civiles y oficiales del ejército de todas las graduaciones. De estos, unos pertenecían al ejército británico propiamente dicho, mientras que otros mandaban las tropas indígenas de cipayos; todos ellos costosamente asalariados, incluso en aquellos tiempos en que el gobierno se había hecho cargo de la administración de la Compañía de Indias[1]. Los subte-

Cipayo: Soldado indio al servicio de una potencia europea.

[1] La Compañía inglesa de las Indias Orientales, fundada en Londres en 1600 para el comercio con los países del océano Índico, se centró pronto en el comercio con la India continental, donde compró Madrás, Bombay y Calcuta; reorganizada en 1709, consiguió el monopolio del comercio, eliminando gracias a la protección del gobierno inglés la competencia de holandeses y franceses. En 1833 el gobierno abolió sus privilegios comerciales, y después de la revuelta de los cipayos, ocurrida en 1857 y que puso en peligro la dominación inglesa en la India, todos sus poderes fueron transferidos a la Corona (1858).

Brigadier: Oficial general cuya categoría era inmediatamente superior a la de coronel. Esta categoría equivale hoy a la de general de brigada.

Escatimar: Escasear, limitar.

nientes recibían 7.000 F, los brigadieres 60.000, y los generales 100.000.*

Se vivía bien a bordo del *Mongolia,* en medio de aquella sociedad de funcionarios, a la que se mezclaban algunos jóvenes ingleses que, millón en el bolsillo, iban a fundar allá lejos establecimientos comerciales. Incluso el *purser*[2], el hombre de confianza de la compañía, equiparado al capitán a bordo, no escatimaba lo más mínimo. Tanto en el almuerzo de la mañana, como en el refrigerio de las dos de la tarde, como en la comida de las cinco y media, como en la cena de las ocho de la noche, las mesas cedían bajo el peso de los platos de carne fresca y los postres suministrados por la carnicería y el servicio del paquebote. Las pasajeras se cambiaban de ropa dos veces al día. Se tocaba algo de música, e incluso se bailaba cuando el estado de la mar lo permitía.

Pero el mar Rojo era caprichoso y muy frecuentemente violento, al igual que todos los golfos estrechos y largos. Cuando el viento soplaba, ya de la costa de Asia, ya de la costa de África, el *Mongolia,* largo huso propulsado a hélice, se movía horrorosamente al ser cogido de través. Entonces las damas desaparecían, los pianos se callaban, los cantos y los bailes cesaban al mismo tiempo. Y sin embargo, pese a las ráfagas, pese al oleaje, el paquebote, propulsado por su potente máquina, navegaba sin retraso hacia el estrecho de Bab el-Mandeb.

¿Qué hacía Phileas Fogg mientras tanto? Se podría pensar que, siempre inquieto y ansioso, se preocupaba de los cambios de viento perjudiciales a la marcha del navío, o de los movimientos desordenados de las

---

* Los sueldos de los funcionarios civiles eran más elevados aun. Los simples asistentes en el primer escalón de las jerarquías, cobraban 12.000 F; los jueces, 60.000 F; los presidentes de tribunales, 250.000 F; los gobernadores 300.000 F; y el gobernador general, más de 600.000 F. *(Nota del autor).*

[2] Sobrecargo, oficial de un barco a cuyo cuidado están los pasajeros y las mercancías que transporta. (En inglés en el original).

olas que amenazaban con ocasionar un accidente a la maquinaria, en fin, de cualquiera de las posibles averías que, obligando al *Mongolia* a recalar en cualquier puerto, hubiesen puesto en peligro su viaje.

En absoluto, o al menos, si aquel caballero pensaba en dichas posibilidades, no lo aparentaba. Era el hombre impasible de siempre, el imperturbable miembro del Reform Club, a quien ningún incidente o accidente podría sorprender. No parecía más emocionado que los cronómetros de a bordo. Se le veía raramente sobre el puente. No se molestaba en observar aquel mar Rojo, tan fecundo en recuerdos, aquel teatro de las primeras escenas históricas de la humanidad. No salía a contemplar las curiosas villas que se esparcían por sus orillas y cuyas pintorescas siluetas se recortaban en ocasiones en el horizonte. Ni siquiera se le ocurría recordar los peligros de aquel golfo Arábigo, de los que los antiguos historiadores Estrabón, Arriano, Artemidoro e Idrisi[3] hablaron siempre con temor, y sobre el que los navegantes no se aventuraban en otros tiempos, sin haber consagrado antes su viaje por medio de sacrificios propiciatorios.

¿Qué hacía, pues, aquel hombre singular, encerrado en el *Mongolia*? En primer lugar, tomaba sus cuatro comidas diarias, sin que balanceos ni cabeceos pu-

Puente: Plataforma estrecha y con baranda que, colocada a cierta altura sobre la cubierta, va de banda a banda.

Propiciatorio: Que tiene virtud de hacer el bien.

Cabeceo: Acción de moverse la embarcación bajando y subiendo alternativamente de proa a popa.

[3] *Estrabón* (*c.* 58 a. C.-*c.* 21 d. C.), geógrafo griego, visitó gran parte del Imperio romano, pasando grandes temporadas en Alejandría (Egipto); dejó escritas unas *Memorias históricas*, hoy perdidas, y una *Geografía*, que se conserva casi completa, que recoge descripciones de la mayor parte del mundo conocido entonces. *Arriano* (*c.* 95-*c.* 175), historiador y filósofo griego, fue nombrado ciudadano romano en reconocimiento a sus servicios militares, y obtuvo de Adriano el gobierno de Capadocia; redactó un *Plan de movilización contra los alanos*, escribió la *Anábasis*, sobre la expedición de Alejandro, y también un libro de viajes sobre la India. *Artemidoro* de Éfeso, geógrafo griego del siglo I a. C., visitó Italia, España, Egipto y la mayor parte de los países del Mediterráneo; su geografía, titulada *Enseñanza sobre la descripción de la Tierra*, fue aprovechada en parte por Estrabón. *Al-Idrisi* (1099-1166), geógrafo musulmán nacido en Ceuta, realizó un planisferio y escribió, por orden de Roger II, rey de Sicilia, una descripción del mundo titulada *Nuzhat al-mustaq fi igtiraq al-afaq* (Recreo de quien desee recorrer el mundo), también llamada *Libro de Roger*, que constituye la mejor exposición de material geográfico de la Edad Media.

diesen descomponer una máquina tan maravillosamente organizada. Y, además, jugaba al *whist*.

¡Sí! Había encontrado compañeros de juego, y tan empedernidos como él: un recaudador de impuestos que regresaba a su puesto en Goa; un ministro, el reverendo Decimus Smith, que regresaba a Bombay, y un brigadier del ejército inglés, que se reunía con su cuerpo de ejército en Benarés. Aquellos tres pasajeros sentían por el *whist* la misma pasión que el señor Fogg, y lo jugaban durante horas y horas, no menos silenciosamente que él.

Empedernido: Obstinado, tenaz, que tiene un vicio o costumbre muy arraigados.

Ministro: Sacerdote.

En cuanto a Passepartout, el mareo no le inquietaba. Ocupaba un camarote a proa y comía también concienzudamente. Hay que señalar que decididamente aquel viaje, realizado en tales condiciones, no le desagradaba en absoluto. Y lo aprovechaba. Bien alimentado, bien alojado, viajaba y, por otro lado, se afirmaba a sí mismo que toda aquella fantasía se acabaría en Bombay.

Al día siguiente de la partida de Suez, el 10 de octubre, y no sin cierta satisfacción, encontró en cubierta al amable personaje al que se había dirigido al desembarcar en Egipto.

Cubierta: Cada uno de los pisos de un navío situados a diferente altura y especialmente el superior.

—Si no me equivoco —le dijo, abordándolo con la mejor de sus sonrisas—, ¿es usted quien tan amablemente me sirvió de guía en Suez?

—En efecto —respondió el detective—, lo recuerdo a usted. Usted es el criado de ese inglés tan excéntrico...

—Precisamente, señor...

—Fix.

—Señor Fix —respondió Passepartout—. Estoy encantado de encontrarlo a bordo. ¿Y adónde va usted?

—Como ustedes, a Bombay.

—¡Magnífico! ¿Ha hecho ya alguna vez este viaje?

—En varias ocasiones —respondió Fix—. Soy agente de la Compañía Peninsular.

—Entonces conocerá usted la India.

—Pues... sí —respondió Fix, que no quería ser muy explícito.

—¿Y es interesante la India?

—¡Muy interesante! Hay mezquitas, alminares, templos, faquires, pagodas, serpientes y bayaderas. Pero esperemos que tengan ustedes tiempo para visitar el país.

—Así lo espero, señor Fix. Como usted comprenderá, no es posible que un hombre sensato pase su vida saltando de un paquebote a un ferrocarril, y de un ferrocarril a un paquebote, con el pretexto de dar la vuelta al mundo en ochenta días. No. Toda esta gimnasia acabará en Bombay, no lo dude.

—¿Y cómo está el señor Fogg? —preguntó Fix con un tono de lo más natural.

—Muy bien, señor Fix. Yo también, por cierto. Como más que un ogro hambriento. Debe de ser la brisa marina.

—No veo nunca a su amo sobre cubierta.

—Nunca. No es demasiado curioso.

—¿Sabe usted, señor Passepartout, que este supuesto viaje de ochenta días pudiera ocultar cualquier misión secreta..., una misión diplomática, por ejemplo?

—A fe mía, señor Fix, que no sé nada, lo confieso, y, en el fondo, no daría ni media corona por saberlo.

Después de aquel encuentro, Passepartout y Fix charlaban con cierta frecuencia. El inspector de policía deseaba relacionarse con el criado del señor Fogg. Podría serle muy útil en cualquier momento. Le invitó, pues, a menudo en el *bar room*[4] del *Mongolia* a algunos vasos de whisky o de *pale ale*[5], que el buen muchacho aceptaba sin más ceremonia, y que incluso devolvía, para no ser menos, y porque, además, aquel Fix le parecía un caballero honrado.

Faquir: Santón musulmán que vive de limosna y practica actos de singular austeridad.

Pagoda: Templo oriental con forma de torre de pisos superpuestos, separados por cornisas o tejados en varias vertientes, que encierra reliquias de Buda o de santos budistas.

Bayadera: Bailarina y cantora india, dedicada a intervenir en las funciones religiosas o solo a divertir a la gente con sus danzas o cantos.

Ogro: Según los cuentos y creencias populares, gigante que se alimentaba de carne humana.

A fe mía: Por mi palabra.

Corona: Antigua moneda inglesa de plata, cuarta parte de la libra esterlina.

[4] «Camarote bar». (En inglés en el original).

[5] Literalmente, «cerveza clara». (En inglés en el original).

Mientras tanto, el paquebote avanzaba rápidamente. El 13 avistaron Moka, que se les apareció con su cinturón de murallas en ruinas, por encima de las cuales se veía sobresalir algunas datileras verdosas. A lo lejos, en las montañas, se extendían vastos cafetales. Passepartout estaba encantado de poder contemplar aquella célebre ciudad, e incluso observó que con aquellos muros circulares y el fuerte desmantelado, que se dibujaba con forma de asa, se parecía a una enorme taza.[6]

Franquear: Pasar de un lado a otro

A la noche siguiente, el *Mongolia* franqueó el estrecho de Babel Mandeb, cuyo nombre, en árabe, significa «La puerta de las lágrimas», y al día siguiente, el 14, realizó una escala en Steamer Point, al noroeste de la rada de Adén. Allí deberían reabastecerse de combustible.

La alimentación de los fogones de los paquebotes a tales distancias de los centros de producción era un asunto grave e importante. Tan solo para la Compañía Peninsular aquel gasto se cifraba en 800.000 libras (20 millones de francos) al año. Se hizo necesario, en efecto, establecer depósitos en diferentes puertos y, en aquellos mares tan lejanos, el carbón se pone en ochenta francos la tonelada.

Al *Mongolia* le quedaban todavía mil seiscientas cincuenta millas que recorrer antes de llegar a Bombay, y tenía que realizar una escala de cuatro horas en Steamer Point, a fin de llenar sus pañoles.

Pañol: Compartimiento del buque, para guardar víveres, municiones, etcétera.

Pero aquel retraso no podía afectar al programa de Phileas Fogg. Estaba previsto. Además, el *Mongolia,* en lugar de llegar a Adén el 15 de octubre por la mañana, lo había hecho el 14 por la tarde. Lo que significaba un adelanto de quince horas.

[6] Moka es una ciudad y puerto del Yemen, a orillas del mar Rojo. Fue el puerto más importante de la zona a finales del siglo XVIII; sus habitantes vivían del comercio de la mirra, el incienso, los dátiles y el café de la Arabia meridional, variedad de una calidad muy apreciada (café moca). Suplantada por Adén, y en la actualidad por Hudayda, declinó totalmente y está fuera de servicio.

El señor Fogg y su criado descendieron a tierra. El *gentleman* quería hacerse visar el pasaporte. Fix los siguió sin ser visto. Cumplida la formalidad del visado, Phileas Fogg regresó a bordo para reanudar su interrumpida partida.

Por su parte, Passepartout, según su costumbre, erró de un lado para otro en medio de aquella muchedumbre de somalíes, banianos, parsi, judíos, árabes y europeos, que componían los veinticinco mil habitantes de Adén. Admiró las fortificaciones que convierten a aquella ciudad en el Gibraltar del mar de las Indias, así como las magníficas cisternas en las que trabajaban los ingenieros ingleses, dos mil años después que los ingenieros del rey Salomón[7].

«Curioso, muy curioso —se decía Passepartout mientras regresaba a bordo—. Comprendo que, si se quieren conocer cosas nuevas, viajar no es inútil».

A las seis de la tarde, el *Mongolia* batía de nuevo las aguas de la rada de Adén con su hélice, y muy pronto surcó el mar de las Indias. Le estaban asignadas ciento sesenta y ocho horas para realizar la travesía entre Adén y Bombay. Por lo demás, aquel mar de las Indias le era favorable. El viento soplaba del Noroeste. Las velas acudieron en ayuda del vapor.

El navío, mejor afirmado, cabeceaba menos. Las pasajeras, con ropas ligeras, reaparecieron sobre el puente. Los cantos y los bailes se reanudaron.

El viaje se efectuó, pues, en las mejores condiciones. Passepartout estaba encantado del amable compañero que el azar le había procurado en la persona de Fix.

El domingo 20 de octubre, hacia el mediodía, se avistó la costa hindú. Dos horas más tarde el práctico subía a bordo del *Mongolia*. En el horizonte, un se-

Errar: Andar vagando de una parte a otra.

Baniano: Comerciante de la India, por lo común sin residencia fija.

Parsi: Pueblo de la antigua Persia, que ocupaba la actual región de Farsistán; tenía lengua, literatura y religión propias.

Práctico: El que por el conocimiento del lugar en que navega dirige a ojo el rumbo de las embarcaciones.

[7] Salomón (970-931 a. C.), rey de Israel, hijo de David, constructor del famoso templo de Jerusalén, envió sus naves a buscar los materiales necesarios para ello, las cuales llegaron hasta el reino de Saba, en el Yemen, y el país de Ofir, probablemente en el Yemen o en África austral.

gundo plano de colinas se perfilaba armoniosamente sobre el fondo del cielo. Muy pronto las filas de palmeras que llenan la ciudad se destacaron con toda claridad. El paquebote entró en la rada formada por las islas Salcette, Colaba, Elephanta y Butcher, y a las cuatro y media de la tarde atracaba en los muelles de Bombay.

Phileas Fogg terminaba entonces su trigésima tercera partida del día, y tanto su pareja como él, habiendo realizado las trece bazas gracias a una audaz maniobra, finalizaban la bella travesía dando un capote[8] admirable.

El *Mongolia* no debería haber llegado a Bombay hasta el 22 de octubre. Y lo hizo el 20. Así pues, desde su partida de Londres, Phileas Fogg había obtenido una ventaja de dos días, lo que marcó metódicamente sobre su itinerario, por supuesto en la columna de beneficios.

[8] En algunos juegos de naipes, hacer uno de los jugadores todas las bazas en una mano.

Capítulo X

Donde Passepartout se da por satisfecho con salir bien parado, sin más pérdida que su calzado

Nadie ignora que la India —ese gran triángulo invertido cuya base está al Norte y la punta al Sur— tiene una superficie de un millón cuatrocientas mil millas cuadradas, sobre las que se encuentra desigualmente esparcida una población de ciento ochenta millones de habitantes. El gobierno británico ejerce un dominio real sobre una parte de ese inmenso país. Mantiene un gobernador general en Calcuta, gobernadores en Madrás, Bombay y Bengala, y un vicegobernador en Agra.

Gobernador: Persona que desempeña el mando de una provincia, ciudad o territorio.

Pero la India inglesa propiamente dicha no cuenta más que con una superficie de setecientas millas cuadradas, y una población de cien a ciento diez millones de habitantes. Esto nos indica que una parte muy notable del territorio escapa todavía a la autoridad de la Reina. En efecto, en los territorios de algunos rajaes del interior, feroces y terribles, la independencia es todavía absoluta.

Rajá: Soberano índico.

Desde 1756 —época en la que se fundó el primer establecimiento inglés sobre el emplazamiento hoy en día ocupado por la ciudad de Madrás— hasta el año en que estalló la gran insurrección de los cipayos, la célebre Compañía de Indias fue todopoderosa. Anexionó poco a poco diferentes provincias, compradas a los rajaes al precio de unas rentas muy bajas que, o pagaba muy mal, o, en ocasiones, ni siquiera pagaba; la Compañía nombraba su propio gobernador general y todos sus empleados, civiles o militares; pero, actualmente, la Compañía ya no existe, y las posesiones inglesas de la India dependen directamente de la Corona.

Etnográfica: Referente a la etnografía, parte de la antropología que tiene por objeto la descripción, clasificación y filiación de las razas o pueblos.

Palanquín: Especie de andas usadas en Oriente para llevar en ellas a las personas importantes.

Por eso, el aspecto, las costumbres y las divisiones etnográficas de la península tienen que modificarse. Antaño se viajaba por medio de todos los antiguos sistemas de transporte, a pie, a caballo, en carro, en carretilla, en palanquín, montado sobre otra persona, en *coach*[1], etc. Actualmente, los *steamboats*[2] recorren el Indo y el Ganges a grandes velocidades, y un ferrocarril, que atraviesa la India en toda su anchura y ramificándose durante su recorrido, pone Bombay a tan solo tres días de distancia de Calcuta.

El trazado del ferrocarril no sigue una línea recta a través de la India. La distancia, a vuelo de pájaro, no es más que de mil a mil cien millas, y los trenes, con que estuviesen animados únicamente de una velocidad media, no tardarían tres días en recorrerla; pero esa distancia se ve aumentada, por lo menos en un tercio, a causa de la curva que describe el ferrocarril al subir hasta Allahabad, en el norte de la península.

Cadena: Cordillera.

He aquí, a grandes rasgos, el trazado del Great Indian Peninsular railway: partiendo de la isla de Bombay, atraviesa Salcette, salta al continente frente a Tannah, franquea la cadena de los Ghates Occidentales, corre por el Noroeste hasta Burhampur, atraviesa el territorio casi independiente del Bundelkund, sube hasta Allahabad, se desvía hacia el Este, encuentra el Ganges en Benarés, se desvía ligeramente, y, descendiendo hacia el Sudeste por Burdivan y la ciudad francesa de Chandernagor, acaba su recorrido en Calcuta.

Eran las cuatro y media de la tarde cuando los pasajeros del *Mongolia* desembarcaron en Bombay, y el tren de Calcuta no salía hasta las ocho en punto.

---

[1] «Diligencia». (En inglés en el original).

[2] «Barcos de vapor». (En inglés en el original).

El señor Fogg se despidió entonces de sus compañeros de juego, abandonó el paquebote, dio a su criado la relación de algunas compras que realizar, le recomendó encarecidamente que estuviese antes de las ocho en la estación, y, con un paso regular que batía los segundos como el péndulo de un reloj astronómico, se dirigió hacia la oficina de pasaportes.

Así pues, no pensaba ver ninguna de las maravillas de Bombay, ni la casa consistorial, ni la magnífica biblioteca, ni los fuertes, ni los muelles, ni el mercado del algodón, ni los bazares, ni las mezquitas, ni las sinagogas, ni las iglesias armenias, ni la espléndida pagoda de Malebar-Hill, coronada por dos torres poligonales. No contemplaría ni las obras maestras de Elephanta, ni sus misteriosos hipogeos, ni las grutas de Kanherie en la isla de Salcette, aquellos admirables restos de la arquitectura budista.

Casa consistorial: Ayuntamiento.

Hipogeo: Sepulcro subterráneo de los antiguos.

¡No!, ¡nada! Al salir de la oficina de pasaportes, Phileas Fogg se dirigió tranquilamente a la estación, y allí se hizo servir la cena. Entre otros manjares, el maestresala se creyó obligado a recomendarle una especie de estofado de «conejo del país», del que le hizo los mayores elogios.

Maestresala: Criado principal que presenta y distribuye los manjares en la mesa.

Phileas Fogg aceptó el estofado y lo probó concienzudamente; pero pese a su salsa sazonada con especias, lo encontró detestable.

Llamó al maestresala.

—Señor —le dijo, mirándolo fijamente—, ¿es esto conejo?

—Sí, milord —le respondió descaradamente el muy perillán—, conejo de la jungla.

—¿Y este conejo no maulló cuando lo mataron?

—¿Maullar? ¡Por Dios, milord! ¡Un conejo! Le prometo que...

Perillán: Persona pícara, astuta.

Maullar: Dar maullidos el gato.

—Señor maestresala —respondió el señor Fogg fríamente—, no jure, y recuerde esto: antaño, en la India, los gatos estaban considerados animales sagrados. Eran los buenos tiempos.

—¿Para los gatos, milord?

—¡Probablemente también para los viajeros!

Hecha esta observación, el señor Fogg siguió cenando con toda tranquilidad.

Unos instantes después que el señor Fogg, el agente Fix también desembarcó del *Mongolia,* y corrió al encuentro del director de policía de Bombay. Le explicó, en su calidad de detective, la misión que le había sido encomendada y su situación respecto al probable autor del robo. ¿Se había recibido de Londres una orden de detención? No se había recibido nada. Y, en efecto, la orden, que fue enviada después de la partida de Fogg, no podía haber llegado todavía.

Fix quedó muy desconcertado. Pretendió que el director le diese una orden de detención contra el señor Fogg. El director se negó. El asunto incumbía a la administración metropolitana, y tan solo ella podía entregar tal orden. Aquella severidad de principios, aquella rigurosa observación de la legalidad, era perfectamente explicable de acuerdo con las costumbres inglesas, que, en materia de libertad individual, no admiten ninguna arbitrariedad.

Fix no insistió y comprendió que debería resignarse y esperar su orden de detención. Pero tomó la resolución de no perder de vista a su impenetrable pillo, al menos durante todo el tiempo que aquel permaneciese en Bombay. No le cabía duda de que Phileas Fogg se quedaría allí —y, lo sabemos, también era esa la convicción de Passepartout—, con lo que la orden de detención tendría tiempo suficiente para llegar.

Pero, después de las últimas órdenes que le había dado su amo al abandonar el *Mongolia,* Passepartout comprendió que en Bombay ocurriría como en Suez y en París, y que proseguiría, al menos, hasta Calcuta, y tal vez más lejos. Y empezó a preguntarse si aquella apuesta del señor Fogg no era totalmente formal, y si la fatalidad no lo llevaría a él, que quería vivir tranquilo, a realizar la vuelta al mundo en ochenta días.

Entre tanto, y después de haber adquirido algunas camisas y calcetines, se paseaba por las calles de Bombay. La afluencia de público era muy grande, y se veían europeos de todas las nacionalidades, persas con sus gorros puntiagudos, bunhyas con turbantes redondos, sindos con gorros cuadrados, armenios de largos ropajes y parsi con la mitra negra. Precisamente, los parsi o guebros, descendientes directos de los adoradores de Zaratustra[3], que son los más laboriosos, los más civilizados, los más inteligentes y los más austeros de los hindúes —raza a la que pertenecen, en la actualidad, los ricos negociantes indígenas de Bombay—, celebraban una fiesta. Aquel día, efectivamente, celebraban una especie de carnaval religioso, con procesiones y festejos, en los que figuraban bayaderas vestidas con gasas rosas bordadas de oro y plata, las cuales, al son de las violas y los tambores, bailaban maravillosamente y, hay que decirlo, con la mayor decencia.

Mitra: Toca o adorno que usaban los persas, de quienes pasó a otros pueblos.

Viola: Instrumento músico de cuerda y arco, de la misma figura del violín, pero de mayor tamaño y de sonoridad melancólica y penetrante.

Que Passepartout miraba aquellas curiosas ceremonias, con ojos y orejas que se abrían desmesuradamente para ver y entenderlo todo, con el aire y la fisonomía del booby[4] más ingenuo que uno pueda imaginarse, no es preciso insistir sobre ello.

Desgraciadamente para él y para su amo, cuyo viaje estuvo a punto de comprometer, su curiosidad lo llevó más allá de los límites convenientes.

En efecto, después de haber visto aquel carnaval parsi, Passepartout se dirigía hacia la estación cuando, al pasar delante de la admirable pagoda de Malebar Hill, tuvo la desgraciada idea de visitar su interior.

[3] Zaratrusta o Zoroastro (628-551 a. C.), reformador religioso iraní, fundador del zoroastrismo o mazdeísmo, cuyos seguidores se llaman en la India parsi. Su religión establece dos clases de divinidades: demonios y dioses, potencias del bien y del mal. El dios bienhechor, creador del mundo, Ahura-Mazda, se enfrenta a su hermano gemelo, Ahrimán, dios de los infiernos.

[4] «Bobo», «papanatas». (En inglés en el original).

Ignoraba dos cosas: en primer lugar, que la entrada a ciertas pagodas hindúes está formalmente prohibida a los cristianos, y después, que incluso los mismos creyentes no pueden entrar en ellas sin haber dejado su calzado a la puerta. Deberemos señalar aquí que, por razones de sana política, el gobierno inglés, respetando y haciendo respetar hasta en sus detalles más insignificantes la religión del país, castigaba severamente a quienquiera que violase sus prácticas.

Passepartout entró allí sin malas intenciones, como un simple turista, y admiraba en el interior de Malebar Hill aquellos deslumbrantes oropeles de la ornamentación brahmánica, cuando, de repente, fue derribado sobre las losas sagradas. Tres sacerdotes, la mirada enfurecida, se precipitaron sobre él, arrancándole los zapatos y los calcetines, y comenzaron a molerlo a palos mientras proferían gritos salvajes.

Oropel: Lámina de latón, muy batida y adelgazada, que imita al oro.

Brahmánica: Relativa al brahmanismo, religión de la India, que adora a Brahma como a dios supremo.

El francés, vigoroso y ágil, se levantó con viveza. De un puñetazo y una patada derribó a dos de sus adversarios, muy entorpecidos por sus largas túnicas, y, lanzándose fuera de la pagoda a toda la velocidad que sus piernas le permitían, pronto dejó atrás al tercer hindú, que se lanzó en su persecución al tiempo que amotinaba al populacho.

Amotinar: Sublevar, soliviantar, levantar, alborotar.

A las ocho menos cinco, solo unos minutos antes de la salida del tren, sin sombrero, descalzo, y tras haber perdido en la pelea el paquete con sus compras, Passepartout llegó a la estación de ferrocarril.

Fix estaba allí, sobre el andén. Después de haber seguido al señor Fogg, comprendió que aquel pillo iba a partir de Bombay. Inmediatamente decidió acompañarlo hasta Calcuta, e incluso más lejos si fuese preciso. Passepartout no vio a Fix, que se ocultaba en las sombras, pero Fix escuchó el relato de sus aventuras, que Passepartout contó a su amo en pocas palabras.

—Espero que no vuelva a suceder —respondió simplemente Phileas Fogg, al tiempo que ocupaba su plaza en uno de los vagones del tren.

El pobre muchacho, descalzo y descompuesto, siguió a su amo sin decir ni una palabra.

Fix iba a subir en otro vagón, cuando una idea lo retuvo y modificó sensiblemente su proyecto de partida.

«No, me quedo —se dijo—. Un delito cometido sobre territorio indio... Ya tengo a mi hombre.»

En aquel momento, la locomotora lanzó un vigoroso pitido y el tren desapareció en la noche.

Capítulo XI

Donde Phileas Fogg compra una montura a un precio fabuloso

Montura: Cabalgadura, bestia para cabalgar.

El tren salió a la hora reglamentaria. Llevaba cierto número de viajeros, algunos oficiales, funcionarios civiles y comerciantes de opio y de índigo, cuyo comercio los requería en la parte oriental de la península.

Opio: Narcótico que se obtiene desecando el jugo de las cabezas de adormideras verdes.

Índigo: Añil, sustancia colorante azul oscuro que se obtiene de las hojas de un arbusto papilionáceo.

Passepartout ocupaba el mismo compartimiento que su amo. Un tercer viajero se encontraba en el rincón opuesto.

Se trataba del brigadier, sir Francis Cromarty, uno de los compañeros de juego del señor Fogg durante la travesía de Suez a Bombay, que iba a reunirse con sus tropas, acantonadas cerca de Benarés.

Sir: Señor, caballero, título inglés reservado a caballeros y baronets; también se emplea como tratamiento de cortesía.

Acantonada: Distribuida y alojada.

Sir Francis Cromarty, alto, rubio, de unos cincuenta años de edad, que se había distinguido especialmente con ocasión de la última revuelta de los cipayos, habría merecido, realmente, la calificación de indígena. Vivía en la India desde su juventud, y no realizó más que raras apariciones por su país natal. Era un hombre instruido, que habría dado gustosamente cualquier tipo de información sobre las costumbres, la historia y la organización del país hindú si Phileas Fogg hubiese sido un hombre que las solicitase. Pero aquel caballero no preguntaba nada. No viajaba, describía una circunferencia. Se trataba de un cuerpo grave que describía una órbita alrededor del globo terráqueo según las leyes de la mecánica racional. En aquel momento repasaba mentalmente el cálculo de las horas empleadas desde su salida de Londres, y

Órbita: Curva que describe un astro o un satélite artificial en su movimiento de traslación.

habría llegado a frotarse las manos si su temperamento le hubiese permitido realizar un movimiento tan inútil.

Sir Francis Cromarty no dejó de reconocer la originalidad de su compañero de viaje, pese a que no lo había estudiado más que con las cartas en la mano, y entre baza y baza. Tenía, pues, fuertes razones para preguntarse si bajo aquella fría corteza latía un corazón humano, si Phileas Fogg poseía un alma sensible a las bellezas de la naturaleza o a las aspiraciones morales. De todos los excéntricos con que el brigadier se había tropezado, ninguno era comparable a aquel producto de las ciencias exactas.

Ciencias exactas: Matemáticas.

Phileas Fogg no ocultó nada a sir Francis Cromarty sobre su proyecto de viaje alrededor del mundo, ni en qué condiciones lo realizaba. El brigadier no vio en aquella apuesta más que una excentricidad sin utilidad alguna, y a la que faltaría, sin duda alguna, el *transire benefaciendo*[1] que debería guiar a cualquier hombre razonable. Al ritmo que caminaba aquel extraño caballero, pasaría, sin duda alguna, sin «hacer nada» ni por él ni por los demás.

Una hora después de su salida de Bombay, el tren, franqueando los viaductos, atravesó la isla Salcette y ya corría por el continente. En la estación de Callyan dejó a su derecha el ramal que, por Kandallah y Punah, descendía hacia el sudeste de la India, y alcanzó la estación de Pauwell. A partir de allí, se introdujo por las montañas, llenas de ramificaciones, de los Ghates Occidentales, cadenas de *trapp*[2] y de basalto, cuyas cimas más altas están cubiertas de tupidos bosques.

Basalto: Roca volcánica, de color negro verdoso, compuesta generalmente de feldespato y piroxeno.

De cuando en cuando, sir Francis Cromarty y Phileas Fogg intercambiaban algunas palabras, y, en aque-

[1] Expresión que significa hacer el bien en la vida diaria, aun sin proponérselo expresamente. (En latín en el original).

[2] Roca volcánica que presenta afloraciones en graderías o peldaños. Es de color negro o verde oscuro y de grano fino; su composición química es parecida a la del basalto o a la de la andesita.

llos instantes, el brigadier, procurando remontar una conversación que languidecía, dijo:

—Hace algunos años, señor Fogg, habría usted sufrido en este punto un retraso que, probablemente, habría comprometido su itinerario.

—¿Y eso por qué, sir Francis?

—Porque el ferrocarril se acababa al pie de estas montañas, y era necesario atravesarlas en palanquín o a lomos de caballerías hasta la estación de Kandallah, situada en la vertiente opuesta.

—Ese retraso no habría afectado el plan de mi viaje —respondió el señor Fogg—. No he dejado de prever la eventualidad de ciertos obstáculos.

Eventualidad: Posibilidad.

—Sin embargo, señor Fogg —continuó el brigadier—, corrió usted el peligro de encontrarse en una situación harto desagradable a causa de la aventura de este muchacho.

Passepartout, con los pies liados en la manta de viaje, dormía profundamente, y ni tan siquiera soñaba que pudieran estar hablando de él.

—El gobierno inglés es particularmente severo, y con razón, con este género de delitos —continuó sir Francis Cromarty—. Tiene a gala que se respeten las costumbres religiosas de los hindúes, y si su criado hubiese sido aprehendido...

Aprehender: Apresar.

—Pues bien, si hubiese sido aprehendido, sir Francis —respondió el señor Fogg—, lo habrían condenado y habría pagado su castigo, y después habría regresado tranquilamente a Europa. ¡No veo por qué esta historia habría podido retrasar a su amo!

Y, dicho esto, la conversación volvió a languidecer. Durante la noche, el tren franqueó los Ghates, pasó por Nassik y, al día siguiente, 21 de octubre, se lanzó a través de un país relativamente llano, formado por el territorio de Khandeish. La campiña, bien cultivada, estaba plagada de aldeas sobre las que los alminares de las pagodas reemplazaban a los campanarios de las iglesias europeas. Numerosos arroyuelos, la mayor parte afluentes y subafluentes del río Godavery, regaban aquella fértil comarca.

Passepartout, despierto, miraba y no podía creer que atravesase el país de los hindúes en un tren de la Great Peninsular railway. Aquello le parecía increíble. Y, sin embargo, nada más real que todo ello. La locomotora, dirigida por el brazo de un maquinista inglés y calentada por hulla inglesa, lanzaba su humareda sobre las plantaciones de algodón, café, de mirística, de clavero y de pimienta roja. El vapor se retorcía en espirales alrededor de los grupos de palmeras, entre los que se divisaban pintorescos bungalós, algunos *viharis*[3], especie de monasterios abandonados, y templos maravillosos que enriquecían la inagotable ornamentación de la arquitectura india. Después, inmensas extensiones de terreno se extendían hasta perderse de vista, junglas en las que no faltaban ni las serpientes ni los tigres, a los que espantaban los relinchos del tren, y, finalmente, los bosques hendidos por el trazado de la vía férrea, todavía frecuentados por elefantes que veían pasar el veloz convoy con ojos pensativos.

Durante aquella mañana, pasada ya la estación de Malligaum, los pasajeros atravesaron aquel territorio funesto, tan frecuentemente ensangrentado por los adoradores de la diosa Kali[4]. No lejos de Ellora y sus admirables pagodas, no lejos de la célebre Aurangabad, la capital del feroz Aurangzeb[5], por entonces sim-

Mirística: Árbol miristicáceo de la India cuyo fruto es la nuez moscada.

Clavero: Árbol mirtáceo tropical, de copa cónica, hojas persistentes, flores blancas de cáliz encarnado, fruto en baya roja; los capullos de sus flores son los clavos de especia.

Bungaló: Casa pequeña de una sola planta que se suele construir en parajes destinados al descanso.

Hendido: Atravesado.

Convoy: Tren.

[3] El término correcto es *vihara*, voz sánscrita que en la India designa un conjunto de viviendas construidas para refugio de los monjes budistas durante la época de las lluvias. Estas viviendas solían estar excavadas en la roca.

[4] Kali *(la negra)*, diosa de la destrucción y de la muerte en la mitología india, esposa del dios Siva. Se representa bajo forma de mujer, de color negro, de cuatro brazos, con collar de cráneos y rodeada de serpientes; durante mucho tiempo se le ofrecieron sacrificios humanos.

[5] Aurangzeb (1618-1707), emperador mongol de la India que luchó contra sus hermanos, a los que encarceló y mandó asesinar junto con su padre y hermana. A pesar de esa ferocidad, como dice Verne, fue hombre culto que protegió las letras y las artes y llevó el imperio mongol a su apogeo gracias a sus conquistas y buena administración.

ple cabeza de distrito de una de las provincias segregadas del reino de Nizam. Era en aquella región donde Feringhea, el jefe de los tugs, el rey de los estranguladores, ejercía su dominio. Aquellos asesinos, unidos en una asociación inaprensible, estrangulaban en honor de la diosa de la muerte a víctimas de todas las edades, sin jamás verter sangre alguna, e incluso hubo un tiempo en el que no se podía recorrer la región sin encontrar un cadáver en cualquier paraje. Los gobiernos ingleses habían conseguido acabar con aquellas muertes en una cierta medida, pero la terrible asociación seguía existiendo y funcionando.

Segregada: Separada.

Inaprensible: Que no se puede coger. Imposible de comprender.

A las doce y media, el tren se detuvo en la estación de Burhampur, y Passepartout pudo conseguir, al precio de su peso en oro, un par de babuchas, adornadas de falsas perlas, que calzó con un sentimiento de evidente vanidad.

Babucha: Zapato ligero y sin tacón, utilizado especialmente por los moros.

Los viajeros desayunaron rápidamente y partieron hacia la estación de Assurghur, después de haber bordeado durante algunos instantes la orilla del Tapty, riachuelo que acababa desembocando en el golfo de Cambaya, cerca de Surate.

Sería oportuno señalar qué pensamientos ocupaban la mente de Passepartout. Hasta su llegada a Bombay, creyó y seguía creyendo que las cosas se pararían allí. Pero después, desde que corría a toda máquina a través de la India, algo había cambiado en su ánimo. Sus inclinaciones naturales volvieron al instante, y le hicieron recobrar las ideas fantasiosas de su juventud; se tomaba en serio los proyectos de su amo, y creía en la realidad de la apuesta y, por tanto, en aquella vuelta al mundo y en aquel máximo de tiempo para llevarla a cabo que no se podría superar. Incluso se preocupaba por los posibles retrasos y los accidentes que podrían surgir en el camino. Se sentía interesado por aquella apuesta, y temblaba al pensar que podía haberla comprometido la víspera, a causa de su imperdonable estúpida curiosidad. Así es que, mucho menos flemático que el señor Fogg, se encontraba mucho más inquieto que él. Contaba y recontaba los días ya empleados, maldecía las paradas del tren, lo acusaba de lentitud, y reprendía *in petto*[6] al señor Fogg por no haber ofrecido una recompensa al maquinista. El buen muchacho no sabía que lo que era posible sobre un paquebote no lo era sobre un ferrocarril, ya que la velocidad del tren estaba regulada.

Por la tarde se adentraron a través de las gargantas de los montes Sutpur, que separan el territorio del Khandeish del de Bundelkund.

Garganta: Desfiladero.

Al día siguiente, el 22 de octubre, y ante una pregunta de sir Francis Cromarty, Passepartout cogió su reloj y le respondió que eran las tres de la mañana. Aquel famoso reloj, siempre a la hora de Greenwich[7], que se encontraba casi setenta y siete grados al Oeste, debía retrasar y, en efecto, retrasaba, cuatro horas.

Sir Francis corrigió, por tanto, la hora dada por Passepartout, al que hizo la misma observación que este ya había recibido de Fix. Trató de hacerle comprender que debería poner su reloj en hora al paso de cada meridiano, y, puesto que caminaban constantemente hacia el Este, es decir, hacia el sol, los días se acortaban tantas veces cuatro minutos como grados ya recorridos. Fue inútil. Hubiese o no comprendido aquel cabezota las observaciones del brigadier, se obstinó en no adelantar su reloj, que mantuvo invariablemente a la hora de Londres. Manía inocente que, por otra parte, no podría molestar a nadie.

A las ocho de la mañana, y quince millas antes de la estación de Rothal, el tren se paró en medio de un amplio calvero rodeado de algunos bungalós y de cabañas de obreros. El revisor del tren pasó por delante de la fila de vagones, anunciando:

Calvero: Calva en el interior de un bosque.

[6] «Para sus adentros». (En italiano en el original).

[7] Suburbio de Londres donde se encuentra el antiguo observatorio a partir de cuyo meridiano se medían las longitudes terrestres y se contaban los husos horarios internacionales. En 1958 fue trasladado a Herstmonceux, en Sussex.

—Los viajeros se apean aquí.

Phileas Fogg miró a sir Francis Cromarty, quien pareció no entender nada de lo que ocurría con aquella parada en medio de tamarindos.

Tamarindo: Árbol papilionáceo, de hasta 30 m de altura, cuyo fruto, de sabor agradable, se usa como laxante.

Passepartout, no menos sorprendido, bajó a la vía y regresó, casi al instante, gritando:

—¡Señor! ¡Se acabó la vía férrea!

—¿Qué quiere usted decir? —preguntó sir Francis Cromarty.

—Quiero decir que el tren no continúa.

El brigadier se apeó inmediatamente del vagón. Phileas Fogg lo siguió sin apresurarse. Ambos se dirigieron al revisor.

—¿Dónde estamos? —preguntó sir Francis Cromarty.

—En la aldea de Kholby —respondió el revisor.

—¿Nos paramos aquí?

—Sin duda. La vía está sin acabar...

—¿Cómo? ¿Que no está acabada?

—No. Queda por establecer el tendido en un recorrido de unas cincuenta millas, entre este punto y Allahabad, donde continúa la vía.

—Sin embargo, los periódicos han anunciado la total apertura del ferrocarril.

—¿Qué quiere usted, mi oficial? Los periódicos se han equivocado.

—¿Y ustedes despachan billetes de Bombay a Calcuta? —continuó sir Francis Cromarty, que comenzaba a enfadarse.

—Sin duda alguna —respondió el revisor—, pero los viajeros saben perfectamente que deben hacerse transportar desde Kholby hasta Allahabad.

Sir Francis Cromarty estaba realmente furioso. Passepartout habría golpeado al revisor de buena gana. No se atrevía a mirar a su amo.

—Sir Francis —dijo sencillamente el señor Fogg—, si no tiene inconveniente, vamos a buscar un medio de transporte para llegar a Allahabad.

—Señor Fogg, ¿no será este retraso totalmente perjudicial para sus intereses?

—No, sir Francis, estaba previsto.

—¿Cómo? ¿Sabía usted que la vía...?

—En absoluto, pero sabía que más pronto o más tarde surgiría cualquier tipo de obstáculo en mi camino. De todas formas, no arriesgo nada. Llevo dos días de adelanto, y puedo sacrificarlos. Hay un *steamer* que sale de Calcuta para Hong Kong el vinticinco al mediodía. Y hoy no es más que veintitrés, por lo que llegaremos a tiempo a Calcuta.

No había nada que objetar a una respuesta dada con tanta seguridad.

Resultaba evidente que el tendido del ferrocarril se acababa allí. Los periódicos son como algunos relojes que tienen la manía de adelantar, y anunciaron prematuramente la terminación de la línea. La mayor parte de los viajeros estaba al tanto de aquella interrupción, y al apearse del tren se apoderaron de los vehículos de todo tipo que existían en la aldea, *palkigharis*[8] de cuatro ruedas, carretas arrastradas por cebúes, especie de bueyes con joroba, carros de viaje que parecían pagodas ambulantes, palanquines, caballos, etc. Así, el señor Fogg y sir Francis Cromarty, después de haber buscado por toda la aldea, regresaron sin haber encontrado nada.

Cebú: Mamífero bovino que se distingue del buey por tener encima de la cruz una o dos gibas grasientas; vive doméstico en la India y en África, y se utiliza como bestia de carga.

—Iré a pie —dijo Fogg.

Passepartout, que llegaba en aquel momento, hizo una mueca significativa al considerar sus magníficas pero insuficientes babuchas. Afortunadamente, había indagado por su cuenta, y, aunque indeciso, señaló:

—Señor, creo que he encontrado un medio de transporte.

—¿Cuál?

—¡Un elefante! Un elefante que pertenece a un indio que vive a cien pasos de aquí.

[8] Coche de cuatro ruedas y cuatro asientos, tirado por dos caballos.

—Vayamos a ver ese elefante —respondió el señor Fogg.

Cinco minutos más tarde, Phileas Fogg, sir Francis Cromarty y Passepartout llegaban a una cabaña que estaba junto a una corraliza rodeada por una alta empalizada. En la cabaña había un indio, y en la corraliza, un elefante. A petición del señor Fogg, los introdujo a él y a sus dos compañeros en la corraliza.

Corraliza: Corral.

Empalizada: Estacada, obra hecha de estacas clavadas en la tierra.

Allí se encontraron en presencia de un animal medio domesticado, que su propietario domaba, pero no para hacer de él una bestia de carga, sino un animal de pelea. Con aquel fin, modificaba el carácter naturalmente pacífico del animal, de tal manera que lo conducía gradualmente a ese paroxismo de rabia llamado *mutsh* en lengua hindú. Y lo conseguía alimentándolo durante tres meses a base de azúcar y mantequilla. Tal tratamiento podría parecer impropio para dichos fines, pero se usa con éxito por los domadores. Afortunadamente para el señor Fogg, el elefante acababa apenas de ser sometido a dicho régimen, y el *mutsh* todavía no se había declarado.

Paroxismo: Exaltación extrema de los afectos y pasiones.

Kiouni —tal era el nombre del animal— podía, al igual que todos sus congéneres, desarrollar durante largo tiempo una marcha rápida, y, a falta de otra montura mejor, Phileas Fogg decidió utilizarlo.

Pero los elefantes son caros en la India, donde empiezan a hacerse raros. Los machos, que son los únicos que sirven para luchar en los circos, son extremadamente buscados. Esos animales, cuando son reducidos al estado doméstico, no se reproducen más que raramente, de tal manera que no pueden conseguirse más que cazándolos. Por eso es por lo que son objeto de cuidados extremos, y cuando el señor Fogg preguntó al indio si quería alquilarle el elefante, aquel se negó.

Fogg insistió y ofreció por el animal un precio excesivo, diez libras (250 F) a la hora. Negativa. ¿Veinte libras? Nueva negativa. ¿Cuarenta libras? Negativa

total. Passepartout estaba a punto de saltar a cada nueva oferta. Pero el indio no se dejaba tentar.

Sin embargo, la suma era tentadora. Admitiendo que el elefante necesitase quince horas para llegar hasta Allahabad, serían seiscientas libras (15.000 F) lo que podrían proporcionar a su propietario.

Imperturbable, Phileas Fogg propuso entonces al indio comprarle el animal y le ofreció, en un principio, mil libras (25.000 F).

El indio no quería vender. Probablemente el muy sinvergüenza olfateaba un buen negocio.

Sir Francis Cromarty llevó al señor Fogg aparte y le rogó que reflexionase antes de seguir adelante. Phileas Fogg respondió a su compañero que él no tenía por costumbre actuar a la ligera, que se trataba, a fin de cuentas, de una apuesta de veinte mil libras, que aquel elefante le era necesario, y que, aunque tuviera que pagar veinte veces su valor, lo obtendría.

El señor Fogg regresó junto al indio, cuyos ojillos, brillantes de codicia, dejaban bien claro que, para él, no se trataba más que de una cuestión de precio. Phileas Fogg ofreció sucesivamente mil doscientas libras, después mil quinientas, después mil ochocientas, y por fin dos mil libras (50.000 F). Passepartout, tan sonrosado habitualmente, estaba pálido de emoción.

A las dos mil libras el indio se rindió.

—¡Por mis babuchas! —exclamó Passepartout—, así sí que se va a poner caro el precio de la carne de elefante.

Cerrado el trato, ya no quedaba más que encontrar un guía. Fue más fácil. Un joven parsi, de rostro inteligente, ofreció sus servicios. El señor Fogg los aceptó y le prometió una espléndida remuneración, que no podría por menos de duplicar su inteligencia.

Prepararon y equiparon al elefante sin demora. El parsi conocía perfectamente el oficio de *mahout* o cornaca. Cubrió con una especie de gualdrapa el lomo

Cornaca: Hombre que en ciertas regiones de Asia cuida, guía y doma un elefante.

Gualdrapa: Cobertura larga que cubre las ancas de las cabalgaduras.

del elefante, y dispuso, de cada lado sobre sus flancos, sendas artolas bastante incómodas.

Artola: Especie de silla de tijera que se coloca sobre el aparejo para transportar a dos personas.

Phileas Fogg pagó al indio en *banknotes* que fueron extraídos de la famosa bolsa. Y, realmente, parecía como si se sacasen de las entrañas de Passepartout. Después el señor Fogg ofreció a sir Francis Cromarty transportarlo hasta la estación de Allahabad. El brigadier aceptó. Un viajero de más no podría fatigar al gigantesco animal.

A horcajadas: Echando cada pierna por su lado.

Latania: Género de palmeras, con hojas en forma de abanico, de color verde claro, que alcanzan un metro de longitud.

Compraron víveres en Kholby. Sir Francis Cromarty se instaló en una de las artolas y Phileas Fogg en la otra. Passepartout montó a horcajadas sobre la gualdrapa entre su amo y el brigadier. El parsi se encaramó sobre el cuello del elefante, y a las nueve, el animal, saliendo de la aldea, se internó por el camino más corto en el frondoso bosque de latanias.

CAPÍTULO XII

Donde Phileas Fogg y sus compañeros se aventuran por los bosques de la India, y lo que ocurrió

El guía, a fin de reducir la distancia a recorrer, dejó a su derecha el trazado de la vía férrea, cuyos trabajos estaban en vías de realización. Aquel trazado, bastante distorsionado a causa de las múltiples ramificaciones de los montes Vindhias, no seguía el camino más corto, que es el que Phileas Fogg habría necesitado coger. El parsi, muy familiarizado con las rutas y senderos del país, pretendía ganar una veintena de millas acortando a través de los bosques, así es que se pusieron en sus manos.

Phileas Fogg y sir Francis Cromarty, metidos hasta el cuello en sus artolas, se sentían constantemente zarandeados por el rígido trote del elefante, al que su cornaca imprimía una marcha veloz. Pero soportaban la situación con la flema más británica y, por otra parte, y dado que apenas si podían verse el uno al otro, hablaban muy poco.

En cuanto a Passepartout, situado sobre el lomo del animal y sometido directamente a los golpes y contragolpes, ponía mucha atención, tal y como le recomendó su amo, en no meter la lengua entre los dientes, pues habría sido cortada de tajo. El buen muchacho, tan pronto lanzado hacia el cuello del elefante, como enviado sobre su grupa, hacía equilibrios, como un clon sobre un trampolín. Pero bromeaba, reía en medio de aquellos saltos de carpa, y, de cuando en cuando, extraía de su saco un terrón de azúcar, que el

Grupa: Anca, cada una de las dos mitades laterales de la parte posterior de las caballerías y otros animales.

Clon: Payaso.

Carpa: Gran toldo que cubre un circo o cualquier otro recinto amplio.

inteligente Kiouni cogía con el extremo de su trompa sin interrumpir ni un instante su trote regular.

Después de dos horas de camino, el guía detuvo al elefante y le concedió una hora de reposo. El animal devoró ramas y arbustos después de haber saciado su sed en una charca cercana. Sir Francis Cromarty no se lamentaba de aquel descanso. Estaba roto. El señor Fogg parecía, por el contrario, tan fresco como si acabase de levantarse de su cama.

—Pero ¡ese hombre es de hierro! —dijo el brigadier, mirándolo con admiración.

—De hierro forjado —respondió Passepartout, que se ocupaba de preparar un frugal almuerzo.

Forjado: Fraguado, trabajado con el martillo.

Frugal: Que consiste en alimentos simples y no muy abundantes.

Soto: Terreno poblado de árboles y arbustos en las riberas o vegas.

Sienita: Roca compuesta de feldespato, anfíbol y algo de cuarzo.

Al mediodía, el guía dio la señal de partida. El paisaje cobró muy pronto un aspecto salvaje. A los grandes bosques sucedieron los sotos de tamarindos y de palmeras enanas, y, después, vastas llanuras áridas, erizadas de arbustos y plagadas de bloques de sienita. Toda aquella parte del alto Bundelkund, poco frecuentada por los viajeros, estaba habitada por una población fanática, endurecida por las prácticas más terribles de la religión hindú. La dominación inglesa no había podido establecerse regularmente sobre un territorio sometido a la influencia de los rajaes, que eran inalcanzables en sus inaccesibles refugios de los Vindhias.

Colérico: Enojado, enfurecido, irritado, furioso, rabioso.

En varias ocasiones se cruzaron con grupos de indios feroces, que hicieron gestos coléricos al ver pasar al rápido cuadrúpedo. Por otro lado, el parsi, que los consideraba gentes indeseables, hacía todo lo posible por evitarlos. Aquella jornada vieron muy pocos animales, apenas unos cuantos monos, que huyeron haciendo mil contorsiones y muecas que divertían mucho al inquieto Passepartout.

Una idea, entre todas las demás, rondaba por la cabeza del muchacho. ¿Qué haría el señor Fogg con el elefante cuando hubiese llegado a la estación de Allahabad? ¿Se lo llevaría? Imposible. El precio del

transporte, unido al de su compra, lo convertirían en un animal ruinoso. ¿Lo vendería o le devolvería la libertad? Aquella amable bestia merecía la mayor de las consideraciones. Si, por casualidad, el señor Fogg se lo regalaba a él, a Passepartout, se encontraría en un buen aprieto. Aquel asunto no dejaba de preocuparlo.

A las ocho de la noche ya habían franqueado la principal cadena de los Vindhias, y los viajeros hicieron un alto al pie de la vertiente septentrional, en un bungaló en ruinas.

La distancia recorrida a lo largo de aquella jornada era de veinticinco millas, y les faltaba otro tanto para llegar a la estación de Allahabad.

La noche era fría. En el interior del bungaló, el parsi encendió una hoguera de ramas secas que les proporcionó una temperatura realmente agradable. La comida se realizó con las provisiones compradas en Kholby. Los viajeros comieron como seres destrozados y molidos. La conversación, que se inició con algunas frases entrecortadas, acabó muy pronto con unos ruidosos ronquidos. El guía vigilaba cerca de Kiouni, que se durmió de pie, apoyado al tronco de un gran árbol.

La noche transcurrió sin incidentes. Algunos rugidos de guepardos y panteras perturbaron en ocasiones el silencio, mezclados con los agudos chillidos de los monos. Pero los carniceros se limitaron a rugir y no hicieron ninguna demostración hostil hacia los ocupantes del bungaló. Sir Francis Cromarty durmió pesadamente, como un bravo militar habituado a las fatigas. Passepartout, con un sueño agitado, revivió todas las aventuras de la víspera. En cuanto al señor Fogg, descansó tan apaciblemente como si se hubiese encontrado en su tranquila casa de Saville row.

A las seis de la mañana reemprendieron el camino. El guía esperaba llegar a la estación de Allahabad aquella misma noche. De esa manera, el señor Fogg

Guepardo: Onza, mamífero carnicero félido, de unos 6 dm de altura, con el pelaje parecido al del leopardo y aspecto de perro; vive en los desiertos de las regiones meridionales de Asia y África y es domesticable.

Pantera: Mamífero carnívoro félido, especie de leopardo de manchas anilladas, que vive en África y en gran parte de Asia.

no perdería más que una pequeña parte de las cuarenta y ocho horas economizadas desde el inicio del viaje.

Estribación: Estribo o ramal de montaña que deriva de una cordillera.

Descendieron las últimas estribaciones de los Vindhias. Kiouni reemprendió su rápida marcha. Hacia el mediodía, el guía rodeó la aldea de Kallenger, situada a orillas del Cani, uno de los subafluentes del Ganges. Siempre evitaba los lugares habitados, sintiéndose en mayor seguridad en medio de aquellos campos desiertos que marcaban las primeras depresiones de la cuenca del gran río. La estación de Allahabad no se encontraba más que a doce millas al Nordeste. Hicieron un alto bajo un grupo de bananos, cuyos frutos, tan sabrosos como el pan y «tan suculentos como la nata», según decían los viajeros, fueron extremadamente apreciados.

A las dos de la tarde el guía se introdujo en un espeso bosque, que deberían atravesar por espacio de varias millas. Prefería viajar al abrigo de los bosques. En todo caso, no habían tenido hasta entonces ningún encuentro desagradable, y el viaje parecía que iba a terminar sin incidentes, cuando, de repente, el elefante, dando evidentes signos de inquietud, se detuvo.

Eran las cuatro de la tarde.

—¿Qué ocurre? —preguntó sir Francis Cromarty, quien asomó la cabeza por encima de su artola.

Aguzar: Forzar el entendimiento o algún sentido para que preste más atención.

—No lo sé, mi oficial —respondió el parsi, que aguzaba el oído hacia un murmullo confuso que llegaba de la espesura.

Un instantes después, aquel murmullo se hizo más nítido. Se hubiera dicho un concierto, todavía muy alejado, de voces humanas e instrumentos de cobre.

Passepartout era todo ojos y todo oídos. El señor Fogg esperaba pacientemente, sin decir ni una palabra.

El parsi saltó a tierra, ató el elefante a un árbol, y se internó en la espesura. Unos minutos más tarde regresó diciendo:

—Se trata de una procesión de brahmanes que se dirige hacia aquí. Si es posible, evitemos que nos vean.

El guía desató el elefante y lo condujo hacia una zona más espesa, recomendando a los viajeros que no se apearan. Él mismo, incluso, se mantuvo siempre dispuesto a saltar rápidamente sobre su montura, caso de que la huida se hiciese necesaria. Pero pensó que el cortejo pasaría sin verlos, ya que la espesura de follaje los ocultaba totalmente.

El sonido discordante de las voces y los instrumentos se acercaba. Cantos monótonos mezclados con los sones de címbalos y tambores. Pronto la cabeza de la procesión apareció bajo los árboles, a una cincuentena de pasos del lugar ocupado por el señor Fogg y sus compañeros. Distinguieron fácilmente, a través de las ramas, el curioso conjunto de aquella ceremonia religiosa.

Címbalos: Instrumento músico de percusión que consta de dos platillos de bronce, con agarradores de cuero en el centro, y a los que se hace vibrar golpeándolos uno contra el otro.

En primera línea avanzaban los sacerdotes, tocados con mitras y vestidos con largas túnicas recamadas. Iban rodeados de hombres, mujeres y niños que entonaban una especie de salmodia fúnebre, interrumpida a intervalos regulares por los tambores y los címbalos. Detrás de ellos, sobre un carro de grandes ruedas cuyos radios y llantas representaban un entrelazamiento de serpientes, se encontraba una horrible estatua, arrastrado todo ello por dos parejas de cebúes ricamente enjaezados. Aquella estatua tenía cuatro brazos; el cuerpo coloreado de un rojo sombrío, los ojos adustos, los cabellos enmarañados, la lengua colgante y los labios teñidos con alheña y betel. Un collar de calaveras rodeaba su cuello, y un cinturón de manos cortadas ceñía su talle. Estaba de pie, sobre un gigante yacente decapitado.

Recamada: Bordada de realce.

Salmodia: Canto monótono.

Enjaezado: Adornado.

Adusto: Seco, serio, rígido, severo.

Alheña: Polvo que se usa para teñir que se obtiene de las flores de un arbusto oleáceo del mismo nombre.

Betel: Planta piperácea cultivada en el Extremo Oriente, cuyo fruto contiene una semilla picante y cuyas hojas saben a menta.

Sir Francis Cromarty reconoció la estatua.

—Es la diosa Kali —murmuró—, la diosa del amor y de la muerte.

—De la muerte, lo acepto, pero del amor, ¡nunca! —dijo Passepartout—. ¡Será fea!

El parsi le indicó que se callara.

Alrededor de la estatua se agitaba, se movía, se convulsionaba un grupo de viejos faquires, pintados con grandes rayas ocres, cubiertos de incisiones en forma de cruz que dejaban escapar la sangre gota a gota; energúmenos estúpidos que, en las grandes ceremonias hindúes, seguían precipitándose todavía bajo las ruedas del carro de Jaghernath[1].

Energúmeno: Persona poseída del demonio.

Tras ellos, unos cuantos brahmanes ataviados con toda la suntuosidad de sus ropajes orientales, arrastraban a una mujer que apenas se sostenía.

Aquella mujer era joven, blanca como una europea. Su cabeza, su cuello, sus hombros, sus orejas, sus brazos, sus manos, los dedos de sus pies estaban, todos ellos, sobrecargados de joyas, de collares, de brazaletes, de pendientes y de anillos. Una túnica laminada en oro, recubierta por una fina gasa, dibujaba los contornos de su talle.

Laminada: Que tiene una estructura formada de láminas u hojas sobrepuestas y paralelamente colocadas.

Detrás de ella —y en contraste harto violento para la vista— unos guardias, armados con sables desnudos al cinto y con grandes pistolas damasquinadas, llevaban un cadáver sobre un palanquín.

Damasquinada: Con adornos primorosos de metales finos sobre hierro o acero.

Se trataba del cuerpo de un anciano, vestido con sus opulentos ropajes de rajá, que llevaba, como en vida, un turbante bordado de perlas, el vestido tejido de seda y oro, la faja de cachemir con diamantes, y sus magníficas armas de príncipe indio.

Opulento: Rico.

Cachemir: Tejido de lana muy fino fabricado con pelo de una cabra de Cachemira.

Por último, los músicos y una retaguardia de fanáticos, cuyos gritos cubrían en ocasiones el ensordecedor ruido de los instrumentos, cerraban el cortejo.

Sir Francis Cromarty miraba toda aquella pompa con un aire extrañamente entristecido, y, volviéndose hacia el guía, le dijo.

—Un *sutty*.

[1] El carro de Jaghernath o de Visnú es una pagoda de madera de 14 metros de altura, que cada año, en los meses de junio o julio, es conducida por 200 servidores al templo de Jaghernath. En ocasiones, los peregrinos se lanzan bajo sus ruedas para morir aplastados por el carro, pero, pese a la leyenda, es un hecho poco frecuente.

El parsi hizo un signo afirmativo y puso un dedo sobre los labios. La larga procesión se desplegó lentamente entre los árboles, y muy pronto sus últimas filas desaparecieron en las profundidades del bosque.

Poco a poco, los cantos se extinguieron. Todavía se oyeron algunos gritos lejanos, y, finalmente, a todo aquel tumulto le sucedió un profundo silencio.

Phileas Fogg había escuchado aquella palabra que pronunció sir Francis Cromarty, e inmediatamente que la procesión hubo desaparecido se dirigió a él.

—¿Qué es un *sutty?* —preguntó.

—Un *sutty,* señor Fogg —respondió el brigadier—, es un sacrificio humano, pero un sacrificio voluntario. Esa mujer que acaba de ver será incinerada mañana con las primeras horas del alba.

—¡Ah! ¡Bigardos! —exclamó Passepartout, que no pudo reprimir un grito de indignación.

Bigardo: Fraile desenvuelto y de vida libre. Vago, holgazán.

—¿Y ese cadáver? —preguntó el señor Fogg.

—Es el del príncipe, su marido —respondió el guía—, un rajá independiente del Bundelkund.

—¿Cómo? —exclamó Phileas Fogg, sin que su voz traicionase la menor emoción—. ¿Cómo es posible que esas bárbaras costumbres subsistan todavía en la India, y que los ingleses no hayan podido acabar con ellas?

—En la mayor parte de la India —respondió sir Francis Cromarty— esos sacrificios ya no se realizan, pero no tenemos ninguna influencia sobre estas comarcas salvajes, y, muy especialmente, sobre este territorio del Bundelkund. Toda la vertiente septentrional de los Vindhias es escenario de asesinatos y saqueos constantes.

—¡Pobre desgraciada! —murmuró Passepartout—. ¡Quemada viva!

—Sí —prosiguió el brigadier—, quemada, y, aunque no fuera así, no podría usted ni imaginarse a qué condición tan miserable se vería reducida por sus vecinos. Se le afeitarían los cabellos, no se la alimentaría más que con algunos puñados de arroz, sería rechazada, estaría considerada como una criatura inmunda y moriría en cualquier rincón como un perro sarnoso.

Sarnoso: Que tiene sarna, enfermedad cutánea debida al arador, caracterizada por una multitud de vesículas y pústulas diseminadas por el cuerpo, las cuales producen una viva picazón.

Así es que la perspectiva de tal existencia lleva, a menudo, a esas desgraciadas al suplicio, y con mucha más fuerza que el amor o el fanatismo religioso. No obstante, en ocasiones, el sacrificio es realmente deseado, y se necesita la enérgica intervención del gobierno para impedirlos. Recuerdo que hace algunos años, cuando residía en Bombay, fui testigo de cómo una joven viuda acudió al gobernador para pedirle la autorización de incinerarse con el cuerpo de su marido. Como pueden imaginarse, el gobernador se lo negó. Entonces, la viuda abandonó la ciudad, se refugió en los dominios de un rajá independiente, y allí consumó el sacrificio.

Todo a lo largo del relato del brigadier, el guía sacudía la cabeza, y, cuando aquel acabó, dijo:

—El sacrificio que se celebrará mañana al alba no es voluntario.

—¿Cómo lo sabe usted?

—Es una historia que todo el mundo conoce en el Bundelkund —respondió el guía.

—Sin embargo, esa desdichada no parecía oponer ninguna resistencia —observó sir Francis Cromarty.

—Porque la embriagaron con humo de cáñamo y de opio.

Cáñamo índico: Variedad de cultivo del cáñamo común, de menor talla y peor calidad, textil, pero con mucha mayor concentración de alcaloide. Tiene propiedades estupefacientes e hipnóticas.

—¿Y adónde la conducen?

—A la pagoda de Pillaji, a dos millas de aquí. Allí pasará la noche, esperando la hora del sacrificio.

—¿Cuándo se realizará el sacrificio?

—Mañana, con los primeros rayos del alba.

Después de aquella respuesta, el guía hizo salir el elefante de la espesura y se izó sobre el cuello del animal. Pero, en el momento en que iba a excitarlo con un silbido especial, el señor Fogg lo detuvo, y, dirigiéndose a sir Francis Cromarty, dijo:

—¿Y si salvásemos a esa mujer?

—¡Salvar a esa mujer, señor Fogg...! —exclamó el brigadier.

—Todavía me quedan doce horas de adelanto. Puedo consagrarlas a eso.

—¡Vaya! ¡Pero si es usted un hombre con corazón!

—En ocasiones —respondió simplemente Phileas Fogg—. Cuando tengo tiempo.

Capítulo XIII

En el que Passepartout prueba, una vez más, que la fortuna sonríe a los audaces

El proyecto era temerario, erizado de dificultades, tal vez impracticable. El señor Fogg iba a arriesgar su vida, o al menos su libertad, y por tanto el éxito de su empresa; pero no lo dudó. Por otro lado, encontró en sir Francis Cromarty a un auxiliar decidido.

En cuanto a Passepartout, estaba dispuesto, se podía contar con él. La idea de su amo lo exaltaba. Sentía que un corazón, un alma, latía bajo aquella corteza de hielo. Empezaba a querer a Phileas Fogg.

Quedaba el guía. ¿Qué partido iba a tomar? ¿No se inclinaría del lado de los indios? A falta de su ayuda, habría que asegurarse, al menos, su neutralidad.

Sir Francis Cromarty le planteó, francamente, el problema.

—Mi oficial —respondió el guía—, soy parsi, y esa mujer es parsi. Dispongan de mí.

—Bien, guía —respondió el señor Fogg.

—No obstante, sépanlo ustedes —prosiguió el parsi—, no solo arriesgaremos nuestras vidas, sino que podremos sufrir terribles suplicios si nos cogen. Piénsenlo bien.

—Está pensado —respondió el señor Fogg—. ¿No creen que deberíamos esperar a la noche para actuar?

—Yo también lo creo —respondió el guía.

El bravo hindú dio, entonces, algunos detalles sobre la víctima. Se trataba de una india célebre por su belleza, de raza parsi, hija de ricos comerciantes de Bombay. Había recibido en aquella ciudad una educación totalmente inglesa, y tanto por sus modales como por su instrucción habría podido pasar por europea. Se llamaba Aouda.

Huérfana, se vio casada, pese a su oposición, con aquel anciano rajá del Bundelkund. Tres meses después enviudó. Sabiendo la suerte que le esperaba, escapó, pero la capturaron inmediatamente, y los parientes del rajá, que estaban interesados en su muerte, la condenaron a aquel suplicio, del que parecía que no podría librarse.

Aquel relato no podía sino reforzar en el señor Fogg y sus compañeros su generosa resolución. Se decidió que el guía dirigiría el elefante hacia la pagoda de Pillaji, a la que se aproximaría tanto como fuese posible.

Media hora más tarde hicieron un alto bajo un bosquecillo, a quinientos pasos de la pagoda, para ellos invisible; pero los gritos de los fanáticos se podían escuchar con toda claridad.

Deliberaron sobre la forma de llegar hasta la víctima. El guía conocía aquella pagoda de Pillaji, en la que, según afirmaba, la joven se encontraba prisionera. ¿Podrían entrar por una de las puertas cuando toda la cuadrilla estuviera sumida en el sueño de la embriaguez, o sería necesario practicar un agujero en los muros? Aquello no podría decidirse hasta el momento y en el lugar oportunos. Pero, de lo que no les cabía duda alguna, es que el rescate debería llevarse a cabo aquella misma noche, y no cuando, llegado el día, la víctima fuese conducida al suplicio. En ese momento, ninguna intervención humana podría salvarla.

El señor Fogg y sus compañeros esperaron a que cayera la noche. Cuando, hacia las seis de la tarde, oscureció, tomaron la resolución de llevar a cabo un reconocimiento en torno a la pagoda. Los últimos gritos de los faquires se iban extinguiendo. De acuerdo con sus costumbres, aquellos indios deberían estar sumidos en una fuerte embriaguez de *hang* —opio líquido mezclado con una infusión de cáñamo—, y tal vez resultase posible deslizarse entre ellos hasta el templo.

El parsi, guiando al señor Fogg, a sir Francis Cromarty y a Passepartout, avanzó sin hacer el menor ruido a través del bosque. Después de diez minutos de arrastrarse bajo los arbustos, llegaron al borde de un riachuelo, y desde allí, a la luz de unas antorchas de hierro cuyas puntas resinosas ardían, pudieron ver un montón de maderos apilados. Era la pira, hecha de sándalo, y ya impregnada de aceite perfumado. En su parte superior reposaba el cuerpo embalsamado del rajá, que debería arder al mismo tiempo que el de su viuda. A cien pasos de la pira se elevaba la pagoda, cuyos alminares pasaban en la oscuridad por encima de los árboles.

Pira: Hoguera en que antiguamente se quemaban los cuerpos de los difuntos y las víctimas de los sacrificios.

Sándalo: Árbol santaláceo de madera olorosa empleada en ebanistería.

Embalsamar: Llenar de sustancias balsámicas las cavidades de los cadáveres o inyectar en los vasos ciertos líquidos, para preservar de la putrefacción los cuerpos muertos.

—Vengan —dijo el guía en voz baja.

Y, redoblando sus precauciones, se deslizó silenciosamente a través de las altas hierbas seguido por sus compañeros.

El silencio tan solo era interrumpido por el murmullo del viento a través de las ramas.

Muy pronto, el guía se detuvo en el borde de un calvero. Algunas antorchas iluminaban el lugar. El suelo estaba cubierto por grupos de durmientes, embrutecidos por la embriaguez. Se hubiese dicho un campo de batalla cubierto de cadáveres. Hombres, mujeres y niños, todos estaban amontonados. Algunos borrachos todavía roncaban aquí y allá.

En segundo plano, entre la masa de los árboles, el templo de Pillaji se elevaba confusamente. Pero, con gran decepción por parte del guía, este pudo ver a la luz de las antorchas fuliginosas cómo los guardias del rajá vigilaban ante las puertas, y se paseaban con los sables desenvainados. Podía suponerse que en el interior los sacerdotes vigilaban también.

Fuliginosa: Denegrida, oscurecida, tiznada.

El parsi no avanzó más. Reconociendo la imposibilidad de forzar la entrada del templo, hizo retroceder a sus compañeros.

Phileas Fogg y sir Francis comprendieron, como él, que no podían intentar nada por aquel lado.

Se pararon y deliberaron en voz baja.

—Esperemos —dijo el brigadier—. Todavía no son más que las ocho, y es muy probable que esos guardias también sucumban al sueño.

—Es posible, en efecto —respondió el parsi.

Phileas Fogg y sus compañeros se tumbaron, por tanto, al pie de un árbol y esperaron.

El tiempo les pareció terriblemente largo. El guía los abandonaba de cuando en cuando e iba a observar el calvero del bosque. Los guardias del rajá seguían vigilando a la luz de las antorchas, y una luz vaga se filtraba por las ventanas de la pagoda.

Esperaron así hasta la media noche. La situación no cambió. Había la misma vigilancia en el exterior. Resultaba evidente que no podrían contar con que los guardias se adormecieran. Probablemente les habrían prohibido que probaran la infusión de *hang*. Por tanto era necesario actuar de otra manera, y penetrar en la pagoda a través de una apertura practicada en sus muros. Quedaba por saber si los sacerdotes vigilaban junto a la víctima con tanto celo como lo hacían los guardias a la puerta del templo.

Después de una última deliberación, el guía dijo estar dispuesto.

El señor Fogg, sir Francis y Passepartout lo siguieron. Realizaron un rodeo bastante amplio, a fin de alcanzar la pagoda por su parte trasera.

Hacia las doce y media llegaron al pie de sus muros sin haberse encontrado a nadie en el camino. No existía ninguna vigilancia por aquel lado, pero también habría que señalar que la ausencia de puertas y ventanas era total.

La noche era oscura. La luna, en su último cuarto, apenas asomaba por el horizonte, cubierto por grandes nubarrones. La altura de los árboles hacía aumentar, todavía más, la oscuridad.

Pero no bastaba con haber alcanzado los muros, todavía necesitaban practicar una abertura. Para tal operación, Phileas Fogg y sus compañeros tan solo contaban con sus navajas. Afortunadamente, las paredes del templo estaban hechas con una mezcla de ladrillos y maderos, que no sería muy difícil de agujerear. Una vez retirado el primer ladrillo, los demás saldrían fácilmente.

Se pusieron manos a la obra, tratando de hacer el menor ruido posible. El parsi por un lado y Passepartout por el otro, se aplicaron a arrancar los ladrillos de tal forma que quedara un hueco de dos pies de ancho.

El trabajo progresaba, cuando se oyó un grito en el interior del templo, al que respondieron inmediatamente otros gritos desde el exterior.

Passepartout y el guía interrumpieron su trabajo. ¿Los habrían sorprendido? ¿Estaba dada la alarma? La más mínima prudencia los obligaba a alejarse —lo que realizaron al mismo tiempo que Phileas Fogg y sir Francis Cromarty—. Se acurrucaron de nuevo bajo la protección de los árboles, esperando que la alerta, si de una se trataba, hubiese cesado, y dispuestos, en ese caso, a continuar su obra.

Pero —contratiempo funesto— los guardias se asomaron por la parte trasera de la pagoda, y se instalaron allí, de tal manera que imposibilitaron cualquier intento de aproximación.

Sería difícil describir la decepción de aquellos cuatro hombres interrumpidos en su trabajo. ¿Cómo podrían salvar a la víctima si ya no podían llegar hasta ella? Sir Francis Cromarty se roía las uñas. Passepartout estaba fuera de sí, y el guía apenas podía contenerlo. El impasible y flemático Fogg esperaba sin manifestar sus sentimientos.

—¿Deberemos abandonar? —preguntó el brigadier en voz baja.

—No nos queda más que partir —contestó el guía.

—Esperen —dijo Fogg—. Con estar mañana antes del mediodía en Allahabad, me basta.

—Pero ¿qué espera usted? —respondió sir Francis Cromarty—. En unas horas habrá salido el sol y...

—Tal vez la suerte que nos abandona quiera surgir de nuevo en el momento supremo.

El brigadier hubiera querido leer en los ojos de Phileas Fogg. ¿Qué pensaba aquel frío inglés? ¿Pretendería precipitarse hacia la joven, en el momento del suplicio, y arrancarla abiertamente a sus verdugos?

Habría sido una locura, y ¿cómo pensar que aquel hombre estuviera loco hasta tal punto? Sin embargo, sir Francis Cromarty consintió esperar hasta el desenlace de la terrible escena. Pero el guía no permitió que sus compañeros continuasen en el lugar donde se habían refugiado, y los condujo hacia el linde del calvero. Allí, protegidos por un grupo de árboles, podían observar a los durmientes.

Linde: Límite, confín.

Mientras tanto, Passepartout, encaramado sobre las ramas de un árbol, rumiaba una idea que había atravesado su mente como un rayo, y que acabó por incrustarse dentro de su cerebro.

Empezó por decirse a sí mismo: «¡Qué locura!», pero seguía repitiéndose una y otra vez: «¿Por qué no? Después de todo es una posibilidad, tal vez la única, y con esos ignorantes...»

En todo caso, Passepartout no volvió a pensar en ello, pero no tardó en deslizarse con la agilidad de una serpiente por las ramas inferiores del árbol, curvadas hacia el suelo.

Las horas pasaron, y pronto algunas sombras menos oscuras anunciaron la proximidad del alba. Sin embargo, la oscuridad seguía siendo profunda.

Era el momento. Se produjo algo así como una resurrección en medio de aquella muchedumbre dormida. Los grupos se fueron animando. Surgieron de nuevo los cantos y los gritos. Había llegado la hora en la que la infortunada debería morir.

En efecto, las puertas de la pagoda se abrieron. Una luz más viva escapó de su interior. El señor Fogg y sir Francis Cromarty pudieron ver a la víctima, vivamente iluminada, arrastrada por dos sacerdotes hacia el exterior. Les pareció, incluso, que, sacudiéndose el sopor de la embriaguez en un supremo esfuerzo del instinto de conservación, la desgraciada intentaba escapar a sus verdugos. El corazón de sir Francis Cromarty dio un vuelco y, en un movimiento convulsivo, se agarró a la mano de Phileas Fogg, y notó que aquella mano empuñaba un cuchillo.

En aquel momento, la muchedumbre se agitó. La joven se sumió de nuevo en el letargo provocado por el humo del cáñamo. Pasó a través de los faquires, que la escoltaban con sus gritos religiosos.

Phileas Fogg y sus compañeros, mezclándose casi con las últimas filas de la muchedumbre, la siguieron.

Dos minutos después llegaron a la orilla del riachuelo y se detuvieron a menos de cincuenta pasos de la pira, sobre la que yacía el cuerpo del rajá. En la semioscuridad pudieron ver a la víctima, inerte, extendida junto al cadáver de su esposo.

Después se aproximó una antorcha, y la madera, impregnada de aceite, se inflamó rápidamente.

En aquel instante, sir Francis Cromarty y el guía se vieron obligados a retener a Phileas Fogg, quien, en un momento de generosa locura, se lanzaba hacia la pira...

Desembarazarse: Separarse.

Pero ya Phileas Fogg se había desembarazado de ellos, cuando la escena cambió de repente. Se escuchó un grito de terror. Toda aquella muchedumbre se lanzó al suelo, espantada.

El anciano rajá no estaba muerto, pues se le vio erguirse de repente y, como un fantasma, levantar el cuerpo de la joven en sus brazos y bajar de la pira en medio de torbellinos de vapores, que le daban una apariencia espectral.

Espectral: Fantasmal.

Los faquires, los guardias, los sacerdotes, todos ellos, presas de un súbito temor, estaban allí, aplastados contra el suelo, sin osar levantar sus ojos y mirar tal prodigio.

Prodigio: Hecho, suceso sobrenatural.

La víctima, inanimada, pasó entre ellos sobre los brazos que la llevaban, sin que pareciera que fuese una carga para ellos. El señor Fogg y sir Francis Cromarty se habían quedado quietos. El parsi inclinó la cabeza, y Passepartout, sin duda, no estaría menos estupefacto...

Aquel resucitado llegó así cerca del lugar donde estaban el señor Fogg y sir Francis Cromarty, y, una vez allí, dijo brevemente:

—¡Huyamos!

¡Era Passepartout! El mismo Passepartout que se había deslizado hasta la pira, en medio de aquella espesa humareda. Era Passepartout, quien, aprovechándose de la profunda oscuridad, había arrebatado la joven a la muerte. Era Passepartout, quien, desempeñando su papel con una gran audacia, había pasado por medio del espanto general.

Un instante más tarde los cuatro desaparecieron por el bosque, y el elefante los alejó de un rápido trote. Pero los gritos, los clamores, e incluso una bala que atravesó el sombrero de Phileas Fogg, les anunciaron que la artimaña había sido descubierta.

Artimaña: Trampa.

En efecto, sobre la pira ardiente se destacaba el cuerpo del anciano rajá. Los sacerdotes, repuestos de su espanto, comprendieron que habían sido testigos de un rapto.

Inmediatamente, se precipitaron hacia el bosque. Los guardias los siguieron. Sonó una descarga cerrada, pero los raptores huían rápidamente, y en unos instantes se pusieron fuera del alcance de sus balas.

Capítulo XIV

En el que Phileas Fogg desciende por el admirable valle del Ganges, sin pensar siquiera en verlo

La temeraria acción había tenido éxito. Una hora después, Passepartout se reía todavía de su resultado. Sir Francis Cromarty estrechó la mano del muchacho. Su amo le dijo, simplemente: «Bien», lo que, en boca de aquel caballero, equivalía a una calurosa aprobación. A lo que Passepartout respondió que todo el honor del asunto correspondía a su amo. Que él no había tenido más que una idea «divertida», y se reía al pensar que, durante algunos instantes, él, Passepartout, antiguo gimnasta y ex sargento de bomberos, había sido el marido de una encantadora joven, un anciano rajá embalsamado.

En cuanto a la joven india, todavía no era consciente de lo sucedido. Arropada con las mantas de viaje, descansaba sobre una de las artolas.

Mientras tanto, el elefante, guiado magistralmente por el parsi, corría velozmente por el bosque, todavía oscuro. Una hora después de haber abandonado la pagoda de Pillaji, se lanzó a través de una inmensa llanura. A las siete se detuvieron. La joven seguía en un estado de postración total. El guía le hizo beber unas gotas de agua y de brandy, pero la influencia de los estupefacientes que la aletargaban debería prolongarse, todavía, durante algún tiempo.

Sir Francis Cromarty, que conocía los efectos de la embriaguez producida por la inhalación de los vapores del cáñamo, no sentía ninguna inquietud al respecto.

Postración: Abatimiento, desfallecimiento, aplanamiento, extenuación, debilidad.

Brandy: Bebida alcohólica parecida al coñac.

Pero si el restablecimiento de la joven india no turbaba el ánimo del brigadier, este se mostraba mucho menos seguro por su futuro. No dudó ni un instante en comunicar a Phileas Fogg que, si la señora Aouda se quedaba en la India, caería inevitablemente en manos de sus verdugos. Aquellos energúmenos estaban por toda la península, y sin duda alguna, y pese a la policía inglesa, sabrían cómo recuperar a su víctima, ya se encontrase esta en Madrás, en Bombay o en Calcuta. Y sir Francis Cromarty citaba, para apoyar sus afirmaciones, un hecho de aquella naturaleza que ocurrió hacía mucho tiempo. En su opinión, la joven no se encontraría realmente en seguridad más que después de haber abandonado la India.

Phileas Fogg respondió que tendría en cuenta aquellas observaciones y que tomaría una decisión al respecto.

Hacia las diez de la mañana, el guía anunció la llegada a la estación de Allahabad. Allí se iniciaba, de nuevo, la interrumpida vía férrea, cuyos trenes franqueaban, en menos de un día y una noche, la distancia que separa Allahabad de Calcuta.

Phileas Fogg debería, por tanto, llegar con tiempo más que suficiente para coger el paquebote con destino a Hong Kong, que no zarpaba hasta el día siguiente, 25 de octubre, al mediodía.

Depositaron a la joven en una sala de la estación. Passepartout fue el encargado de ir a comprarle diversos objetos de tocador, un vestido, un chal, pieles, etc., en fin, todo lo que encontrase. Su amo le abrió, al respecto, un crédito ilimitado.

Passepartout partió rápidamente y recorrió las calles de la ciudad. Allahabad es la ciudad de Dios[1], una de las más veneradas de la India, por hallarse si-

[1] Situada en la confluencia de los ríos Ganges, Jamuna, o Yamuna, y Sarasvati, es uno de los lugares sagrados de los indios y a ella acuden cada año, del 15 de enero al 15 de febrero, en peregrinación para purificarse en las aguas del río sagrado. Ocupada y fortificada en 1798 por los ingleses, fue asediada por los cipayos en 1857.

tuada en la confluencia de los dos ríos sagrados, el Ganges y el Jamuna, cuyas aguas atraen a los peregrinos de toda la península. Es bien sabido, por otra parte, que, de acuerdo con las leyendas del *Ramayana*[2], el Ganges tiene sus fuentes en el cielo, desde donde, gracias a Brahma, desciende sobre la Tierra.

Mientras hacía sus compras, no tardó Passepartout en ver la ciudad antaño defendida por un magnífico fuerte que fue convertido en prisión del Estado. Ya no existía comercio ni industria en aquella ciudad antaño industrial y comercial. Passepartout, que buscaba en vano una tienda de novedades, como si se hubiese encontrado en Regent street[3], a unos cuantos pasos de Farmer and Co., no encontró más que en un revendedor, viejo y difícil judío, los objetos que necesitaba, un vestido de tela escocesa, un amplio abrigo, y un magnífico chaquetón de piel de nutria, por el que no dudó en pagar setenta y cinco libras (1.875 F). Después, totalmente satisfecho, regresó a la estación.

La señora Aouda comenzaba a recobrarse. El estado en que los sacerdotes de Pillaji la habían sumido se disipaba poco a poco, y sus bellos ojos adquirían paulatinamente su dulzura india.

Cuando el rey y poeta Uzaf Uddaul celebró los encantos de la reina de Ahmehnagara, se expresó así:

«Su reluciente cabellera, dividida en dos partes perfectas, enmarca los contornos armoniosos de sus delicadas y blancas mejillas, relucientes de tersura y lozanía. Sus cejas de ébano tienen la forma y la potencia del arco de Kama[4], dios del amor, y bajo sus largas y

Novedades: Géneros o mercancías adecuadas a la moda.

Nutria: Mamífero carnívoro mustélido de unos 9 dm de longitud, orejas pequeñas, cuerpo delgado, patas cortas, dedos unidos por una membrana, cola larga y gruesa y pelaje espeso y muy fino, muy apreciado en peletería.

Celebrar: Alabar, ensalzar.

Tersura: Pureza.

Lozanía: Frescura.

Ébano: Árbol propio de Asia y de las islas de Ceilán y Madagascar, de madera maciza, negra por el centro y blanquecina hacia la corteza, muy estimada en ebanistería.

[2] Gran epopeya india en lengua sánscrita dividida en siete partes compuesta por el poeta Valmiki hacia 300 a. C. Es un canto de 24.000 estrofas dedicado a las gestas de Rama, príncipe de Ayodhya, y de Sita, hija del rey Janaka, que representan la imagen perfecta del hombre rey y de la esposa. Considerado libro sagrado por los indios, es leído públicamente en las solemnidades religiosas.

[3] Una de las principales arterias de Londres.

[4] Dios indio del amor, se le representa como un bello adolescente, montado sobre un loro y armado con un arco de caña de azúcar y flechas, cuya punta son capullos de loto. Su esposa es Rati, diosa de la voluptuosidad.

sedosas pestañas, en la pupila negra de sus grandes ojos límpidos, nadan como en los lagos sagrados del Himalaya los reflejos más puros de la luz celeste. Finos, iguales y blancos, sus dientes resplandecen entre sus sonrientes labios, al igual que gotas de rocío en el seno semiabierto de una flor de granado. Sus lindas orejas de curvas simétricas, sus manos bermejas, sus piececitos arqueados y tiernos como las yemas del loto, brillan con el resplandor de las más bellas perlas de Ceilán, de los más bellos diamantes de Golconda. Su delgada y flexible cintura, que una sola mano podría ceñir, realza las elegantes curvaturas de sus redondas caderas y la riqueza de su busto, en el que la juventud en flor ostenta sus más perfectos tesoros, y, bajo los pliegues sedosos de su túnica, parece haber sido modelada en plata por la mano divina de Visvakarman[5], el inmortal escultor».

Granado: Arbolito frutal punicáceo, de tronco tortuoso y ramos delgados, hojas coriáceas, flores de color grana y fruto en balausta.

Bermeja: Rojiza.

Loto: Planta ninfeácea, abundante en las orillas del Nilo y el Ganges, de hojas grandes y coriáceas, flores terminales, solitarias, de gran diámetro, blancas y olorosas, y fruto globoso parecido al de la adormidera.

Bombo y platillo: Elogio exagerado y ruidoso.

Pero, sin tanto bombo y platillo, bástenos con decir que la señora Aouda, la viuda del rajá del Bundelkund, era una mujer encantadora, en toda la acepción europea de la palabra. Hablaba un inglés de gran pureza, y el guía no había exagerado al afirmar que aquella joven parsi había sido transformada por la educación.

Pero el tren pronto abandonaría la estación de Allahabad. El parsi esperaba. El señor Fogg le pagó el precio estipulado, sin añadir ni un solo *farthing*[6]. Aquello sorprendió un poco a Passepartout, que era consciente de lo que su amo debía a la abnegación del guía. En efecto, el parsi había arriesgado voluntariamente su vida en el asunto de Pillaji, y, si más adelante, los hindúes se enteraban de ello, difícilmente podría escapar a su venganza.

Abnegación: Generosidad, desinterés, desprendimiento, altruismo.

[5] Vivakarman, el Creador universal, dios de la India védica, arquitecto del universo, forjador del arma de Indra, maestro de lo mecánico, carpintero divino y fabricante de los adornos que llevan los dioses.

[6] Moneda inglesa de bronce equivalente a un cuarto de penique (o a 1/48 de chelín). Fue acuñada por primera vez en Escocia poe Alejandro III (1249-1292).

Quedaba también pendiente el tema de Kiouni. ¿Qué haría con un elefante comprado a tan alto precio?

Pero Phileas Fogg, como de costumbre, ya había tomado una decisión al respecto.

—Parsi —dijo al guía—, has sido servicial y abnegado. He pagado tu servicio, pero no tu abnegación. ¿Quieres este elefante? Es tuyo.

Los ojos del guía brillaron.

—¡Excelencia! —exclamó—. ¡Es una fortuna lo que me está ofreciendo!

—Acepta, guía —respondió el señor Fogg—, pues todavía seguiré estando en deuda contigo.

—¡Enhorabuena! —exclamó Passepartout—. ¡Tómalo, amigo! ¡Kiouni es un bravo y valeroso animal!

Y, acercándose a la bestia, le ofreció unos cuantos trozos de azúcar, mientras le decía:

—¡Toma, Kiouni, toma, toma!

El elefante soltó algunos gruñidos de satisfacción. Después, cogiendo a Passepartout por la cintura y rodeándolo con su trompa, lo subió hasta su cabeza. Passepartout, sin asustarse, acarició al animal, que lo volvió a dejar en tierra, y, al apretón de la trompa del honrado Kiouni, el buen muchacho respondió con un vigoroso apretón de manos.

Unos instantes más tarde, Phileas Fogg, sir Francis Cromarty y Passepartout, instalados en un confortable vagón en el que la señora Aouda ocupaba la mejor plaza, corrían a toda máquina hacia Benarés.

Las casi ochenta millas que separan esa ciudad de Allahabad fueron recorridas en dos horas.

Durante el trayecto, la joven se recobró totalmente: los vapores adormecedores del cáñamo se disiparon y pudo, por fin, percatarse del lugar en el que se encontraba.

¡Cuál no sería su sorpresa al encontrarse en el tren, en aquel compartimiento, cubierta con vestidos europeos, y junto a unos viajeros que le eran totalmente desconocidos!

Al principio, sus compañeros le prodigaron sus más solícitos cuidados, y la reanimaron con algunas gotas de licor; después el brigadier le contó su historia. Insistió en la abnegación de Phileas Fogg, que no había dudado en jugarse la vida para salvarla, y en el desenlace de la aventura, debido a la audaz imaginación de Passepartout.

El señor Fogg lo dejó hablar sin pronunciar ni una sola palabra. Passepartout, confuso, repetía constantemente que «aquello no tenía importancia».

La señora Aouda expresó efusivamente su reconocimiento a sus salvadores, más a través de sus lágrimas que a través de sus palabras. Sus bellos ojos interpretaron mejor que sus labios toda su gratitud.

Después, al rememorar la escena del sutty, y al contemplar el paisaje de aquella tierra india, en la que tantos peligros la acechaban todavía, fue presa de un escalofrío de terror.

Phileas Fogg comprendió lo que pasaba por el ánimo de la señora Aouda, y para tranquilizarla le ofreció, muy fríamente por cierto, llevarla hasta Hong Kong, donde permanecería hasta que aquel asunto se olvidase.

La señora Aouda aceptó la oferta con reconocimiento. Precisamente, uno de sus parientes residía en Hong Kong. Parsi como ella, era uno de los negociantes más importantes de aquella ciudad, que, pese a hallarse en la costa china, era totalmente inglesa.

A las doce y media, el tren se detuvo en la estación de Benarés. Las leyendas brahmánicas afirman que esta ciudad ocupa el emplazamiento de la antigua Kasi, que antaño se encontraba levitando en el espacio, entre el cenit y el nadir, al igual que la tumba de Mahoma.[7]

Cenit: Punto del hemisferio celeste superior al horizonte, que corresponde verticalmente a un lugar de la Tierra.

Nadir: Punto de la esfera celeste diametralmente opuesto al cenit.

[7] *Benarés* es otra de las ciudades sagradas adonde acuden los peregrinos para purificarse en las aguas del Ganges, en cuya margen izquierda está situada. Ya en el *Atarvaveda* (libro sagrado de las fórmulas y de los conjuros) se la nombra con el nomre de *Kasi* (la brillante). Su importancia religiosa y cultural se remonta a los

Pero, en aquella época más realista, Benarés, la Atenas de la India según los orientalistas, reposaba prosaicamente sobre el suelo, y Passepartout pudo, en un instante, vislumbrar sus mansiones de ladrillo y sus cabañas de caña, que le daban un aspecto absolutamente desolador, sin ningún color local.

Era allí donde sir Francis Cromarty debería abandonarlos. Las tropas a las que iba a unirse se encontraban acampadas a unas cuantas millas al norte de la ciudad. El brigadier se despidió, por tanto, de Phileas Fogg, deseándole todo el éxito posible, y expresando su deseo de que rehiciese algún día aquel viaje de una forma menos original, pero más provechosa. El señor Fogg apretó ligeramente los dedos de su compañero. Las expresiones de la señora Aouda fueron más afectuosas. Nunca olvidaría lo que debía a sir Francis Cromarty. En cuanto a Passepartout, fue honrado con un auténtico apretón de manos del brigadier. Emocionado, le preguntó cómo y cuándo podría rendirle algún servicio. Después se separaron.

A partir de Benarés, la vía férrea sigue, en parte, el valle del Ganges. A través de las ventanillas del vagón, y con un tiempo bastante claro, se contemplaba el variado paisaje del Behar, después las montañas cubiertas de verdor, los campos de cebada, maíz y trigo, ríos y estanques poblados de caimanes verdosos, pueblos bien cuidados y bosques todavía verdes. Algunos elefantes y cebúes de gruesa giba iban a bañarse a las aguas del río sagrado, y también, pese a lo avanzado de la estación y a la fría temperatura, bandadas de hindúes de ambos sexos, que cumplían piadosamente sus santas abluciones. Aquellos fieles, enemigos encarnizados del budismo, eran fervientes sectarios de la religión brahmánica, que se encarna en tres

Orientalista: Persona que cultiva las lenguas, literaturas, historia, etc., de los países de Oriente.

Prosaicamente: De manera prosaica, es decir, falta de idealidad o elevación; insulsa y vulgarmente.

Caimán: Reptil del orden de los cocodrilos.

Giba: Corcova, joroba.

Bandada: Grupo numeroso, muchedumbre.

Ablución: Acción de purificarse por medio del agua, según ritos de las religiones judaica, mahometana, etcétera.

Encarnizado: Reñido, porfiado.

Sectario: Que profesa y sigue una secta.

tiempos de Buda, puesto que allí pronunció su primer sermón. *Mahoma* o Muhammad (570-632) es el profeta del Islam, la religión de los árabes. En 622 emigró a Yatrib, ciudad que desde entonces se llamó Madinat al-Nabi (Medina) y desde la que organizó la comunidad musulmana, imponiéndose como jefe político y religioso.

personas: Visnú, la divinidad solar; Siva, la personificación divina de las fuerzas naturales, y Brahma[8], el maestro supremo de los sacerdotes y legisladores. Pero ¿con qué ojo Brahma, Siva y Visnú deberían considerar aquella India, entonces «britanizada», cuando algún *steamboat* pasaba relinchando y enturbiando las aguas sagradas del Ganges, espantando a las gaviotas que volaban por su superficie, a las tortugas que pululaban por sus orillas, y a los devotos extendidos a lo largo de sus riberas?

Todo aquel panorama desfiló como un rayo, y de vez en cuando una nube de vapor blanco ocultaba los detalles. Apenas los viajeros pudieron contemplar el fuerte Chunar, situado a veinte millas al sudeste de Benarés, antigua fortaleza de los rajaes de Behar; Ghazepour y sus importantes fábricas de agua de rosas; la tumba de lord Cornwallis[9], que se eleva sobre la orilla izquierda del Ganges; la ciudad fortificada de Buxar; Patna, gran ciudad industrial y comercial, en donde se encuentra el principal mercado de opio de la India; Monghir, ciudad más que europea inglesa como Manchester o Birmingham, renombrada por sus fundiciones de hierro, sus fábricas de cuchillería y de armas blancas, y cuyas altas chimeneas ensuciaban con una humareda negra el cielo de Brahma, ¡un auténtico manchón en un país de ensueño!

[8] *Visnú*, divinidad hindú que forma con *Brahma* y *Siva* la trinidad del hinduismo; se le representa de pie, sentado, recostado sobre la serpiente de la eternidad, y en esa posición medita al mundo, y de su ombligo surge un loto, del que nacerá Brahma, el creador del universo. Siva es el tercero de los dioses, el destructor y también el dios del fuego y, además, el del sacrificio; se le representa llevando un tercer ojo en medio de la frente y con cuatro manos, que sostienen sus principales atributos. Brahma es el dios creador, su nombre significa «lo absoluto»; se le representa con cuatro cabezas y cuatro brazos, que sostienen sus atributos.

[9] Charles Cornwallis (1738-1805), general y administrador británico. Participó en la guerra de los Siete años. En 1776 fue nombrado comandante adjunto del ejército que luchó contra los rebeldes americanos. En 1786 fue nombrado gobernador general y comandante en jefe de la India y en 1798 virrey de Irlanda. Fue uno de los negociadores del tratado de Amiens (1802); en 1805 se trasladó nuevamente a la India, donde murió al poco tiempo.

Después cayó la noche y, en medio de los rugidos de los tigres, los osos y los lobos que huían de la locomotora, el tren corrió a toda velocidad, y no se pudo ver nada de las maravillas de Bengala, ni Golconda, ni las ruinas de Gur, ni Murshedabad, que fue capital en otro tiempo, ni Burdwan, ni Hugly, ni Chandernagor, ese enclave francés en territorio indio, del que Passepartout se habría sentido orgulloso de poder ver ondear la bandera de su patria.

En fin, a las siete de la mañana llegaron a Calcuta. El paquebote que zarpaba para Hong Kong no levaba anclas hasta el mediodía. Phileas Fogg tenía, por tanto, cinco horas delante de sí.

De acuerdo con su itinerario, aquel caballero debería haber llegado a la capital de las Indias el 25 de octubre, veintitrés días después de su salida de Londres, y llegaba el día fijado. No llevaba, pues, ni retraso ni adelanto alguno. Desgraciadamente, los dos días que ganó entre Londres y Bombay se habían perdido, ya sabemos cómo, en aquella travesía de la península india, pero era de esperar que Phileas Fogg no lo sentiría.

CAPÍTULO XV

Donde la bolsa de banknotes *se aligera, todavía más, en algunos millares de libras*

El tren se detuvo en la estación. Passepartout descendió el primero del vagón, seguido por el señor Fogg, quien ayudó a su joven acompañante a poner los pies sobre el andén. Phileas Fogg contaba con ir directamente al paquebote de Hong Kong, a fin de poder instalar confortablemente a la señora Aouda, a quien no quería dejar sola, en tanto que se encontrase en aquel país tan peligroso para ella.

En el momento en el que el señor Fogg iba a salir de la estación, un policía se le acercó y le dijo:

—¿El señor Phileas Fogg?

—Yo soy.

—¿Este hombre es su criado? —añadió el policía, mientras señalaba a Passepartout.

—Sí.

—¿Quieren seguirme ambos?

El señor Fogg se abstuvo de hacer ningún movimiento que pudiese indicar su sorpresa. Aquel agente era un representante de la ley, y para cualquier inglés la ley es un asunto sagrado. Passepartout, con sus costumbres francesas, quiso pedirle explicaciones, pero el policía le mostró la cachiporra, al tiempo que Phileas Fogg le hizo un signo para que obedeciera.

Cachiporra: Palo con una bola o cabeza abultada en uno de sus extremos.

—¿Puede acompañarnos esta joven? —preguntó el señor Fogg.

—Sí puede —respondió el policía.

El policía condujo al señor Fogg, a la señora Aouda y a Passepartout hacia un *palkighari*, especie de coche de cuatro asientos tirado por dos caballos. Se pusieron en marcha. Nadie habló durante el trayecto, que duró alrededor de veinte minutos.

El coche atravesó, primero, la «ciudad negra», de estrechas callejuelas bordeadas de chabolas, en las que bullía una población cosmopolita, sucia y harapienta; después atravesó la ciudad europea, alegrada por casas de ladrillo, sombreada por cocoteros y erizada de arboledas que, pese a lo matinal de la hora, ya eran recorridas por elegantes caballeros montados en magníficos carruajes.

Bullir: Mover.

El *palkighari* se detuvo delante de un edificio de apariencia sencilla, pero que no debería estar dedicado a usos domésticos. El policía hizo descender a sus prisioneros —pues podría calificárseles de tales— y los condujo a una habitación con las ventanas enrejadas, mientras les decía:

—A las ocho y media comparecerán ustedes ante el juez Obadiah.

Después se retiró y cerró la puerta.

—Entonces, ¡estamos presos! —exclamó Passepartout, derrumbándose sobre una silla.

La señora Aouda, dirigiéndose inmediatamente al señor Fogg, le dijo con un tono que pretendía, en vano, ocultar su emoción:

—¡Señor, debe abandonarme! Es por mi causa por la que se ve perseguido. Por haberme salvado.

Phileas Fogg se limitó a responderle que aquello no era posible. ¿Perseguido por la historia del *sutty?* Imposible. ¿Cómo se atreverían los querellantes a presentarse ante el juez? Debería de haber un error. El señor Fogg añadió que, en cualquier caso, no abandonaría a la joven, y que la conduciría a Hong Kong.

—Pero el barco zarpa a las doce —observó Passepartout.

—Antes del mediodía estaremos a bordo —respondió simplemente el impasible caballero.

Y lo afirmó con tanta seguridad, que Passepartout no pudo impedir el repetirse a sí mismo:

—¡Pues claro! ¡Seguro! ¡Antes de las doce estaremos a bordo!

Pero no estaba del todo tranquilo.

A las ocho y media se abrió la puerta de la habitación y regresó el policía, quien condujo a los prisioneros a una sala contigua. Era una sala de audiencias, y ya estaba ocupada por un público bastante numeroso, compuesto de europeos e indígenas.

El señor Fogg, la señora Aouda y Passepartout tomaron asiento en un banco, frente a los sillones reservados al magistrado y el escribano.

Escribano: Secretario.

Aquel magistrado, el juez Obadiah, entró casi inmediatamente, seguido del escribano. Se trataba de un hombre gordo como una pelota. Descolgó una peluca que se encontraba colgada de un clavo y se la puso con presteza.

—La primera causa —dijo.

Pero, llevándose la mano a la cabeza, añadió:

—¡Eh! ¡Esta no es mi peluca!

—En efecto, señor Obadiah, es la mía —respondió el escribano.

—Querido señor Oysterpuf, ¿cómo quiere usted que un juez dicte una buena sentencia con la peluca de un escribano?

Se intercambiaron las pelucas. Durante aquellos preliminares, Passepartout hervía de impaciencia, pues la aguja del reloj de la sala de audiencias le parecía que caminaba terriblemente deprisa.

—La primera causa —repitió entonces el juez Obadiah.

—¿Phileas Fogg? —dijo el escribano Oysterpuf.

—Heme aquí —respondió el señor Fogg.

—¿Passepartout?

—¡Presente! —respondió Passepartout.

—Bien —dijo el juez Obadiah—. Hace dos días, señores acusados, que se les busca por todos los trenes procedentes de la ciudad de Bombay.

—Pero ¿de qué se nos acusa? —exclamó Passepartout, impaciente.

—Van a saberlo —respondió el juez.

—Señor —dijo, entonces, el señor Fogg—, soy ciudadano inglés y tengo derecho...

—¿Se le ha faltado al respeto? —preguntó el señor Obadiah.

—En absoluto.

—Bien. Hagan entrar a los querellantes.

A la orden del juez, se abrió una puerta y tres sacerdotes indios fueron introducidos por el ujier.

Ujier: Empleado subalterno de algunos tribunales.

—¡Esta sí que es buena! —murmuró Passepartout—. Así es que son esos pillastres los que querían, a toda costa, quemar a nuestra joven.

Los sacerdotes quedaron de pie frente al juez, y el escribano leyó en voz alta una querella por sacrilegio, formulada contra el señor Phileas Fogg y su criado, acusados de haber violado un lugar consagrado por la religión brahmánica.

Sacrilegio: Profanación de cosa, persona o lugar sagrados.

—¿Lo han entendido ustedes? —preguntó el juez.

—Sí, señor —respondió el señor Fogg, consultando su reloj—, y lo confesamos.

—¡Ah! ¿Confiesa usted...?

—Lo confieso, y espero que estos tres sacerdotes confiesen, por su parte, qué querían hacer en la pagoda de Pillaji.

Los sacerdotes se miraron. Parecía que no entendían las palabras del acusado.

—¡En efecto —exclamó, impetuoso, Passepartout—, en la pagoda de Pillaji! Frente a la que iban a incinerar a su víctima.

Nueva estupefacción de los sacerdotes, y profunda sorpresa del juez Obadiah.

—¿Qué víctima? —preguntó—. ¿Quemar, a quién? ¿En plena ciudad de Bombay?

—¿Bombay? —exclamó Passepartout.

—Sin duda alguna. No se trata de la pagoda de Pillaji, sino de la pagoda de Malebar Hill, de Bombay.

—Y como prueba, he aquí los zapatos del profanador —añadió el escribano, poniendo un par de zapatos sobre su mesa.

—¡Mis zapatos! —exclamó Passepartout, quien, sorprendido en extremo, no pudo contener aquella exclamación involuntaria.

Podrá adivinarse la confusión que embargaba el ánimo de amo y criado. Habían olvidado aquel incidente de la pagoda de Bombay, y aquello era lo que les llevaba ante el magistrado de Calcuta.

En efecto, el agente Fix comprendió inmediatamente el partido que podía sacarle a aquel desgraciado incidente. Retrasó su salida en doce horas y aconsejó a los sacerdotes de Malebar Hill; les prometió una considerable indemnización, teniendo en cuenta que el gobierno inglés se mostraba muy severo con aquel tipo de delitos; después, y en el siguiente tren, se lanzaron tras el rastro del sacrílego. Pero, a causa del tiempo empleado en la liberación de la joven viuda, Fix y los hindúes llegaron a Calcuta antes que Phileas Fogg y su criado, a los que los magistrados, advertidos por un despacho telegráfico, esperaban detener al apearse del tren. Podremos imaginarnos la inquietud de Fix cuando se enteró de que Phileas Fogg todavía no había llegado a la capital de la India[1]. Debió de pensar que su ladrón, deteniéndose en cualquiera de las estaciones del Peninsular railway, se había refugiado en las provincias septentrionales. Durante veinticuatro horas, en medio de mortales angustias, no dejó de vigilar la estación. Cuál no sería, pues, su alegría, cuando aquella misma mañana lo vio descender del vagón en compañía, es cierto, de una

[1] Calcuta fue la capital del imperio de las Indias hasta que Nueva Delhi asumió esa función en 1912.

joven cuya presencia no sabía cómo explicar. Inmediatamente, se abalanzó sobre un policía, y así fue como el señor Fogg, Passepartout y la viuda del rajá del Bundelkund fueron conducidos ante el juez Obadiah.

Y si Passepartout hubiese estado menos preocupado por su problema, habría visto, en un rincón de la sala de audiencias, al detective, quien seguía el debate con un interés fácilmente comprensible, puesto que en Calcuta, tal y como había ocurrido en Bombay, e incluso en Suez, seguía sin haber recibido la orden de arresto.

No obstante, el juez Obadiah había tomado buena nota de la confesión que se le había escapado involuntariamente a Passepartout, quien habría dado todo lo que poseía por no haber pronunciado jamás palabras tan imprudentes.

—¿Admiten los hechos? —preguntó el juez.

—Los admito —respondió fríamente el señor Fogg.

—Entendido —prosiguió el juez—. Teniendo en cuenta que la ley inglesa pretende proteger igual y rigurosamente todas las religiones de las poblaciones de la India, y habiendo sido confesado el delito por el señor Passepartout, convicto de haber violado con su pie sacrílego el suelo de la pagoda de Malebar-Hill, en Bombay, el día veinte de octubre, condeno al susodicho Passepartout a quince días de prisión y a una multa de trescientas libras (7.500 F).

Convicto: A quien legalmente se ha probado su delito.

—¿Trescientas libras? —exclamó Passepartout, únicamente sensible a la multa.

—¡Silencio! —exclamó el ujier con una voz chillona.

—Y —añadió el juez Obadiah—, teniendo en cuenta que no ha sido probado materialmente que no haya existido connivencia entre el criado y el amo, quien, en todo caso, debe ser tenido por responsable de los hechos y gestos de un servidor a sus expensas, se condena al susodicho Phileas Fogg a ocho días de prisión y ciento cincuenta libras de multa. ¡Escribano, pasemos a otra causa!

Connivencia: Acuerdo, confabulación.

Fix, en su rincón, experimentaba una satisfacción indecible. Con Phileas Fogg detenido ocho días en Calcuta tenía tiempo más que suficiente para que la orden de detención pudiese llegarle.

Anonadado: Abatido; desconcertado.

Papanatas: Hombre simple y crédulo.

Passepartout estaba anonadado. Aquella condena arruinaba a su amo. Una apuesta de veinte mil libras perdida, y todo porque él, auténtico papanatas, había entrado en aquella maldita pagoda.

Phileas Fogg, tan seguro de sí mismo como si aquella condena no le concerniese, ni siquiera frunció las cejas. Pero, en el momento en que el escribano convocaba otra causa, se levantó y dijo:

—Ofrezco fianza.

—Está en su derecho —respondió el juez.

Fix sintió cómo un escalofrío le recorría la espalda, pero recobró todo su aplomo cuando oyó al juez decir que, «teniendo en cuenta la calidad de extranjeros de Phileas Fogg y su criado», fijaba la fianza de cada uno de ellos en mil libras (25.000 F).

Dos mil libras le costaría al señor Fogg su condena si no la cumplía.

—La pago —dijo el caballero.

Y, de la bolsa que llevaba Passepartout, retiró un paquete de *banknotes*, que depositó sobre la mesa del escribano.

—Esta suma le será restituida a su salida de la prisión —dijo el juez—. Mientras tanto, están ustedes libres bajo fianza.

—Vámonos —dijo Phileas Fogg a su criado.

—Pero, al menos, ¡que me devuelvan mis zapatos! —exclamó Passepartout con gesto de rabia.

Se le devolvieron sus zapatos.

—¡Pues sí que han salido caros! —murmuró—. Más de mil libras cada uno. Si tenemos en cuenta que además me molestan...

Passepartout, en un estado lastimoso, siguió al señor Fogg, quien ofreció su brazo a la joven. Fix todavía tenía la esperanza de que su ladrón no se decidiera a abandonar aquella suma de dos mil libras, y que cumpliera sus ocho días de encierro. Se lanzó, pues, tras las huellas de Fogg.

El señor Fogg cogió un coche, en el que la señora Aouda, Passepartout y él montaron inmediatamente. Fix corrió tras el coche, que se paró muy pronto en uno de los muelles de la ciudad.

A media milla, en la rada, estaba fondeado el *Rangoon*, con el pabellón de salida en lo alto del mástil. Daban las once de la mañana. El señor Fogg llegaba con una hora de adelanto. Fix lo vio apearse del coche y embarcarse en una canoa con la señora Aouda y su criado. Fix pataleó de rabia sobre el suelo.

Pabellón: Bandera.

—¡El muy miserable! —exclamó—. ¡Se va! ¡Sacrifica dos mil libras! ¡Pródigo como un ladrón! ¡Ah!, ¡lo seguiré hasta el fin del mundo si es necesario! ¡Pero, al tren que lleva, ya habrá gastado todo su dinero!

Pródigo: Malgastador, derrochador, despilfarrador.

Tren: Modo de vivir con mayor o menor lujo.

El inspector de policía tenía razones más que suficientes para hacerse aquella reflexión. En efecto, desde su salida de Londres, tanto en gastos de viaje como en primas, en la compra del elefante como en fianzas y multas, Phileas Fogg había sembrado ya más de cinco mil libras (125.000 F) sobre su camino, y el porcentaje de la suma recuperada, atribuible a los detectives, disminuía constantemente.

CAPÍTULO XVI

Donde Fix no parece saber nada de lo que se le cuenta

El *Rangoon*, uno de los paquebotes que la Compañía peninsular y oriental dedica al servicio de los mares de la China y el Japón, era un *steamer* de hierro, propulsado a hélice, y con un desplazamiento de mil setecientas setenta toneladas, así como con una potencia nominal de cuatrocientos caballos. Igualaba al *Mongolia* en velocidad, pero no en confortabilidad. Así es que la señora Aouda no pudo estar tan bien instalada como habría deseado Phileas Fogg. Pero, después de todo, no se trataba más que de una travesía de tres mil quinientas millas, es decir, de unos once o doce días, y la joven Aouda no se mostró una pasajera demasiado exigente.

Durante los primeros días de aquella travesía, la señora Aouda pudo ir conociendo mejor a Phileas Fogg. En todo momento le testimonió su más vivo reconocimiento. El flemático caballero la escuchaba, al menos aparentemente, con la mayor de las frialdades, sin que una entonación o un gesto denunciaran en él la más ligera emoción. Se preocupaba de que nada faltase a la joven. A determinadas horas iba regularmente, si no a charlar, al menos a escucharla. Cumplía para con ella los deberes de la más estricta cortesía, pero con la gracia y la espontaneidad de un autómata cuyos movimientos hubiesen sido concebidos para tal uso. La señora Aouda no sabía qué pensar, pero Passepartout le explicó un poco la excéntrica personalidad de su amo. La puso al corriente de cuál era la apuesta que llevaba a aquel caballero alrededor del mundo. La señora Aouda se había sonreído; pero, a fin de cuentas, ella le debía la vida, y su salvador no tenía nada que perder porque ella solo lo mirara a través de su reconocimiento.

La señora Aouda confirmó el relato que el guía hindú les hizo de su conmovedora historia. Pertenecía, en efecto, a aquella raza que ocupaba el primer lugar en la escala social de los indígenas.Varios negociantes parsis hicieron grandes fortunas en la India, en el comercio del algodón. Uno de ellos, sir James Jejeebhoy, fue ennoblecido por el gobierno inglés, y la señora Aouda era, en efecto, pariente de aquel rico personaje que vivía en Bombay. Se trataba, precisamente, del honorable Jejeeh, un primo de sir Jejeebhoy, con quien esperaba reunirse en Hong Kong. ¿Encontraría junto a él el refugio y la ayuda que necesitaba? No podía asegurarlo. A lo que el señor Fogg respondió que no tenía por qué inquietarse, y que todo se arreglaría matemáticamente. Aquellas fueron, al menos, sus palabras.

¿Comprendió la joven el significado de aquel adverbio? No lo sabemos. No obstante, sus grandes ojos se posaron sobre los del señor Fogg, sus grandes ojos «límpidos como los lagos sagrados del Himalaya». Pero el intratable Fogg, más estirado que nunca, no pareció ser un hombre dispuesto a lanzarse a aquel lago.

Aquella primera parte de la travesía del *Rangoon* se efectuó en excelentes condiciones. El tiempo era apacible. Toda aquella inmensa porción de la gran bahía que los marinos llaman «los brazos del Bengala» se mostró favorable a la navegación. El *Rangoon* pronto avistó la Gran Andaman, la principal de las islas del archipiélago, que los navegantes avistan desde muy lejos gracias a los dos mil cuatrocientos pies de altura de su pintoresca montaña, la Saddle-Peak.

Antropófago: Que come carne humana.
Latania: Palmera con hojas en forma de abanico.
Areca: Palma cuyo fruto es una especie de nuez fibrosa.
Bambú: Planta originaria de la India, de caña leñosa y muy resistente que se emplea en la construcción de casas y en la fabricación de muebles y armas.
Mirística: Árbol de la India cuyo fruto es la nuez moscada.
Teca: Árbol cuyas hojas dan un colorante encarnado; su madera se usa en la construcción de naves.
Mimosa: Árbol, variedad de acacia, apreciado por la goma que se obtiene de su tronco.
Salangana: Ave propia del Extremo Oriente, insectívora, de 13 cm de longitud, y plumaje pardusco con reflejos metálicos, alas grandes y cola corta y rectangular.

La rodearon costeándola muy de cerca. Los salvajes papúes[1] de la isla ni siquiera se mostraron. Se trata de seres emplazados en el último peldaño de la escala humana, a los que se ha acusado falsamente de ser antropófagos.

La visión panorámica de aquellas islas era magnífica. En primer plano, el país estaba cubierto por inmensos bosques de latanias, arecas, bambúes, mirísticas, tecas, gigantescas mimosas y helechos arborescentes, y, más lejos, se perfilaba la elegante silueta de las montañas. Sobre la costa pululaban millares de preciosas salanganas, cuyos nidos comestibles[2] son uno de los manjares más apreciados del Celeste Imperio[3]. Pero todo aquel espectáculo variado, ofrecido a la mirada por el archipiélago de las Andaman, pasó muy pronto, y el *Rangoon* se dirigió rápidamente hacia el estrecho de Malaca, que debería darle acceso al mar de la China.

¿Qué hizo el inspector Fix, tan desgraciadamente arrastrado a un viaje de circunnavegación, durante aquella travesía? Cuando zarparon de Calcuta, tras haber dejado instrucciones para que la orden de detención, si por fin llegaba, le fuese remitida a Hong Kong, pudo embarcarse a bordo del *Rangoon* sin haber sido visto por Passepartout, y esperaba ocultarle su presencia hasta que el paquebote llegase a su punto de destino. En efecto, le habría resultado muy difícil explicarle el motivo de su presencia a bordo sin despertar las sospechas de Passepartout, que debería creerlo en Bombay. Pero se vio obligado a reanudar sus relaciones con el muchacho a causa de la misma lógica de las circunstancias. ¿Cómo ocurrió? Lo veremos.

[1] En realidad, este pueblo habita en Nueva Guinea, en Oceanía.
[2] Son los denominados nidos de golondrina, que los chinos saborean como manjar exquisito.
[3] Nombre que sus habitantes dan a China, probablemente porque sus emperadores, que ostentan el título de Hijos del Cielo, se consideran descendientes directos del Shang-ti, dios del cielo, de quien emana toda autoridad y poder.

Todas las esperanzas, todos los deseos del inspector de policía, se centraban en un solo punto del mundo, en Hong Kong, ya que el paquebote se detendría durante muy poco tiempo en su escala en Singapur para que él pudiera operar en aquella ciudad. Era, por tanto, en el puerto de Hong Kong donde la detención del ladrón debería realizarse, o el ladrón se escaparía, por así decirlo, irremisiblemente.

En efecto, Hong Kong era también territorio inglés, pero era el último del itinerario. Más allá, China, Japón y América ofrecían un refugio bastante seguro para el señor Fogg. Si, finalmente, encontraba en Hong Kong la orden de detención que, sin duda alguna, le seguía los pasos, Fix detendría a Fogg y lo pondría en manos de la policía local. Aquello no ofrecería dificultad alguna. Pero, más allá de Hong Kong, una simple orden de detención no le bastaría. Sería necesaria una orden de extradición. Con los retrasos, lentitudes y obstáculos de todo tipo, que el pillo aprovecharía para escapar definitivamente. Si la operación fallaba en Hong Kong, sería, si no imposible, al menos muy difícil intentarla de nuevo con algunas probabilidades de éxito.

Extradición: Acción de extradir, entregar al reo refugiado en un país a las autoridades de otro que lo reclama.

—Por tanto —se repetía Fix durante aquellas largas horas que pasó encerrado en su camarote—, o la orden me espera en Hong Kong y detengo a mi hombre, o no está allí esperándome, y entonces será necesario que logre retrasar su salida a cualquier precio. Fracasé en Bombay, he fracasado en Calcuta. Si vuelvo a fracasar en Hong Kong, perderé mi reputación. Tengo que lograrlo cueste lo que cueste. Pero ¿cómo haré para retrasar, si se hace necesario, a ese maldito Fogg?

En última instancia, estaba decidido a confesárselo todo a Passepartout, a hacerle ver quién era aquel señor al que servía y del que, con toda certeza, no era cómplice. Passepartout, al saber la verdad, y ante el temor de ser considerado cómplice, se pondría, sin duda alguna, de parte de Fix. Pero, en fin, aquel era un recurso arriesgado, al que no podría recurrirse más que en última instancia. Ya que bastaría con que Passepartout dijera una sola palabra a su amo para que el proyecto estuviese definitivamente arruinado.

El inspector de policía se encontraba, por tanto, sumido en la mayor de las confusiones, cuando la presencia de la señora Aouda a bordo del *Rangoon* en compañía de Phileas Fogg le abrió nuevas perspectivas.

Cúmulo: Montón, acumulación.

¿Quién era aquella mujer? ¿Qué cúmulo de circunstancias hizo de ella la compañera de Phileas Fogg? Evidentemente, el encuentro se produjo entre Bombay y Calcuta. Pero ¿en qué punto de la península? ¿Había sido el azar el que reunió a Phileas Fogg y a la joven viajera? Por el contrario, ¿no habría emprendido aquel *gentleman* el viaje a través de la India con el solo propósito de reunirse con aquella encantadora joven? Porque era realmente encantadora. Fix lo había comprobado perfectamente en la sala de audiencias del tribunal de Calcuta.

Se comprenderá hasta qué punto el agente estaba intrigado. Se preguntaba si no habría detrás de todo aquello tan solo un rapto criminal. ¡Sí! ¡Eso debería de ser! Aquella idea se incrustó en el cerebro de Fix, y comprendió todo el partido que podría sacar de aquella circunstancia. Que aquella joven estuviese casada o no, poco importaba; estaba el hecho de su secuestro, y en Hong Kong sería posible causarle tantos problemas al secuestrador, que en esta ocasión no podría librarse de ellos gracias al dinero.

Pero no debería esperar a que el *Rangoon* llegase a Hong Kong. Aquel Fogg poseía la detestable costumbre de saltar de un barco a otro, y antes de que el asunto fuese denunciado podría encontrarse ya muy lejos.

Lo importante era, por tanto, prevenir a las autoridades inglesas y advertir a la tripulación del *Rangoon* antes de que desembarcase.

Nada más fácil, puesto que el paquebote hacía escala en Singapur, y Singapur estaba unida a la costa china por un cable telegráfico.

No obstante, antes de actuar y a fin de hacerlo con mayor seguridad, Fix decidió interrogar a Passepartout. Sabía que no era nada difícil hacer hablar a aquel muchacho, y se decidió a romper el incógnito que había guardado hasta entonces. Además, no tenía tiempo que perder. Estaban a 30 de octubre, y al día siguiente el *Rangoon* debería hacer escala en Singapur.

Por tanto, aquel mismo día, Fix, saliendo de su camarote, subió al puente con la intención de abordar a Passepartout, pero teniendo mucho cuidado de ser el primero en mostrar la mayor de las sorpresas. Passepartout se paseaba por la proa cuando el inspector se precipitó hacia él, exclamando:

—¡Usted en el *Rangoon!*

—¡El señor Fix a bordo! —respondió Passepartout totalmente sorprendido, al reconocer a su compañero de travesía del *Mongolia*—. ¿Cómo es posible? ¡Lo dejé en Bombay y lo vuelvo a encontrar en ruta hacia Hong Kong! Pero ¿es que también usted está dando la vuelta al mundo?

—No, no—respondió Fix—. Espero detenerme en Hong Kong, al menos durante algunos días.

—¡Ah! —exclamó Passepartout, un poco asombrado todavía—. Pero ¿cómo es posible que no lo haya visto desde que salimos de Calcuta?

—Créame usted, pero no me encontraba nada bien... Algo de mareo... Me quedé acostado en mi camarote... El golfo de Bengala no me sienta tan bien como el océano Índico. ¿Y su amo, el señor Phileas Fogg?

—Perfectamente, y tan puntual como su itinerario. No lleva ni un solo día de retraso. ¡Ah!, señor Fix, usted no lo sabe, pero también viene con nosotros una dama.

—¿Una dama? —respondió el agente, simulando perfectamente no entender lo que su interlocutor quería decirle.

Passepartout lo puso en seguida al corriente de su historia. Relató el incidente de la pagoda de Bombay, la compra del elefante al precio de dos mil libras, el asunto del *sutty*, la liberación de Aouda, la sentencia del tribunal de Calcuta y su libertad bajo fianza.

Fix, que conocía la última parte de aquellos incidentes, pareció ignorarlos todos, y Passepartout se sintió complacido de poder narrar sus aventuras ante un oyente que le manifestaba tanto interés.

—Pero, a fin de cuentas —preguntó Fix—, ¿tiene su amo la intención de llevar a esa joven a Europa?

—En absoluto, señor Fix, en absoluto. Simplemente vamos a confiarla a uno de sus parientes, un rico comerciante de Hong Kong.

«No hay nada que hacer», se dijo el detective, disimulando su contrariedad.

—¿Quiere una copa de ginebra, señor Passepartout?

—Con mucho gusto, señor Fix. ¡Lo menos que podemos hacer es brindar por nuestro encuentro a bordo del *Rangoon!*

Capítulo XVII

Donde ocurren algunas cosas durante la travesía de Singapur a Hong Kong

Desde aquel día, Passepartout y el detective se vieron con cierta frecuencia, pero el agente se mantuvo en una reserva total y no trató, en absoluto, de hacerle hablar. Tan solo entrevió al señor Fogg —quien a menudo permanecía en el gran salón del *Rangoon*, ya fuese haciendo compañía a la señora Aouda, ya jugando al *whist*, según su invariable costumbre— una o dos veces.

En cuanto a Passepartout, se puso a meditar muy seriamente sobre aquel curioso azar que había puesto, una vez más, al señor Fix en el camino de su amo. Y, en efecto, resultaba realmente extraño. Aquel *gentleman* tan amable, tan complaciente que encontró primero en Suez, que se embarcó en el *Mongolia*, que desembarcó en Bombay —donde debería haberse quedado— y que volvió a encontrar a bordo del *Rangoon*, en ruta hacia Hong Kong, le daba realmente que pensar. Se trataba de una serie de coincidencias harto extrañas. ¿Qué sería aquel Fix? Passepartout estaba dispuesto a apostar sus babuchas —las había guardado como oro en paño— a que aquel Fix saldría de Hong Kong al mismo tiempo que ellos, y probablemente sobre el mismo paquebote.

Como oro en paño: Con gran celo, con delicadeza suma.

Aunque Passepartout le hubiese dado más y más vueltas al problema durante un siglo, nunca habría adivinado cuál era la misión que estaba cumpliendo el agente. Nunca habría imaginado que Phileas Fogg fuese «seguido», como un ladrón, alrededor del globo terrestre. Pero como la naturaleza humana nos lleva a tratar de encontrar soluciones a todas las cosas, he aquí cómo Passepartout, súbitamente inspirado, interpretó la presencia de Fix, y realmente su interpretación era más que plausible. En efecto, según él, Fix no era y no podía ser más que un agente lanzado tras las huellas del señor Fix por sus colegas del Reform Club, a fin de constatar que aquel viaje se realizaba regularmente alrededor del mundo y de acuerdo con el itinerario previsto.

Plausible: Digna de aplauso; laudable, meritoria.

«No me cabe duda alguna. No me cabe duda alguna —se repetía el buen muchacho, orgulloso de su perspicacia—. Es un espía que esos caballeros han puesto tras nuestras huellas. ¡Eso es indigno! El señor Fogg, ¡tan probo, tan honrado! Hacerlo espiar por un agente. ¡Ah!, señores del Reform Club, ¡a fe mía que esto va a salirles caro!».

Perspicacia: Penetración de ingenio o entendimiento; agudeza, sagacidad.

Probo: Íntegro, recto.

Passepartout, encantado de su descubrimiento, resolvió, no obstante, no decirle nada a su amo, temiéndose que aquel se sintiese ofendido ante la falta de confianza que le mostraban sus adversarios. Pero se prometió, en cambio, pitorrearse de Fix en la primera ocasión que se le presentara, por supuesto con alusiones y sin comprometerse.

El miércoles 30 de octubre, al mediodía, el *Rangoon* embocaba el estrecho de Malaca, que separa la casi isla de ese nombre de las tierras de Sumatra. Algunos islotes montañosos, escarpados y pintorescos, ocultaban a los pasajeros la vista de la gran isla.

Escarpado: Dícese de las alturas que no tienen subida ni bajada transitables o las tienen muy ásperas y peligrosas.

Pintoresco: Se aplica a todo cuanto puede presentar una imagen grata, peculiar y con cualidades pictóricas.

Al día siguiente, a las cuatro de la mañana, el *Rangoon*, después de haber ganado media jornada sobre su horario reglamentario, recalaba en Singapur, a fin de reabastecerse de carbón.

Recalar: Llegar un buque a la vista de un punto de la costa como fin de viaje o para continuar después su navegación.

Phileas Fogg inscribió aquel adelanto en la columna de ganancias, y, en aquella ocasión, decidió bajar a tierra para acompañar a la señora Aouda, quien manifestó el deseo de pasearse siquiera durante unas cuantas horas.

Fix, a quien cualquier acción de Fogg le parecía sospechosa, los seguía sin dejarse ver. En cuanto a Passepartout, que se reía *in petto* al ver las maniobras de Fix, fue a realizar sus compras habituales.

La isla de Singapur no es ni grande ni imponente. Le faltan las montañas, es decir, los perfiles. Sin embargo, es encantadora en su pequeñez. Es un parque cortado por bellas carreteras. Un bonito carricoche, enganchado a esos caballos elegantes que fueron importados de Nueva Holanda[1], llevó a la señora Aouda y a Phileas Fogg a través de los macizos de palmeras de desbordante follaje, de claveros cuyos clavos están formados por el mismo capullo de la flor entreabierta. Allí, los matorrales de pimenteros reemplazan a los setos espinosos de las campiñas europeas; los sagúes y los grandes helechos arborescentes, con sus soberbias ramas, cambian el aspecto de aquella región tropical; las mirísticas de hojas brillantes saturan el aire de un perfume penetrante. No faltaban en aquellos bosques los monos, en bandadas ágiles y gesticulantes, ni, tal vez, los tigres en las junglas. Al que se sorprendiera al saber que en aquella isla, relativamente tan pequeña, no hubiesen sido eliminados esos terribles carniceros hasta el último de su especie, debería respondérsele que llegaban de Malaca nadando a través del estrecho.

Después de haber recorrido la campiña durante dos horas, la señora Aouda y su acompañante —que miraba un poco sin ver— regresaron a la ciudad, vasta aglomeración de edificios pesados y aplastados rodeados de hermosos jardines, en los que crecen los mangostanes, las piñas y los mejores frutos del mundo.

A las diez regresaron al paquebote, después de haber sido seguidos, sin darse cuenta de ello, por el inspector, quien también se vio obligado a alquilar un carricoche.

Clavero: Árbol tropical, de flores blancas de cáliz encarnado, fruto en baya roja; los capullos de sus flores son los clavos de especia, usados en diferentes condimentos.

Pimentero: Arbusto tropical, de fruto en baya redonda, carnosa, rojiza, de unos 4 mm de diámetro, que cuando se seca toma un color negruzco y contiene una semilla esférica, blanca, aromática, ardiente, de sabor picante, muy usada como condimento.

Sagú: Planta tropical de la familia de las palmas cuya médula es abundante en fécula.

Mangostán: Arbusto de las Molucas de fruto carnoso, comestible y muy estimado.

[1] Antiguo nombre de Australia.

Passepartout los esperaba en el puente del *Rangoon*. El buen muchacho había comprado unas cuantas docenas de mangostanes, grandes como manzanas, de un marrón oscuro su piel, de un rojo resplandeciente su interior, y cuyo blanco fruto, al fundirse entre los labios, procura a los auténticos sibaritas[2] un placer inigualable. Passepartout se sentía feliz de poder ofrecérselos a la señora Aouda, quien se lo agradeció de forma encantadora.

Sibarita: Muy dado a regalos y placeres.

A las once, el *Rangoon*, habiendo llenado sus pañoles de carbón, largó amarras, y, unas cuantas horas más tarde, los pasajeros perdían de vista las altas montañas de Malaca, cuyos bosques sirven de morada a los más bellos tigres de la Tierra.

Largar: Aflojar poco a poco, soltar.

Amarra: Cabo para asegurar la embarcación en el puerto o en el lugar donde da fondo.

Unas mil trescientas millas separan Singapur de Hong Kong, pequeño territorio inglés de la costa china. Phileas Fogg estaba realmente interesado en que los recorrieran en un máximo de seis días, para así poder coger en Hong Kong el barco que zarparía el 6 de noviembre para Yokohama, uno de los principales puertos del Japón.

El *Rangoon* iba sobrecargado. Numerosos viajeros se habían embarcado en Singapur, entre indios, ceilandeses, chinos, malayos y portugueses, la mayor parte de los cuales ocupaban camarotes de segunda.

El tiempo, bastante bueno hasta entonces, cambió con el último cuarto de luna. Hubo mar gruesa. El viento sopló en ocasiones racheado, pero afortunadamente del Sudeste, por lo que favorecía la marcha del *steamer*. Cuando se hacía posible, el capitán ordenaba izar las velas. El *Rangoon*, aparejado como bricbarca, navegó a menudo con sus dos gavias y su mesana, aumentando así su velocidad gracias a la doble acción del viento y el vapor. Fue así como recorrieron,

Mar gruesa: La muy agitada por las olas, que llegan hasta la altura de seis metros.

Izar: Hacer subir alguna cosa tirando de la cuerda de que está colgada.

Aparejar: Preparar los palos, vergas, jarcias y velas de un buque

Bricbarca: Buque de tres o más palos sin vergas de cruz en la mesana.

Gavia: Vela que se coloca en el mastelero mayor de las naves, la cual da nombre a este, a su verga, etcétera.

Mesana: Vela que va en el mástil del mismo nombre, que es el que está más a popa en el buque de tres palos.

[2] Los sibaritas eran los habitantes de Sybaris, antigua ciudad griega de la Italia peninsular, en el golfo de Tarento. Gracias al comercio se enriqueció, y se convirtió en una de las más poderosas ciudades de la Magna Grecia. El exceso de riquezas llevó a sus habitantes a entregarse a los placeres o a los deleites sensuales.

con un oleaje corto y en ocasiones fatigante, las costas de Annam y de Cochinchina[3].

Pero la culpa la tenía más el propio *Rangoon* que el estado de la mar, y era al paquebote a quien los pasajeros, mareados en su mayor parte, deberían atribuir la responsabilidad de su fatiga.

En efecto, los navíos de la Compañía peninsular que prestan sus servicios en los mares de la China tienen un serio defecto de construcción. La relación entre su calado a plena carga y su puntal fue mal calculada, y por ello ofrecen una resistencia muy débil a la mar. Su volumen estanco, impenetrable al agua, es insuficiente. Por emplear una expresión marinera, diremos que se «ahogaba», y, por tanto, bastaba con que unas cuantas olas se introdujeran a bordo, para modificar su velocidad. Aquellos navíos eran, por tanto, muy inferiores —si no por el motor y el aparato evaporador, al menos por su construcción— a los de tipo mensajería franceses, como el *Impératrice* o el *Cambodge.* Mientras que, según los cálculos de los ingenieros, estos pueden embarcar un peso igual al suyo propio antes de hundirse, los barcos de la Compañía peninsular, como el *Golconda,* el *Corea,* y, en fin, el *Rangoon*, no podían cargar más que la sexta parte de su peso sin irse a pique.

Calado: Profundidad que alcanza en el agua la parte sumergida de un barco.

Puntal: Altura de la nave desde su parte inferior hasta la cubierta superior.

Estanco: Incomunicado, aislado. Dícese de los compartimientos de un recinto incomunicados entre sí.

Mensajería: Buques que navegaban periódicamente entre puertos determinados.

Irse a pique: Hundirse.

Por tanto, con el mal tiempo se hacía indispensable tomar muchas precauciones. En ocasiones era necesario ponerse a la capa y a baja presión. Era una pérdida de tiempo que no parecía influir, en absoluto, en Phileas Fogg, pero que irritaba profundamente a Passepartout. Acusaba entonces al capitán, al maquinista y a la compañía, y enviaba al diablo a todos los que se dedican al transporte de viajeros. Tal vez, también, el recuerdo de aquel farol de gas que seguía ardiendo a sus expensas en la casa de Saville row influyera mucho en su impaciencia.

Ponerse a la capa: Disponer las velas de modo que la embarcación ande poco.

[3] Regiones del actual Vietnam, en el sudeste de Asia.

—Pero ¿tanta prisa tiene usted en llegar a Hong Kong? —le preguntó un día el detective.

—Mucha —respondió Passepartout.

—¿Cree usted que el señor Fogg tiene prisa por coger el paquebote de Yokohama?

—Una prisa terrible.

—Entonces, ¿ya cree usted en ese singular viaje alrededor del mundo?

—Totalmente. ¿Y usted, señor Fix?

—¿Yo? No lo creo.

—¡Farsante! —respondió Passepartout guiñándole un ojo.

Farsante: Dícese de la persona que finge lo que no siente o pretende pasar por lo que no es.

Aquella palabra dejó al agente pensativo. El calificativo le inquietó sin saber muy bien por qué. ¿Había descubierto algo el francés? No sabía qué pensar. Pero su cualidad de detective, de la que tan solo él poseía el secreto, ¿cómo podría haberla adivinado? Sin embargo, al hablarle de aquella manera, Passepartout lo hizo, sin lugar a dudas, con una segunda intención.

Ocurrió, incluso, que en otra ocasión el muchacho fue mucho más lejos en sus afirmaciones; aquello era más fuerte que él, y no podía contener la lengua.

—Veamos, señor Fix —preguntó a su compañero con un tono malicioso—, ¿tendremos la desgracia de separarnos una vez llegados a Hong Kong?

—Pues —respondió Fix, desconcertado— no lo sé... Tal vez...

—¡Ah! —dijo Passepartout—, si nos acompañase usted, me sentiría realmente muy dichoso. Veamos. Un agente de la Compañía peninsular no debería pararse en el camino. No iba usted más que a Bombay, y helo aquí, muy pronto en China. América no está lejos, y de América a Europa no hay más que un paso.

Fix miraba a su interlocutor —quien le mostraba la cara más amable del mundo— con atención, y tomó la decisión de reírse con él. Pero este, que estaba lanzado, le preguntó si «aquel oficio le era rentable».

—Sí y no —respondió Fix sin pestañear—. Hay buenos y malos negocios. Pero, como usted comprenderá, yo no viajo a mis expensas.

—¡Ah! ¡De eso estoy seguro! —exclamó Passepartout, riendo a carcajadas.

Acabada la conversación, Fix regresó pensativo a su camarote. Resultaba evidente que estaba descubierto. De una forma u otra, el francés estaba enterado de su cualidad de detective. Pero ¿lo estaba su amo? ¿Qué papel jugaba el criado en todo aquello? ¿Era o no cómplice de su amo? ¿Estaba descubierto el asunto y, por tanto, fracasado? El agente pasó unas horas muy difíciles; tan pronto lo creía todo perdido, como esperaba que Fogg no estuviese al corriente de la situación; en fin, no sabía qué partido tomar.

Por fin se tranquilizó, y resolvió franquearse con Passepartout. Si no se encontraba con las condiciones indispensables para detener a Fogg en Hong Kong, y si Fogg se preparaba a abandonar, definitivamente esta vez, el territorio inglés, él, Fix, se lo diría todo a Passepartout. O el criado era cómplice de su amo —y este lo sabía todo, en cuyo caso el asunto estaba definitivamente comprometido—, o no tenía nada que ver en el asunto del robo, y entonces estaría interesado en abandonar al ladrón a su suerte.

Franquearse: Descubrir uno su interior a otro.

Tal era, por tanto, la situación respectiva de aquellos dos hombres, y, sobre ellos, Phileas Fogg planeaba con su majestuosa indiferencia. Describía racionalmente su órbita alrededor del mundo, sin preocuparse en absoluto de los asteroides que gravitaban a su alrededor.

Asteroide: Cada uno de los pequeños planetas cuya órbita se encuentra entre las de Marte y Júpiter.

Y, sin embargo, se encontraba en sus inmediaciones, tal y como dicen los astrónomos, un astro perturbador que podría producir ciertas turbaciones en el corazón de aquel caballero. Pero ¡no! El encanto de la señora Aouda no producía efecto alguno, lo que no dejaba de sorprender enormemente a Passepartout, y las perturbaciones, si existían, habrían sido más difíciles de detectar que aquellas de Urano que determinaron el descubrimiento de Neptuno[4].

¡Sí! Aquello constituía motivo de asombro cotidiano para Passepartout, quien leía en los ojos de la joven toda la inmensa gratitud que sentía hacia su amo. Decididamente, Phileas Fogg tenía corazón más que suficiente para conducirse heroicamente, pero no lo tenía para el amor. En cuanto a las preocupaciones que las incidencias de aquel viaje pudieran procurarle, no se notaba en él el menor indicio de su existencia. Pero, en cambio, Passepartout vivía de sobresalto en sobresalto. Así, un día, se encontraba apoyado en la batayola de la *engine room*[5], y veía cómo en ocasiones, después de que algún violento cabeceo hiciese que la hélice girase fuera del agua, parecía como si la potente máquina fuese a desbocarse. Lo cual hacía que el vapor brotase por las válvulas, provocando la indignación de Passepartout.

Batayola: Barandilla de madera que se colocaba sobre los bordes del buque para sostener los empalletados (defensa que se formaba en el costado del buque con la ropa de los marineros metida en unas redes).

—¡Esas válvulas no están lo suficientemente cargadas! —exclamó—. ¡Esto no funciona! ¡Ingleses tenían que ser! ¡Ah! ¡Si nos encontrásemos a bordo de un navío americano! ¡Tal vez saltaríamos por los aires, pero al menos iríamos deprisa.

[4] El estudio de perturbaciones inexplicables hasta ese momento en el movimiento de Urano permitió determinar la existencia de un nuevo planeta, Neptuno, hasta entonces desconocido. Su existencia fue confirmada el 23 de septiembre de 1846, en Berlín, por el astrónomo alemán Johann Gottfried Galle (1812-1910).

[5] «Sala de máquinas». (En inglés en el original).

Capítulo XVIII

En el que Phileas Fogg, Passepartout y Fix, cada cual por su lado, van a lo suyo

Durante los últimos días de la travesía, el tiempo fue bastante malo. El viento arreció. Soplaba del Noroeste, lo que dificultaba la marcha del paquebote. El *Rangoon*, demasiado inestable, se balanceaba considerablemente, y los pasajeros tuvieron motivos más que suficientes como para detestar aquellas grandes olas desabridas que el viento levantaba mar adentro.

Arreciar: Hacerse cada vez más recia o violenta una cosa.

Desabrida: Áspera, desapacible.

Durante las jornadas del 3 y el 4 de noviembre, aquello se convirtió en una especie de tormenta. La borrasca encrespaba las olas con vehemencia. El *Rangoon* tuvo que ponerse a la capa durante media jornada, manteniendo la hélice a tan solo diez revoluciones, a fin de poder tomar las olas al sesgo. Todo el velamen estaba arriado, e incluso sobraban todos aquellos aparejos, que silbaban al paso de las ráfagas de viento.

Encrespar: Agitar.

Vehemencia: Ímpetu, violencia.

Al sesgo: Oblicuamente, al través.

Arriar: Bajar una vela o bandera que estaba izada.

Aparejo: Conjunto de palos, vergas, jarcias y velas de un buque.

La velocidad del paquebote, como es de suponer, se vio notablemente reducida, y pudo estimarse que, si la tormenta no amainaba, llegarían a Hong Kong con veinticuatro horas de retraso sobre la hora reglamentaria, o incluso más todavía.

Amainar: Aflojar, perder su fuerza el viento.

Phileas Fogg asistía a aquel espectáculo de una mar embravecida, que parecía luchar directamente contra él, con su habitual impasibilidad. Su frente no se ensombreció ni un solo instante, y, sin embargo, un retraso de veinte horas podría comprometer su viaje al hacerle perder el paquebote de Yokohama. Pero aquel hombre sin nervios no sentía ni impaciencia ni disgusto. Parecía como si aquella tormenta entrase dentro de sus cálculos, como si estuviese prevista. La señora Aouda, que lo interrogó sobre aquel contratiempo, lo encontró tan tranquilo como de costumbre.

Fix, por el contrario, no veía las cosas de la misma manera. Aquella tormenta lo llenaba de satisfacción. Su gozo habría sido, incluso, desbordante, si el *Rangoon* se hubiese visto obligado a huir de la tormenta. Todos aquellos retrasos lo beneficiaban, ya que obligarían al señor Fogg a permanecer algunos días en Hong Kong. Por fin el cielo, con sus ráfagas y borrascas, se ponía de su parte. Cierto era que se encontraba algo mareado, pero ¡qué importaba! No tenía en cuenta sus náuseas, y cuando su cuerpo se retorcía de dolor a causa del mareo, su alma se reía de inmensa satisfacción.

En cuanto a Passepartout, podemos imaginarnos con qué mal disimulada cólera soportó aquella prueba. ¡Todo había ido tan bien hasta entonces! Tanto la tierra como el agua parecían encontrarse de la parte de su amo. *Steamers* y ferrocarriles le obedecían. El viento y el vapor se unían para favorecer su viaje. ¿Habría sonado, finalmente, la hora de las desdichas? Passepartout no podía más, como si las veinte mil libras de la apuesta tuviesen que salir de su propio bolsillo. Aquella tormenta lo exasperaba, aquellas ráfagas le hacían enfurecerse, y de buena gana habría azotado a aquella mar desobediente. ¡Pobre muchacho! Fix le ocultó, prudentemente, su satisfacción personal, e hizo bien, porque si Passepartout hubiese tan siquiera adivinado la secreta alegría de Fix, a buen seguro que este habría acabado por pasar un mal rato a manos del joven.

Passepartout permaneció en cubierta durante toda la borrasca. No habría podido quedarse abajo; trepaba a los mástiles; sorprendía a la tripulación ayudándolos a todos con su agilidad de mono. Interrogó una y cien veces al capitán, a los oficiales y a los marineros, quienes no podían dejar de reírse al verlo tan des-

quiciado. Passepartout quería saber cuánto tiempo duraría aún la tormenta. Se le remitía entonces, invariablemente al barómetro, que no se decidía a subir. Passepartout lo sacudía, pero ¡nada! Ni las sacudidas, ni las injurias con que colmaba al irresponsable instrumento, lo hacían variar.

Barómetro: Instrumento para determinar la presión atmosférica.

Por fin, la tormenta amainó. El estado de la mar se modificó en la jornada del 4 de noviembre. El viento cambió dos cuartos al Sur, y se hizo favorable a la navegación.

Passepartout se serenó con el buen tiempo. Se izaron las gavias y los foques, y el *Rangoon* prosiguió su marcha a una velocidad maravillosa.

Foque: Vela triangular que se orienta y sujeta sobre el bauprés.

Pero no se podía recuperar todo el tiempo perdido. Había que resignarse, y no avistaron tierra hasta el día 6, a las cinco de la mañana. El itinerario de Phileas Fogg indicaba la arribada del paquebote el día 5. Y no llegaban más que el 6. El retraso era, por tanto, de veinticuatro horas, y la salida para Yokohama se habría, necesariamente, frustrado.

Arribada: Llegada de la nave al puerto.

A las seis subió el práctico a bordo del *Rangoon* y se instaló en el puente de mando, a fin de gobernar el navío a través de los pasos hasta el puerto de Hong Kong.

Passepartout ardía en deseos de interrogar a aquel hombre, de preguntarle si el paquebote de Yokohama habría zarpado de Hong Kong. Pero no se atrevía, ya que pretendía conservar alguna esperanza hasta el último instante. Confió sus temores a Fix, y el muy zorro trataba de consolarlo diciéndole que el señor Fogg podría embarcarse en el próximo paquebote. Pero aquella respuesta exasperó todavía más a Passepartout.

Zorro: Taimado, astuto, ladino.

Pero si Passepartout no se atrevió a consultar al práctico, el señor Fogg, después de haber consultado su *Bradshaw*[1], le preguntó con toda tranquilidad si sa-

[1] Véase la nota 2 del capítulo IV.

bía cuándo zarparía algún barco de Hong Kong para Yokohama.

—Mañana, con la marea de la mañana —respondió el práctico.

—¡Ah! —respondió el señor Fogg, sin manifestar sorpresa.

Passepartout, que se encontraba presente, a punto estuvo de abrazar al práctico, mientras que Fix hubiese deseado poder retorcerle el pescuezo.

—¿Cómo se llama ese *steamer?* —preguntó el señor Fogg.

—El *Carnatic* —respondió el práctico.

—Pero ¿no era ayer cuando debería haber zarpado?

—Sí, señor. Pero se vio obligado a reparar una de las calderas, y su salida se retrasó hasta mañana.

—Muchas gracias —respondió el señor Fogg, al tiempo que regresaba al gran salón del *Rangoon* con su paso de autómata.

En cuanto a Passepartout, cogió la mano del práctico y se la estrechó vigorosamente, diciéndole:

—¡Es usted formidable!

El práctico no supo nunca, sin duda alguna, por qué sus respuestas le valieron aquella amistosa expresión. Regresó al puente de mando y gobernó al paquebote por entre aquella flotilla de juncos, de *tankas*, de barcos de pesca y de navíos de todas clases que atestaban los pasos de Hong Kong.

Junco: Embarcación pequeña usada en las Indias Orientales.

Atestar: Llenar, atiborrar.

A la una, el *Rangoon* se encontraba atracado al muelle, y los pasajeros desembarcaron.

Hay que reconocer que en aquella ocasión el azar se mostró singularmente favorable a Phileas Fogg. Si no hubiese necesitado reparar sus calderas, el *Carnatic* habría zarpado el 5 de noviembre, y los viajeros con destino a Japón se habrían visto obligados a esperar durante ocho días la salida del siguiente paquebote. El señor Fogg, bien cierto es, llevaba un retraso de veinticuatro horas, pero aquel retraso no podría tener consecuencias funestas para el resto del viaje.

En efecto, el *steamer* que realizaba la travesía del Pacífico desde Yokohama hasta San Francisco, estaba en correspondencia directa con el paquebote de Hong Kong, y no podría zarpar antes de que este arribase. Evidentemente, zarparía de Yokohama con veinticuatro horas de retraso, pero durante los veintidós días que duraba la travesía del Pacífico sería fácil recuperarlos. Phileas Fogg se encontraba, pues, treinta y cinco días después de su salida de Londres, con tan solo una diferencia de veinticuatro horas sobre las condiciones de su programa.

Puesto que el *Carnatic* no debería zarpar hasta el día siguiente a las cinco de la mañana, el señor Fogg contaba, por tanto, con dieciséis horas para ocuparse de sus asuntos, es decir, de los que concernían a la señora Aouda. Al desembarcar del navío ofreció su brazo a la joven y la condujo hacia un palanquín. Pidió a los porteadores que le indicaran un hotel, y estos le nombraron el Hotel du Club. El palanquín se puso en camino, seguido por Passepartout, y veinte minutos después llegaron a su destino.

Porteador: Que conduce o lleva de una parte a otra por el porte o precio convenido o señalado.

Reservaron un aposento para la joven, y Phileas Fogg se preocupó de que no le faltase nada. Después dijo a la señora Aouda que iba a ponerse inmediatamente a la búsqueda de aquel pariente a cuya tutela debería dejarla en Hong Kong. Al mismo tiempo, dio a Passepartout la orden de no salir del hotel hasta su regreso, para que la joven no se quedara sola.

El caballero se hizo conducir a la Bolsa. Allí, sin duda alguna, conocerían a un personaje como el honorable Jejeeh, que se contaba entre los más ricos comerciantes de la ciudad.

Bolsa: Institución oficial de carácter económico donde se opera con los valores públicos y privados.

El corredor de bolsa al que se dirigió el señor Fogg conocía, en efecto, al negociante parsi. Pero, hacía dos años que este ya no vivía en China. Habiendo hecho una fortuna, se estableció en Europa, en Holanda, se-

Corredor de bolsa: Intermediario en la compraventa de valores bursátiles.

gún pensaba, lo que se explicaba a causa de las numerosas relaciones comerciales que mantuvo con aquel país todo a lo largo de sus actividades comerciales.

Phileas Fogg regresó al Hotel du Club. Inmediatamente solicitó ser recibido por la señora Aouda, y, sin más preámbulos, le anunció que el honorable Jejeeh ya no residía en Hong Kong, y que, probablemente, vivía en Holanda.

En un principio, la señora Aouda no respondió nada. Se pasó la mano por la frente y reflexionó unos instantes. Después, dijo dulcemente:

—¿Qué debo hacer, señor Fogg?

—Es muy sencillo —respondió el *gentleman*. Venirse a Europa.

—Pero yo no puedo abusar...

—Usted no abusa, y su presencia no distorsiona en absoluto mi programa... ¡Passepartout!

—¿Señor? —respondió Passepartout.

—Vaya al *Carnatic* y reserve tres camarotes.

Passepartout, encantado de poder proseguir el viaje en compañía de la joven, que tan agradable le parecía, salió inmediatamente del Hotel du Club.

CAPÍTULO XIX

Donde Passepartout se interesa vivamente por su amo, y lo que se sigue

Hong Kong no es más que un islote al que el tratado de Nankín[1], después de la guerra de 1842, aseguró como posesión inglesa. En aquellos años, el genio colonizador de Gran Bretaña fundó una ciudad importante y creó un puerto, el puerto Victoria. Aquella isla está situada en la desembocadura del río Cantón, y tan solo la separan sesenta millas de la ciudad portuguesa de Macao, edificada sobre la otra ribera del río. Necesariamente, Hong Kong debería vencer a Macao en la lucha por el control del comercio, y, en la actualidad, la mayor parte del tránsito chino se lleva a cabo a través de la ciudad inglesa. Los muelles, los hospitales, los embarcaderos, los depósitos, la catedral gótica, la government house[2], las calles asfaltadas, todo aquello haría pensar que se trata de una de esas ciudades comerciales de los condados ingleses de Kent o de Surrey que, después de atravesar la esfera terrestre, habría acabado por resurgir en aquel punto de la China, a poca distancia de sus antípodas.

Passepartout se dirigió, por tanto, hacia el puerto Victoria, con las manos en los bolsillos, mirando los palanquines, las carretillas a vela —todavía en uso en

Antípoda: Punto de la Tierra situado en posición diametralmente opuesto a la de otro y con relación a este otro. Habitante de la tierra con respecto a otro que habite en lugar diametralmente opuesto.

[1] Antigua capital china, en la que se firmó el tratado que puso fin a la llamada guerra del opio (1840-1842) entre China y Gran Bretaña, mediante el cual, entre otras concesiones, China cedió a Gran Bretaña la colonia de Hong Kong —constituida por la isla homónima y la pequeña península de Kowloon, en el continente—, cuya capital es Victoria.

[2] «Casa del gobernador». (En inglés en el original).

el Celeste Imperio—, y toda aquella muchedumbre de chinos, japoneses y europeos que se apretujaban por las calles. Era, poco más o menos, lo mismo que en Bombay, Calcuta o Singapur lo que el muchacho se iba encontrando durante su recorrido. Hay, por así decirlo, como un reguero de ciudades inglesas por todo alrededor del mundo.

Sampán: Embarcación pequeña propia de las costas de China, provista de una vela y un toldo, propulsada a remo y empleada para pesca, navegación fluvial y, a veces, como habitación flotante.

Fígaro: Barbero de oficio.

Passepartout llegó al puerto Victoria. Aquello, la desembocadura del río Cantón, era un hormiguero de navíos de todas las nacionalidades, ingleses, franceses, americanos, holandeses, barcos de guerra y cargueros, embarcaciones japonesas o chinas, juncos, sampanes, *tankas*, e incluso barcos de flores, que formaban otros tantos jardines flotantes sobre las aguas. Mientras paseaba, Passepartout vio un cierto número de indígenas vestidos de amarillo, todos ellos de avanzada edad. Habiendo entrado en una barbería china para hacerse afeitar «a la china», se enteró por el fígaro[3] del lugar, que hablaba un inglés bastante bueno, que todos aquellos ancianos tenían al menos ochenta años, y que a esa edad tenían el privilegio de poder llevar el color amarillo, que era el color imperial. Sin saber demasiado por qué, Passepartout encontró aquello muy divertido.

Una vez afeitado, se dirigió al muelle de embarque del *Carnatic*, y allí se encontró con Fix, que se paseaba de un lado para otro, lo que no le sorprendió demasiado. Pero el inspector de policía mostraba en su rostro signos evidentes de una viva contrariedad.

«¡Bueno! —se dijo Passepartout—. ¡Las cosas no deben de ir demasiado bien para los caballeros del Reform Club!».

[3] Nombre que se da a los barberos por analogía con el que tiene el barbero, personaje central, de la trilogía *El barbero de Sevilla* (1775), *Las bodas de Fígaro* (1784) y *La madre culpable* (1792) del escritor francés Pierreu-Augustin Caron de Beaumarchais (1732-1799). Paisiello, Mozart y Rossini, entre otros músicos, compusieron óperas basadas en este personaje.

Y abordó a Fix con una alegre sonrisa, pretendiendo no darse cuenta del aire de contrariedad de su compañero.

El agente tenía muy buenas razones para echar pestes contra la suerte infernal que lo perseguía. La orden de detención no había llegado. Resultaba evidente que la orden le iba a la zaga, y tan solo podría darle alcance si se quedaba durante unos cuantos días en aquella ciudad. Y, por ser Hong Kong el último reducto inglés del recorrido, no le cabía duda alguna de que el señor Fogg iba a escapársele definitivamente si no lograba retenerlo allí.

Pestes: Palabras de enojo o amenaza y execración.

A la zaga: Atrás o detrás.

—Buenos días, señor Fix, ¿se ha decidido ya a venirse con nosotros a América? —preguntó Passepartout.

—Sí —respondió Fix entre dientes.

—¡Vamos! —exclamó Passepartout dejando oír una sonora carcajada—. Ya sabía yo que no podría usted abandonarnos. ¡Venga a reservar su plaza, venga!

Y ambos entraron en la oficina de transportes marítimos y reservaron camarotes para cuatro personas. Pero el empleado les hizo ver que, habiéndose acabado ya de reparar el *Carnatic,* el paquebote zarparía aquella misma noche a las ocho, y no al día siguiente de madrugada, como había sido anunciado.

—¡Excelente! —respondió Passepartout—. Eso le encantará al señor Fogg. Voy a avisarlo.

En aquel instante, Fix se decidió a emplear su último recurso. Se lo diría todo a Passepartout. Tal vez fuese aquel el único medio de poder retener a Phileas Fogg durante algunos días en Hong Kong.

Al salir de la oficina, Fix ofreció a su compañero tomar un refresco en una taberna. Passepartout tenía tiempo más que suficiente. Aceptó la invitación de Fix.

Había una taberna en el mismo muelle. Tenía un aspecto acogedor. Ambos entraron. Se trataba de un amplio salón, bien decorado, que tenía al fondo un ca-

Camastro: Lecho pobre y sin aliño.

Junco: Planta juncácea de tallos largos, lisos y cilíndricos, que se cría en parajes húmedos.

Pinta: Antigua medida de capacidad, variable según los países, que en Gran Bretaña equivalía a 0,568 litros.

Atiborrada: Llena.

Mercantil: Que tiene afán de lucro.

Paliar: Mitigar, suavizar, atenuar.

Estrago: Daño, ruina, asolamiento.

Inhalación: Aspiración.

mastro de campaña adornado con cojines. Sobre el camastro yacían, alineados, varios durmientes.

Una treintena de consumidores ocupaban las mesitas de junco trenzado de la gran sala. Algunos vaciaban unas pintas de cerveza inglesa, *ale* o *porter*[4]; otros, jarros de licores alcohólicos, ginebra o coñac. Además, la mayor parte de ellos fumaba en largas pipas de arcilla, atiborradas de bolitas de opio mezclado con esencia de rosas. Y, de cuando en cuando, algún fumador, abatido, se deslizaba bajo su mesa, y los camareros del establecimiento, cogiéndolo por los pies y la cabeza, lo llevaban al camastro de campaña junto a uno de sus colegas. Una veintena de aquellos borrachos estaba así alineados el uno junto al otro, sumidos en el último grado del embrutecimiento humano.

Fix y Passepartout comprendieron que habían entrado en un fumadero frecuentado por aquel tipo de miserables, embrutecidos, enflaquecidos e idiotas, a los que la mercantil Inglaterra vende anualmente un total de doscientos sesenta millones de francos de aquella droga funesta que se llama opio. Tristes millones aquellos, conseguidos gracias a uno de los vicios más funestos de la naturaleza humana.

El gobierno chino ha intentado oponerse a tales abusos por medio de leyes muy severas, pero ha sido en vano. Desde la clase más poderosa, a la que inicialmente estaba formalmente reservado el uso del opio, aquella costumbre descendió hasta las clases inferiores, y ya no hubo forma de paliar sus estragos. En el imperio Medio se ha fumado y se sigue fumando siempre, por todas partes. Hombres y mujeres se abandonan a esta pasión deplorable, y cuando están acostumbrados a su inhalación, ya no pueden pres-

[4] *Ale* es es un tipo de cerveza inglesa fabricada con malta poco tostada y flor de lúpulo. *Porter* es una cerveza negra realizada total o parcialmente con malta deshidratada a una temperatura elevadísima.

cindir del opio so pena de sufrir horribles contracciones del estómago. Un gran fumador puede llegar a fumarse hasta ocho pipas diarias, pero morirá al cabo de cinco años.

So: Bajo.

Era en uno de los numerosos fumaderos de ese tipo, que tanto pululan, incluso en Hong Kong, donde Fix y Passepartout entraron con ánimo de refrescarse. Passepartout no llevaba dinero, pero aceptó gustoso la «delicadeza» de su compañero, esperando devolvérsela en otra ocasión.

Pidieron dos botellas de oporto, a las que el francés hizo los debidos honores, mientras que Fix, más reservado, observaba a su compañero con extremada atención. Charlaron de diversos asuntos, y, sobre todo, de la excelente idea que había tenido Fix de tomar pasaje a bordo del *Carnatic*. Y a propósito de aquel *steamer*, cuya salida se había adelantado en unas cuantas horas, Passepartout, viendo las botellas vacías, se levantó a fin de ir a prevenir a su amo.

Oporto: Vino de color oscuro y sabor ligeramente dulce, fabricado principalmente en Oporto, ciudad de Portugal.

Fix lo retuvo.

—Un instante —dijo.

—¿Qué quiere, señor Fix?

—Tengo que hablarle a usted de cosas muy serias.

—¡De cosas serias! —exclamó Passepartout al tiempo que vaciaba algunas gotas de vino que habían quedado en el fondo de su vaso—. Bueno. Pues hablaremos mañana. Hoy no tengo tiempo.

—Quédese —respondió Fix—. Se trata de su amo.

Al escuchar aquellas palabras, Passepartout miró atentamente a su interlocutor.

La expresión del rostro de Fix le pareció bastante curiosa. Se sentó.

—¿Qué tiene usted que decirme...? —preguntó.

Fix apoyó su mano sobre el brazo de su compañero y bajó el tono de su voz.

—¿Ha adivinado usted quién soy? —le preguntó.

—¡Pardiez! —dijo Passepartout, sonriendo.

—Entonces, voy a contarle a usted todo.

—¿Ahora que ya lo sé todo, compadre? ¡Ah!, un poco tarde. Pero, en fin, adelante. Mientras tanto, déjeme decirle a mí que esos caballeros están tirando su dinero bastante inútilmente.

—¡Inútilmente! —exclamó Fix—. Se expresa usted con demasiada ligereza. Se ve que no conoce usted la importancia de la suma.

—Pues sí, la conozco —respondió Passepartout—. Veinte mil libras.

—Cincuenta y cinco mil —prosiguió Fix, al tiempo que apretaba la mano del francés.

—¿Cómo? —exclamó Passepartout—. ¿El señor Fogg ha osado...? ¡Cincuenta y cinco mil libras...! Pues bien, razón de más para no perder ni un instante —añadió, levantándose nuevamente.

—¡Cincuenta y cinco mil libras! —repitió Fix, quien forzó a Passepartout a sentarse de nuevo, después de haberse hecho servir una frasca de coñac—. Y si tengo éxito, ganaré una prima de dos mil libras. ¿Quiere usted quinientas libras (12.500 F), a condición de ayudarme?

Frasca: Frasco de vidrio, con base cuadrangular y cuello bajo.

—¿Ayudarlo? —exclamó Passepartout, cuyos ojos estaban desmesuradamente abiertos.

—Sí, ayudarme a retener al señor Fogg durante unos cuantos días en Hong Kong.

—¿Cómo? —exclamó Passepartout—. ¿Qué dice usted? ¿Cómo? ¿Así es que esos caballeros, no satisfechos con hacer seguir a mi amo, con sospechar de su lealtad, quieren ahora ponerle obstáculos en el camino? Me avergüenzan.

—¿Qué quiere usted decir? —preguntó Fix.

—Quiero decir que se trata de la más pura y simple falta de dignidad. ¡Más les valdría despojar al señor Fogg y quitarle el dinero del bolsillo!

—Pues bien, eso es lo que esperamos conseguir.

—Pero ¿qué trampa es esta? —exclamó Passepartout, que se iba acalorando a causa del coñac que Fix le servía sin parar, y que él bebía sin darse cuenta—.

¡Una auténtica trampa! ¡Hacer eso unos caballeros! ¡Unos colegas!

Fix comenzaba a no entender nada de nada.

—¡Unos colegas! —exclamó Passepartout—. ¡Unos miembros del Reform Club! Sepa usted, señor Fix, que mi amo es un hombre honrado, y que, cuando ha hecho una apuesta, pretende ganarla legalmente.

—Pero ¿quién se cree usted, entonces, que soy yo? —preguntó Fix, mientras miraba fijamente a Passepartout.

—¡Pardiez! —respondió Passepartout— Un agente de los miembros del Reform Club, que tiene como misión controlar el itinerario de mi amo, lo cual es especialmente humillante. Y tanto más en cuanto que ya hace algún tiempo que me apercibí de ello, y que me he librado mucho de prevenir al señor Fogg.

¡Pardiez!: ¡Por Dios!

—¿Él no sabe nada? —preguntó Fix, ávidamente.

—Nada —respondió Passepartout, al tiempo que vaciaba, una vez mas, su vaso.

El inspector de policía se pasó la mano por la frente. Dudó unos instantes antes de volver a hablar. ¿Qué debía hacer? La confusión de Passepartout parecía ser real, pero hacía su proyecto más difícil todavía.

Resultaba evidente que aquel muchacho hablaba con absoluta buena fe, y que no era, por tanto, cómplice de su amo, cosa que Fix habría podido temerse.

«Y bien —se dijo—, puesto que no es su cómplice, me ayudará». El detective tomó por segunda vez una decisión extrema. Por otra parte, no tenía tiempo que perder. Era necesario retener a Fogg en Hong Kong al precio que fuese.

—Escuche —le dijo Fix imperiosamente—, ¡escúcheme bien! Yo no soy lo que usted piensa, es decir, un agente de los miembros del Reform Club.

Imperiosamente: De forma imperativa y autoritaria.

—¡Bah! —le respondió Passepartout, mirándolo con aire burlón.

—Soy un inspector de policía encargado de una misión por la administración metropolitana.

—¿Usted... inspector de policía?

—Sí, y se lo voy a probar —prosiguió Fix—. He aquí mis credenciales...

Y el agente sacó un papel de su cartera, y mostró a su compañero un documento firmado por el director de la policía central. Passepartout, atónito, miraba a Fix sin poder articular ni una sola palabra.

—La apuesta del señor Fogg —continuó Fix— no es más que un engaño, en el que han caído tanto usted como sus colegas del Reform Club, ya que él tenía la necesidad de asegurarse su complicidad inconsciente.

—Pero ¿por qué...? —exclamó Passepartout.

—Escuche. El 28 de septiembre[5] pasado fue cometido un robo de cincuenta y cinco mil libras en el Banco de Inglaterra, por un individuo cuya descripción coincide, rasgo por rasgo, con la del señor Fogg.

—¡Vamos, hombre! —exclamó Passepartout, golpeando la mesa con su puño—. ¡Mi amo es el hombre más honrado del mundo!

—¿Qué sabrá usted? —respondió Fix—. ¡Si ni siquiera lo conocía! Usted entró a su servicio el mismo día de su partida, y se fue, precipitadamente, con un pretexto insensato, sin equipaje, y llevándose una fuerte suma de *banknotes*. ¿Y usted se atreve a sostener que es un hombre honrado?

—¡Sí! ¡Sí! —repetía mecánicamente el muchacho.

—¿Quiere usted ser detenido, entonces, por cómplice suyo?

Passepartout se cogió la cabeza entre ambas manos. No se atrevía a mirar al inspector de policía. ¡Phileas Fogg un ladrón! ¡Él! ¡El salvador de Aouda, el hombre generoso y temerario! ¡Y, sin embargo, cuántas pruebas lo acusaban! Passepartout trataba de rechazar las dudas que se introducían en su ánimo. No quería creer en la culpabilidad de su amo.

[5] Lapsus del autor, ya que en el capítulo II da la fecha del 29 de septiembre.

—En fin, ¿qué quiere usted de mí? —preguntó al agente de policía, conteniéndose gracias a un supremo esfuerzo de voluntad.

—Veamos —respondió Fix—. He seguido al señor Fogg hasta aquí, pero todavía no he recibido la orden de detención que he pedido a Londres. Necesito, por tanto, que me ayude a detenerlo en Hong Kong...

—¡Yo! ¿Que yo...?

—¡Y yo repartiré con usted la prima de dos mil libras ofrecida por el Banco de Inglaterra!

—¡Nunca! —respondió Passepartout, que quiso levantarse y cayó de nuevo en su silla, sintiendo cómo su razón y sus fuerzas le fallaban al mismo tiempo.

—Señor Fix —añadió balbuciendo—, aunque todo lo que usted me ha dicho fuese cierto... incluso si mi amo es el ladrón que usted busca..., lo que yo niego..., he estado..., estoy a su servicio..., lo he visto bueno y generoso... Traicionarlo.... no.... nunca, ni por todo el oro del mundo... ¡En mi pueblo no se come esa clase de pan!

—¿Se niega usted?

—Me niego.

—Bien. Admitamos entonces que no he dicho nada —respondió Fix— y bebamos.

—Sí. Bebamos.

Passepartout se sentía cada vez más embriagado. Fix, comprendiendo que era necesario separarlo de su amo a cualquier precio, quiso rematarlo. Sobre la mesa se encontraban unas cuantas pipas cargadas de opio. Fix puso una en la mano de Passepartout, que la cogió y se la llevó a la boca; la encendió, aspiró unas cuantas bocanadas, y cayó, con la cabeza aturdida por el narcótico.

Narcótico: Estupefaciente, soporífero.

«En fin —se dijo Fix al ver a Passepartout aniquilado—, el señor Fogg no será prevenido con tiempo suficiente de la salida del *Carnatic*, y, si se va, al menos lo hará sin este maldito francés».

Después salió, tras haber pagado lo consumido.

CAPÍTULO XX

En el que Fix entra directamente en contacto con Phileas Fogg

Durante el transcurso de aquella escena, que iba probablemente a comprometer tan gravemente su futuro, el señor Fogg, acompañado de la señora Aouda, se paseaba por las calles de la ciudad inglesa. Después de que la señora Aouda hubiese aceptado su oferta de llevarla hasta Europa, había pensado en todos los detalles que implica un viaje tan largo. Que un inglés, como él, realizase aquel recorrido con tan solo una bolsa de viaje, podía pasar; pero una mujer no podía acometer tal travesía en las mismas condiciones. De ahí la necesidad de adquirir los vestidos y objetos necesarios para el viaje. El señor Fogg se dedicó a dicha tarea con la calma que lo caracterizaba, y a todas las excusas y objeciones de la joven viuda, le respondió invariablemente:

—Lo hago en interés de mi propio viaje. Está incluido en mi programa.

Una vez realizadas las compras, el señor Fogg y la joven regresaron al hotel, donde les sirvieron una espléndida cena. Después la señora Aouda, algo cansada, subió a sus aposentos, tras haber estrechado, «a la inglesa», la mano de su imperturbable salvador.

Por su parte, el honorable caballero se absorbió durante toda la tarde en la lectura del *Times* y del *Illustrated London News.*

Si fuese un hombre capaz de sorprenderse por cualquier causa, le habría sorprendido sobremanera no ver aparecer a su criado a la hora de acostarse.

Pero sabiendo que el paquebote de Yokohama no debería zarpar de Hong Kong hasta el día siguiente por la mañana, no se preocupó en absoluto. Pero, a la mañana siguiente, Passepartout no se presentó a la llamada del señor Fogg.

Lo que pensó el señor Fogg al enterarse de que su criado no regresó al hotel en toda la noche, nadie podría decirlo. El señor Fogg se contentó con coger su bolsa de viaje, avisar a la señora Aouda y enviar a buscar un palanquín.

Pleamar: Fin de la marea creciente del mar.

Eran las ocho, y la pleamar, de la que el *Carnatic* debería aprovecharse para salir a mar abierto, estaba señalada para las nueve y media de la mañana.

Cuando el palanquín llegó a la puerta del hotel, el señor Fogg y la señora Aouda montaron en aquel confortable vehículo, mientras que los equipajes los seguían detrás sobre una carretilla.

Media hora más tarde los viajeros se apearon sobre el muelle de embarque, y allí el señor Fogg se enteró de que el *Carnatic* había zarpado la víspera.

El señor Fogg, que esperaba encontrarse a su criado en el paquebote, se veía obligado a prescindir tanto del uno como del otro. Pero ninguna señal de contrariedad apareció en su rostro, y puesto que la señora Aouda lo mirase con inquietud, se contentó con decir:

—Solo es un incidente, señora, nada más.

En aquel momento, un personaje que lo observaba con toda atención se le acercó. Se trataba del inspector Fix, quien los saludó y, después, dijo:

—¿No es usted, como yo mismo, señor, uno de los pasajeros del *Rangoon*, llegado ayer?

—Sí, señor —respondió fríamente el señor Fogg—. Pero no tengo el honor...

—Perdóneme, pero esperaba encontrar aquí a su criado.

—¿Sabe usted dónde está, señor? —preguntó la joven, con ansiedad.

—¿Cómo? —respondió Fix, simulando estar sorprendido. ¿No se encuentra con ustedes?

—No —respondió la señora Aouda—. Desde ayer no lo hemos visto. ¿Por casualidad no se habrá embarcado sin nosotros a bordo del *Carnatic?*

—¿Sin ustedes, señora...? —respondió el agente—. Pero, excúsenme mi pregunta, ¿pensaban ustedes partir en ese paquebote?

—Sí, señor.

—Yo también, señora, y heme aquí muy contrariado. El *Carnatic,* una vez finalizadas las reparaciones, zarpó de Hong Kong doce horas antes de lo previsto sin haber avisado a nadie, y ahora será preciso esperar ocho días hasta la próxima salida.

Al pronunciar aquellas palabras, «ocho días», Fix sintió cómo su corazón saltaba de alegría. ¡Ocho días! ¡Fogg retenido ocho días en Hong Kong! Tendría tiempo más que suficiente para recibir la orden de detención. La suerte se ponía, por fin, de parte del representante de la ley.

Considérese, pues, el mazazo que recibió, cuando oyó decir al señor Fogg, con voz tranquila:

—Pero me parece a mí que, en el puerto de Hong Kong, hay más navíos aparte del *Carnatic.*

Y el señor Fogg, después de ofrecer su brazo a la señora Aouda, se dirigió hacia los muelles a la búsqueda de un navío que estuviese preparado para zarpar.

Fix, asombrado, los seguía. Se hubiese dicho que un hilo invisible lo ataba a aquel hombre.

Sin embargo, pareció realmente que la suerte abandonaba a aquel a quien tan bien había tratado hasta entonces. Phileas Fogg recorrió el puerto en todas las direcciones durante tres horas, decidido, si era necesario, a fletar un barco que los llevara a Yokohama; pero no vio más que navíos cargando o descargando, y que, por tanto, no podían aparejar con la necesaria rapidez. Fix recobró las esperanzas.

Fletar: Alquilar una nave o un vehículo terrestre o aéreo para el transporte de mercancías o personas.

No obstante, el señor Fogg no desistió en su empeño, y se disponía a proseguir la búsqueda, aunque para ello debiera desplazarse hasta Macao, cuando fue abordado por un marino en el antepuerto.

Antepuerto: Parte resguardada artificialmente, en aguas navegables, dispuestas para la carga y descarga, anterior al puerto.

—¿Su señoría busca un barco? —le preguntó el marino, descubriéndose.

—¿Tiene usted un barco listo para zarpar?

—Sí, señoría, un barco de práctico, el número cuarenta y tres, el mejor de la flotilla.

—¿Navega bien?

—Entre ocho y nueve millas, poco más o menos. ¿Desea verlo?

—Sí.

—Su señoría quedará satisfecho. ¿Se trata de un paseo de recreo?

—No. De un viaje.

—¿De un viaje?

—¿Aceptaría usted llevarme a Yokohama?

El marino, al oír aquellas palabras, movió los brazos y abrió desmesuradamente los ojos.

—¿Su señoría está bromeando? —dijo.

—No. Perdí el *Carnatic,* y es necesario que esté, lo más tarde, el día catorce en Yokohama, para embarcarme en el paquebote de San Francisco.

—Lo siento —dijo el piloto—, pero es imposible.

—Le ofrezco cien libras (2.500 F) diarias, y una prima de doscientas libras si llegamos a tiempo.

—¿Habla usted en serio? —preguntó el piloto.

—Totalmente —respondió el señor Fogg.

El piloto se apartó y estuvo mirando a la mar durante unos instantes, librando, evidentemente, una batalla entre el deseo de ganar una suma enorme y el temor de aventurarse tan lejos. Fix estaba angustiado.

Mientras tanto, el señor Fogg se volvió hacia la señora Aouda.

—¿No tendrá usted miedo, señora? —le preguntó.

—Junto a usted, no, señor Fogg —respondió la joven.

El piloto se acercó nuevamente al caballero, mientras daba vueltas a la gorra entre sus manos.

—¿Y bien, piloto?

—Mire, señoría —respondió el piloto, no puedo poner en peligro ni a mis hombres, ni a mí, ni a usted mismo, en una travesía tan larga con un barco de veinte toneladas, y en esta época del año. Además, no llegaríamos a tiempo, puesto que hay mil seiscientas cincuenta millas de Hong Kong a Yokohama.

—Tan solo mil seiscientas —dijo el señor Fogg.

—Es lo mismo.

Fix dio un suspiro de alivio.

—Pero —añadió el piloto— tal vez exista un medio para resolverlo de otra manera.

Fix se quedó sin aire.

—¿Cuál? —preguntó Phileas Fogg.

—Yendo a Nagasaki, en el extremo sur del Japón, a tan solo mil cien millas de aquí, o incluso únicamente a Shanghai, a ochocientas millas de Hong Kong. De esta manera, no nos alejaríamos demasiado de la costa china, lo que supondría una gran ventaja, tanto más si tenemos en cuenta que las corrientes se dirigen hacia el Norte.

—Piloto —respondió Phileas Fogg—, es en Yokohama donde debo embarcarme en el correo, y no en Shanghai o Nagasaki.

—Pero ¿por qué no? —respondió el piloto—. El paquebote de San Francisco no parte de Yokohama. Hace escala en Yokohama y Nagasaki, pero su puerto de partida es Shanghai.

—¿Está seguro de lo que dice?

—Totalmente.

—¿Y cuándo zarpa el paquebote de Shanghai?

—El día once a las siete de la tarde. Tenemos, por tanto, cuatro días por delante. Cuatro días son noventa y seis horas, y con una media de ocho millas por hora, un poco de suerte, y si el viento sopla del Sudeste y la mar está en calma, nos bastarán para recorrer las ochocientas millas que nos separan de Shanghai.

—¿Cuándo podría usted zarpar?

—Dentro de una hora. El tiempo necesario para hacer provisión de víveres y aparejar.

Patrón: El que manda y dirige un pequeño buque.

—Cerrado el trato... ¿Es usted el patrón del barco?

—Sí. John Bunsby, patrón de la *Tankadère.*

—¿Desea usted una cantidad a cuenta?

—Si no molesta a su señoría...

—Tenga doscientas libras a cuenta... Señor —añadió Phileas Fogg volviéndose hacia Fix—, si desea aprovechar la ocasión...

—Señor —respondió Fix, resueltamente—, iba a pedirle ese favor.

—Bien. Dentro de media hora nos encontraremos a bordo.

—Pero ese pobre muchacho... dijo la señora Aouda, a quien la desaparición de Passepartout inquietaba vivamente.

—Voy a hacer por él todo lo que esté en mis manos —respondió Phileas Fogg.

Y mientras que Fix, nervioso, febril e indignado, se dirigía al barco de práctico, ambos fueron hasta las oficinas de la policía de Hong Kong. Allí, Phileas Fogg dio la descripción de Passepartout y dejó una suma de dinero suficiente como para poder repatriarlo. Realizaron la misma formalidad en las oficinas del agente consular francés, y el palanquín, después de haber pasado por el hotel, donde recogieron su equipaje, llevó a los viajeros al antepuerto.

Goleta: Velero de dos o tres palos, ligero y de bordas poco elevadas.

Gálibo: Plantilla que da la forma de una chapa o de una pieza del casco de una embarcación.

Galvanizar: Recubrir un metal con una ligera capa de otro, ya por medio de la corriente eléctrica, ya por otro método; especialmente, recubrir el hierro con cinc.

Daban las tres de la tarde. El barco de práctico número 43, con la tripulación a bordo y los víveres embarcados, estaba dispuesto a aparejar.

La *Tankadère* era una encantadora goleta de veinte toneladas de desplazamiento, de afinada proa, despejada en sus gálibos, alargada de líneas. Se hubiera dicho un yate de regatas. Sus cobres brillantes, sus hierros galvanizados y su puente blanco como el mar-

fil indicaban que el patrón, John Bunsby, se cuidaba de mantenerla en buen estado. Sus dos mástiles se inclinaban un poco hacia popa. Se aparejaba de una cangreja, mesana, trinquete, foques, espigas, y podía, incluso, enjarciar una vela de fortuna con viento en popa. Estaba proyectada para navegar maravillosamente, y, de hecho, ya había ganado varios premios en *matches*[1] de barcos de prácticos.

La tripulación de la *Tankadère* estaba compuesta por el patrón, John Bunsby, y cuatro hombres más. Se trataba de esa clase de marinos intrépidos que, conociendo admirablemente aquellos mares, se aventuraban al encuentro de los navíos fuese cual fuere el estado de la mar. John Bunsby era un hombre de unos cuarenta y cinco años, vigoroso, bronceado, de mirada viva, rostro enérgico, muy seguro de sí mismo, que habría inspirado confianza a la persona más temerosa.

Cangreja: Vela de cuchillo de forma trapezoidal.

Mesana: Vela atravesada que se coloca en el mástil que está más a popa en el buque de tres palos.

Trinquete: Vela que se coloca en el palo más inmediato a la proa.

Espiga: Cabeza de los palos y masteleros.

Enjarciar: Aparejar.

Phileas Fogg y la señora Aouda subieron a bordo. Fix ya se encontraba allí. Por la escotilla de popa de la goleta se descendía a una cabina cuadrada, en cuyas paredes, por encima de un diván circular, se abrían huecos en forma de coyes de bastidor. En el centro había una mesa iluminada por una lámpara a prueba de vaivenes. Era pequeña, pero limpia.

—Siento no poder ofrecerle nada mejor —dijo el señor Fogg a Fix—, quien se inclinó, sin responderle.

De hecho, el inspector de policía sentía una especie de humillación al beneficiarse, de aquella manera, de la generosidad del señor Fogg.

Escotilla: Abertura que hay en las diferentes cubiertas para el servicio del buque.

Diván: Especie de sofá sin respaldo y con almohadones sueltos.

Coy: Trozo de lona que, colgado de sus cuatro puntas, sirve de cama a bordo.

«Estoy seguro —pensaba— de que es un pillo; muy educado, pero un pillo».

A las tres y diez se izaron las velas. El pabellón inglés flotaba al viento en el asta de la goleta. Los pasajeros se encontraban sentados en el puente. El señor Fogg y la señora Aouda echaron una última mirada

[1] «Regatas». (En inglés en el original).

al muelle, con la esperanza de ver aparecer a Passepartout.

Fix se sentía inquieto, temeroso de que el azar pudiera llevar allí al pobre muchacho, al que había tratado tan indignamente, lo que habría provocado una discusión, en la que el detective, sin duda alguna, habría llevado todas las de perder. Pero el francés no apareció, y no le cabía duda de que estaría aún bajo la influencia del embrutecedor narcótico.

Por fin, el patrón, John Bunsby, salió mar adentro, y la *Tankadère,* recogiendo el viento en su cangreja, su mesana y sus foques, avanzó cabeceando sobre las olas.

Capítulo XXI

Donde el patrón de la Tankadère *estuvo a punto de perder una prima de doscientas libras*

Aquella singladura de ochocientas millas, en una embarcación de veinte toneladas, y sobre todo en aquella época del año, era, sin duda alguna, una empresa arriesgada. Los mares de la China son generalmente peligrosos, y están expuestos a terribles vendavales, especialmente durante los equinoccios, y aún se encontraban en los primeros días de noviembre.

Singladura: Navegación.

Equinoccio: Momento del año en que el Sol, en su movimiento aparente, pasa por el ecuador y en que el día es igual a la noche en toda la Tierra: equinoccio de primavera, del 20 al 21 de marzo; equinoccio de otoño, del 22 al 23 de septiembre.

Evidentemente, el piloto habría salido más beneficiado si hubiese aceptado conducir a sus pasajeros a Yokohama, puesto que le pagaban un tanto por día de navegación. Pero habría sido demasiado imprudente intentar tal travesía en aquellas condiciones, y ya resultaba de una audacia rayana en la temeridad el atreverse a subir hasta Shanghai. Pero John Bunsby tenía plena confianza en la *Tankadère,* que se elevaba sobre las olas como una pluma, y, probablemente, no se equivocaba.

Rayana: Próxima, cercana.

Durante las últimas horas de aquella jornada, la *Tankadère* navegó a través de los caprichosos pasos de Hong Kong, y en todas las maniobras, ceñida al viento de popa, se portaba admirablemente.

Ceñir: Navegar de modo que la dirección de la quilla forme con la del viento el ángulo menor posible.

—Piloto —dijo Phileas Fogg en el momento en que la goleta se adentraba en mar abierta—, no creo necesario recomendarle toda la diligencia posible.

—Confíe en mí su señoría —respondió John Bunsby—. En cuanto a velamen, desplegamos todo lo que el viento permite desplegar. Las espigas no nos ayudarían en absoluto, y no servirían más que para estorbar, perjudicando la marcha de la embarcación.

—Es su oficio, no el mío, piloto, y me pongo en sus manos.

Phileas Fogg, el cuerpo erguido, las piernas separadas, seguro como un marino, miraba sin vacilar la mar encrespada. La joven, sentada a popa, se sentía conmovida viendo aquel océano, ensombrecido ya por el crepúsculo, que ella desafiaba sobre una débil embarcación. Sobre su cabeza se desplegaban las blancas velas, que la arrastraban por el espacio como si de grandes alas se tratara. La goleta, impelida por el viento, parecía volar por el aire.

Impelida: Empujada, impulsada.

Cayó la noche. La luna entró en su primer cuarto, y su luz, insuficiente, se apagó pronto tras las brumas del horizonte. Algunas nubes, procedentes de levante, invadían ya una buena parte del cielo.

El piloto había dispuesto sus luces de situación, precaución indispensable en aquellos mares tan frecuentados en las proximidades de la costa. Los abordajes con otros navíos eran bastante frecuentes, y, a la velocidad que llevaba, la goleta se habría destrozado al menor tropiezo.

Abordaje: Choque.

Fix soñaba a proa de la embarcación. Se mantenía aparte, sabiendo que Fogg era un hombre poco hablador. Además, le repugnaba dirigirse a aquel hombre, cuyos servicios aceptaba. Pensaba también en el futuro. No le cabía duda alguna de que el señor Fogg no se quedaría en Yokohama, sino que se embarcaría inmediatamente en el paquebote de San Francisco para alcanzar América, cuya vasta extensión le garantizaría la impunidad y la seguridad. El plan de Phileas Fogg le parecía de lo más sencillo.

Impunidad: Falta de castigo.

En lugar de embarcarse en Inglaterra para los Estados Unidos, como un pillo vulgar y corriente, aquel Fogg había dado una gran vuelta y atravesado las tres cuartas partes del globo, a fin de alcanzar con seguridad el continente americano, en el que disfrutaría a sus anchas del dinero del Banco después de haber despistado a la policía. Pero, una vez en la Unión, ¿qué haría Fix? ¿Abandonaría a aquel hombre? ¡No y cien veces no! Y hasta que hubiese conseguido la orden de extradición no lo perdería de vista. Era su deber, y lo cumpliría hasta el final. En todo caso, se había producido una circunstancia feliz: Passepartout ya no estaba junto a su amo, y, sobre todo después de las confidencias que Fix le había hecho, era muy importante que amo y criado no volvieran a encontrarse nunca.

Por su parte, Phileas Fogg no dejaba de pensar en su criado, tan extrañamente desaparecido. Después de haber reflexionado sobre el asunto no le pareció imposible que el muchacho, a consecuencia de un malentendido, se hubiese embarcado en el *Carnatic* en el último momento. Esa era también la opinión de la señora Aouda, que echaba mucho de menos a aquel honrado servidor, al que tanto debía. Podría, por tanto, suceder que volviesen a encontrarlo en Yokohama, y, si el *Carnatic* lo había transportado hasta allí, no resultaría difícil averiguarlo.

Hacia las diez refrescó la brisa. Tal vez habría sido prudente tomar rizos, pero el piloto, después de haber observado cuidadosamente el cielo, dejó el velamen tal y como estaba. Por otra parte, la *Tankadère*, con su gran calado, aguantaba admirablemente el trapo, y todo estaba listo para arriar las velas rápidamente en caso de vendaval.

A media noche, Phileas Fogg y la señora Aouda descendieron al camarote. Fix les había precedido y estaba echado sobre uno de los coyes. En cuanto al piloto y su tripulación, permanecieron toda la noche en cubierta.

Al día siguiente, el 8 de noviembre, al amanecer, la goleta había recorrido unas cien millas. La corredera, lanzada con frecuencia al agua, les indicaba que la velocidad media estaba entre las ocho y nueve mi-

Rizo: Pedazo de cabo que pasa por los ollaos de las velas para acortarlas.

Trapo: Velamen, conjunto de velas de una embarcación.

Corredera: Aparato para medir la velocidad de una nave, y especialmente el formado por un cordel arrollado por uno de sus extremos a un carretel y atado por el otro a la barquilla.

llas. La *Tankadère* aprovechaba al máximo su velamen y obtenía, así, con aquella maniobra, el máximo de velocidad. Si el viento se mantenía en las mismas condiciones, la suerte estaba de su lado.

Durante toda aquella jornada la *Tankadère* no se alejó sensiblemente de la costa, ya que sus corrientes le eran favorables. La dejaba a unas cinco millas, como mucho, por la aleta de babor, y sus irregulares perfiles aparecían de cuando en cuando a través de algunos claros. Como el viento soplaba de tierra adentro, la mar era menos fuerte; circunstancia feliz para la goleta, ya que las embarcaciones de poco tonelaje sufren, sobre todo, con los oleajes que rompen su velocidad, que «las matan», por emplear términos marineros.

Aleta: Parte del costado de un buque, comprendida entre la popa y el punto que corresponde a la primera parte de la batería.

Babor: Lado izquierdo de la embarcación, mirando de popa a proa.

Hacia el mediodía, la brisa amainó un poco y sopló del sudeste. El piloto mandó izar las espigas; pero al cabo de dos horas fue necesario arriarlas, ya que el viento arreciaba de nuevo.

El señor Fogg y la joven, felizmente poco propensos al mareo, comieron con apetito las conservas y los bizcochos de a bordo. Fix fue invitado a compartir su comida y debió aceptar, pues sabía perfectamente que es tan necesario lastrar el estómago como los navíos, pero aquello era algo que le hería profundamente. Viajar a expensas de aquel hombre y alimentarse con sus propios víveres le parecía poco leal. No obstante, comió, aunque es bien cierto que lo hizo de pie y de prisa; pero comió.

Lastrar: Poner peso en la embarcación para que esta se sumerja hasta donde convenga.

Sin embargo, una vez acabada aquella comida, se creyó obligado a llevar al señor Fogg aparte, y decirle:

—Señor...

Aquel «señor» le desollaba los labios, y se retenía para no echarle las manos al cuello a aquel «señor».

—Señor, ha sido usted demasiado amable al ofrecerme una plaza a bordo. Pero, aunque mis medios económicos no me permiten actuar con tanta es-

plendidez como usted, creo que debo abonarle mi parte...

—No hablemos de eso, señor —le respondió el señor Fogg.

—Pero yo quiero...

—No, señor —repitió Fogg en un tono que no admitía réplica—. Esto está incluido en los gastos generales.

Fix se inclinó; estaba que reventaba, y, yendo a tumbarse a proa de la goleta, no volvió a decir ni una palabra más en toda la jornada.

Mientras tanto, avanzaban con rapidez. John Bunsby estaba esperanzado. En varias ocasiones dijo al señor Fogg que llegarían con tiempo suficiente a Shanghai. El señor Fogg le respondió, simplemente, que contaba con ello.

Además, toda la tripulación de la goleta se mostraba extremadamente activa. La prima engolosinaba a aquellas buenas gentes. Así, no se veía ni una sola escota que no estuviese concienzudamente tensada. Ni una sola vela que no fuese vigorosamente izada. Ni un solo bandazo que pudiera reprochársele al timonel. Ni siquiera se habría podido maniobrar con tanta precisión en una regata del Royal Yacht Club.

Escota: Cabo que sirve para tensar las velas.

Bandazo: Inclinación violenta de la nave sobre una banda.

Aquella noche, el piloto marcó en la corredera un trayecto de doscientas veinte millas recorridas desde que zarparon de Hong Kong, y Phileas Fogg podría esperar, por tanto, que al llegar a Yokohama no habría ningún retraso que registrar en su programa. Así es que el primer contratiempo de cierta gravedad acaecido desde su partida de Londres no le causaría, probablemente, ningún perjuicio.

Durante la noche, hacia las primeras horas de la madrugada, la *Tankadère* se adentró en el estrecho de Fo Kien, que separa la isla de Formosa de la costa china, y atravesó el trópico de Cáncer. La mar era muy gruesa en aquel lugar, que estaba lleno de remolinos formados por las contracorrientes. Las olas cortas rompían su marcha. Se hizo muy difícil mantenerse en pie sobre el puente.

Antes del amanecer el viento volvió a arreciar. El cielo anunciaba tormenta. Por otra parte, el barómetro indicaba un próximo cambio atmosférico; su marcha diurna era irregular, y el mercurio oscilaba caprichosamente. Se veía, también, cómo la mar se elevaba en grandes olas que hacían «oler la tempestad». La víspera, el sol se había puesto entre una bruma roja, en medio de centelleantes transparencias del océano.

El piloto examinó largo tiempo el mal aspecto del cielo, y murmuró entre dientes cosas prácticamente ininteligibles. En un momento dado, encontrándose cerca de su pasajero, le dijo en voz baja:

—¿Puedo hablarle con claridad a su señoría?

—Totalmente —respondió Phileas Fogg.

—Pues bien. Vamos a tener una buena tormenta.

—¿Vendrá del Norte o del Sur? —preguntó, simplemente, el señor Fogg.

Tifón: Huracán en el mar de la China.

—Del Sur. Véalo usted mismo. ¡Es un tifón lo que se prepara!

—Bienvenido sea ese tifón del Sur, puesto que nos empujará en la buena dirección —respondió el señor Fogg.

—Si usted lo toma así —respondió el piloto—, no hay nada más que hablar.

Los presentimientos de John Bunsby no le engañaron. En una época menos avanzada del año, el tifón, según la expresión de un célebre meteorólogo, se habría desvanecido como una cascada luminosa de llamas eléctricas, pero, en equinoccio de invierno, era de esperar que se desencadenaría con gran violencia.

Botalón: Palo largo que sale fuera de la embarcación para varios usos.

Cuartel: Armazón de tablas con que se cierran las bocas de las escotillas, escotillones, etcétera.

El piloto tomó sus precauciones de antemano. Hizo cargar las velas de la goleta y amainar las vergas sobre el puente. Se quitaron las espigas. Se guardaron los botalones. Los cuarteles de las escotillas fueron cuidadosamente cerrados. Ni una sola gota de agua podría, desde ese momento, entrar en el casco

de la embarcación. Se izó, a modo de trinquete, y de tal forma que siguiera manteniendo a la goleta con el viento a popa, una sola vela triangular, un pequeño foque de lona. Ya solo les quedó esperar.

John Bunsby pidió a sus pasajeros que bajasen al camarote; pero encerrarse en aquel reducido espacio, prácticamente sin aireación, y agitado por las sacudidas del oleaje, no resultaba nada agradable.

Así es que ni el señor Fogg, ni la señora Aouda, ni el mismo Fix, consintieron en abandonar el puente.

Hacia las ocho, la borrasca de lluvia y viento azotó la embarcación. Aparejado tan solo con su foque, la *Tankadère* pareció volar como una pluma impelida por aquel viento de cuya fuerza no es fácil hacerse una idea exacta. Comparar su velocidad al cuádruple de la de una locomotora lanzada a todo vapor, sería quedarse muy por debajo de la realidad.

Durante toda la jornada la goleta corrió, así, hacia el Norte, transportada por olas monstruosas y conservando, felizmente, una velocidad pareja a la suya. Veinte veces estuvo a punto de ser sepultada por una de aquellas montañas de agua que se erguían a popa; pero un hábil golpe de timón, dado por el piloto, evitaba la catástrofe. Los pasajeros se encontraban en ocasiones totalmente cubiertos por las salpicaduras de las olas, que recibían filosóficamente. Fix echaba pestes, sin duda alguna, pero la intrépida Aouda, con la mirada fija en su compañero, cuya sangre fría admiraba, se mostraba digna de él y desafiaba a la tempestad permaneciendo a su lado. En cuanto a Phileas Fogg, realmente parecería como si aquel tifón hubiese sido programado.

Hasta entonces la *Tankadère* se mantuvo rumbo al Norte; pero al atardecer, como cabía temer, el viento dio un giro de tres cuartos y empezó a soplar del Noroeste. La goleta, embestida de costado por las olas, fue terriblemente sacudida. La mar la golpeaba con una violencia que habría infundido el mayor de los temores a quien ignorase con cuánta solidez están unidas entre sí las diferentes partes de una embarcación.

Con la llegada de la noche la tormenta siguió arreciando. Viendo cómo se cernía la oscuridad, y que con ella aumentaba la violencia de la tormenta, John Bunsby sintió una viva inquietud. Se preguntó si no habría llegado el momento de abandonar la empresa, y lo consultó con su tripulación.

Consultada la tripulación, John Bunsby se acercó al señor Fogg, y le dijo:

—Creo, señoría, que lo mejor que podríamos hacer es ganar uno de los puertos de la costa.

Ganar: Alcanzar.

—Yo también lo creo —respondió Phileas Fogg.

—¡Ah! —dijo el piloto—. Pero ¿cuál?

—No conozco más que uno —respondió tranquilamente el señor Fogg.

—¿Cuál?

—Shanghai.

Durante unos instantes pareció como si el piloto no comprendiese el significado de aquella respuesta, lo que encerraba de obstinación y tenacidad. Después exclamó:

—¡Pues bien, sí! ¡Su señoría tiene razón! ¡A Shanghai!

Y el rumbo de la *Tankadère* fue invariablemente mantenido hacia el Norte.

La noche fue realmente terrible. Fue un auténtico milagro que la goleta no naufragara. Dos veces estuvo a punto de volcar, y todo habría sido arrasado a bordo si las trapas hubiesen fallado. La señora Aouda estaba rota, pero no dejó escapar una sola queja. Más de una vez el señor Fogg debió precipitarse hacia ella para protegerla de la violencia de las olas.

Trapa: Cabo para recoger una vela.

Se hizo de día. La tormenta se mantenía todavía con gran potencia. Sin embargo, el viento volvió a soplar del Sudeste. Era una modificación favorable, y la *Tankadère* prosiguió su rumbo sobre aquella mar embravecida, cuyas olas se estrellaban contra las que provocaban la nueva dirección del viento. Los choques de olas y contraolas que se produjeron habrían destrozado cualquier embarcación construida con menos solidez.

De cuando en cuando se avistaba la costa a través de las brumas desgarradas, pero no se veía ni un solo navío. La *Tankadère* era el único que se enfrentaba a la mar.

Al mediodía hubo algunos síntomas de calma, que, con el ocaso, se hicieron más claros.

La corta duración de la tormenta se debió a su misma violencia. Los pasajeros, totalmente destrozados, pudieron comer algo y reposar un poco. La noche fue relativamente apacible. El piloto ordenó izar las velas en rizos bajos. La velocidad de la embarcación era considerable. Al día siguiente, el 11, al amanecer, John Bunsby, tras reconocer la costa, pudo afirmar que estaban a menos de cien millas de Shanghai.

Cien millas, ¡y no les quedaba más que esa jornada para recorrerlas! El señor Fogg tenía que llegar aquella misma tarde a Shanghai si no quería perder el paquebote de Yokohama. Sin aquella tormenta, durante la que perdieron varias horas, no estarían en aquellos momentos más que a unas treinta millas del puerto.

La brisa amainaba sensiblemente, pero, afortunadamente, la mar se calmaba con ella. La goleta se cubrió de trapo. Espigas, foque y contrafoques, todo al viento, y la mar espumeante bajo la quilla.

Quilla: Pieza de madera o hierro, que va de popa a proa por la parte inferior del barco y en que se asienta toda su armazón.

Al mediodía, la *Tankadère* tan solo se encontraba a cuarenta y cinco millas de Shanghai. Todavía le quedaban seis horas para arribar al puerto antes de la salida del paquebote de Yokohama.

A bordo reinaba la mayor inquietud. Querían llegar a cualquier precio. Todos —exceptuando a Phileas Fogg, sin duda alguna— sentían que su corazón latía de impaciencia. Necesitaban que la goleta se mantuviese con una media de nueve millas, ¡y el viento seguía amainando! Se trataba de una brisa irregular, con ráfagas caprichosas que venían de la costa. Una vez que habían pasado, la mar se desrizaba inmediatamente.

Ventolina: Viento leve y variable.

Sin embargo, la embarcación era tan ligera, y sus altas velas recogían tan bien las ventolinas, que, con la ayuda de la corriente, a las seis de la tarde John Bunsby no contó más que diez millas hasta el río de Shanghai, puesto que la ciudad misma está situada a una distancia de, al menos, doce millas de la desembocadura[1].

Juramento: Palabrota, blasfemia.

A las siete todavía se encontraban a tres millas de Shanghai. El piloto dejó escapar un juramento... Era evidente que perdería la prima de doscientas libras. Miró al señor Fogg. El señor Fogg estaba impasible, y, sin embargo, era toda su fortuna lo que estaba en juego en aquellos instantes.

Entonces vieron aparecer, sobre las aguas, un largo huso negro, coronado por un penacho de humo. Era el paquebote americano, que zarpaba a la hora reglamentaria.

—¡Maldición! —exclamó John Bunsby, rechazando el timón con un gesto de desesperación.

—¡Las señales! —dijo tan solo Phileas Fogg.

La *Tankadère* tenía a proa un pequeño cañón de bronce. Servía para hacer señales en medio de las grandes nieblas.

Ascua: Pedazo de cualquier materia que está ardiendo sin dar llama.

Cargaron el cañón hasta su boca, pero, en el momento en que el piloto iba a aplicarle un ascua de carbón a la mecha, el señor Fogg dijo:

A media asta: Dicho de banderas, a medio izar, en señal de luto.

—El pabellón a media asta.

Se arrió el pabellón a media asta. Se trataba de una señal de socorro, y cabía esperar que, al verla, el

[1] Shanghai está situada a 19 Km tierra adentro de la desembocadura del río Huangpu, en la orilla sur del estuario del Yangt Tse-kiang, o río Azul, el más largo de Asia, con 5.500 km de recorrido desde el Tíbet.

paquebote americano modificaría su rumbo por unos instantes y se aproximaría a la embarcación.

—¡Fuego! —dijo el señor Fogg.

Y la detonación del pequeño cañón restalló en el aire.

Capítulo XXII

Donde Passepartout comprueba que, incluso con los antípodas, es prudente llevar algún dinero en el bolsillo

El *Carnatic*, después de zarpar de Hong Kong, el 7 de noviembre, se dirigía a todo vapor hacia las tierras de Japón. Iba a plena carga, tanto de mercancías como de pasajeros. Tan solo quedaban vacíos dos camarotes de popa. Se trataba de los que habían sido reservados por el señor Fogg.

Al día siguiente por la mañana, todos los que se encontraban a proa pudieron ver, no sin cierta sorpresa, cómo salía de la escotilla de segunda clase un pasajero que, con la mirada medio alelada, el andar bamboleante y la cabeza desgreñada, titubeando, iba a sentarse sobre unos palos de repuesto.

Aquel pasajero era Passepartout en persona. Sepamos qué le ocurrió.

Unos instantes después de que Fix lo hubiese dejado en el fumadero de opio, dos camareros levantaron a Passepartout profundamente dormido y lo acostaron en el camastro reservado a los fumadores. Pero, tres horas más tarde, Passepartout, acosado hasta en sueños por una idea fija, se despertó y luchó contra la acción estupefaciente del narcótico. La idea del deber no cumplido sacudía su sopor. Se levantó de aquel camastro de borrachos y, dando traspiés, apoyándose en las paredes, cayéndose y volviéndose a levantar, pero siempre e irresistiblemente empujado por una especie de instinto, salió del fumadero de opio gritando, como en un sueño: «¡El *Carnatic!* ¡El *Carnatic!*».

El paquebote estaba allí, echando humo por la chimenea, dispuesto a zarpar. Se lanzó sobre la pasarela, franqueó el portalón y cayó inanimado sobre cubierta en el momento en que el *Carnatic* largaba amarras.

Portalón: Abertura a manera de puerta, hecha en el costado del buque y que sirve para la entrada y salida de personas y cosas.

Algunos marineros, acostumbrados a aquella clase de escenas, bajaron al pobre muchacho a un camarote de segunda clase, y Passepartout no se despertó hasta la mañana siguiente, a ciento cincuenta millas de las costas de China.

He aquí, pues, por qué aquella mañana Passepartout se encontraba en la cubierta del *Carnatic,* y aspiraba a pleno pulmón la fresca brisa marina. Aquel aire puro lo despejó. Comenzó a hilvanar sus ideas, lo que consiguió tras grandes esfuerzos. Y, finalmente, se acordó de las escenas de la víspera, de las confidencias de Fix, del fumadero de opio, etcétera.

Hilvanar: Coordinar ideas o palabras, orientarlas.

«Es evidente —se dijo— que he sido abominablemente embriagado. ¿Qué va a decir el señor Fogg? En todo caso, no he perdido el barco, que es lo más importante».

Después pensó en Fix.

«En cuanto a ese —se dijo—, espero que nos habremos librado de él, y que no habrá osado, después de lo que me propuso, seguirnos hasta el *Carnatic.* ¡Un inspector de policía, un detective tras las huellas de mi amo, acusándolo de ese robo cometido en el Banco de Inglaterra! ¡Vamos, hombre! ¡El señor Fogg es tan ladrón como yo un asesino!».

¿Debería Passepartout contar todo aquello a su amo? ¿Convendría explicarle el papel jugado por Fix en aquel asunto? ¿No haría mejor en esperar a que llegaran a Londres, para, una vez allí, decirle que un agente de la policía metropolitana lo había seguido alrededor del mundo, y reírse con él de aquella historia? Sí, sin duda alguna. En todo caso, era algo sobre lo que debería reflexionar. Lo más importante era hablar con el señor Fogg, y excusarse ante él por su incalificable conducta.

Por tanto, se levantó. La mar estaba encrespada y el paquebote se balanceaba fuertemente. El muchacho, con las piernas todavía débiles, se llegó a duras penas hasta la popa.

—Bueno —se dijo—, a esta hora la señora Aouda estará todavía acostada. En cuanto al señor Fogg, habrá encontrado algún jugador de *whist* y, según su costumbre...

Dicho lo cual, Passepartout descendió al salón. El señor Fogg no se encontraba allí. A Passepartout solo le quedaba una cosa por hacer: preguntar al *purser*[1] qué camarote ocupaba el señor Fogg. El *purser* le respondió que no conocía a ningún caballero con aquel nombre.

—Perdóneme —insistió el muchacho—. Se trata de un caballero alto, seco, poco hablador, que va acompañado por una joven…

—No hay ninguna joven a bordo —respondió el *purser.* Además, aquí tengo la lista de pasajeros. Puede consultarla usted mismo.

Passepartout la consultó. El nombre de su amo no aparecía en ella.

Tuvo como un desvanecimiento. Después una idea le atravesó el cerebro.

—¡Dígame!, ¿estamos en el *Carnatic?* —exclamó.

—Sí —respondió el purser.

—¿En ruta hacia Yokohama?

—En efecto.

Passepartout había temido por unos instantes haberse equivocado de navío. Pero si él se encontraba a bordo del *Carnatic,* de lo que no cabía ninguna duda era de que su amo no estaba allí.

Passepartout se dejó caer sobre una butaca. Quedó anonadado. Y, de repente, lo comprendió todo. Recordó que la hora de salida del *Carnatic* había sido

[1] Literalmente, «contador», término inglés que designa a un oficial encargado de las facturas y otros documentos, así como del servicio y atención a los pasajeros.

adelantada, que él tenía que advertírselo a su amo, y que no lo había hecho. Era, pues, culpa suya si el señor Fogg y la señora Aouda habían perdido el barco.

Culpa suya, sí, pero más todavía de aquel traidor que, para separarlo de su amo, para retener a este en Hong Kong, lo había embriagado. Ya que, finalmente, comprendió la maniobra del inspector de policía. Y, ahora, el señor Fogg estaría, sin duda alguna, arruinado, habría perdido su apuesta, estaría detenido, tal vez en prisión... Ante aquella idea, Passepartout se arrancaba los cabellos. ¡Ah! ¡Si algún día Fix caía en sus manos, le ajustaría las cuentas!

Finalmente, y después de un primer momento de ofuscamiento, Passepartout recuperó su sangre fría y estudió la situación. No era nada envidiable. El francés se encontraba en ruta hacia el Japón. Estaba seguro de llegar allí, pero ¿cómo volvería? Tenía los bolsillos vacíos. No tenía ni un chelín, ni un penique. No obstante, tanto su pasaje como su comida a bordo estaban pagados por adelantado. Tenía, por tanto, cinco o seis días por delante antes de tener que tomar una decisión. Lo que comió y bebió durante aquella travesía sería difícil de describir. Comió por su amo, por la señora Aouda y por sí mismo. Lo hizo como si el Japón, a donde iba a llegar, hubiese sido un país desierto, desprovisto de cualquier comestible.

Ofuscamiento: Oscuridad de la razón, que confunde las ideas.

El día 13, con la marea de la mañana, el *Carnatic* entró en el puerto de Yokohama.

Este puerto es uno de los más importantes del Pacífico, en el que recalan todos los *steamers* empleados en el servicio de correos y de viajeros entre América del Norte, China, Japón y las islas de Malasia. Yokohama está situada en la bahía misma de Yedo, a escasa distancia de aquella inmensa ciudad[2], segunda capital

[2] La ciudad de *Yedo* fue convertida en 1868 en capital de Japón por el emperador Mutsuhito, de la dinastía Meiji, pasando a llamarse Tokyo (capital del Este) por oposición a la anterior capital, Kyoto, situada más al Oeste en la misma isla de Honshu.

del imperio japonés, y antaño residencia del *taikoun*, cuando esa clase de emperadores civiles existía todavía, y rival de Meako, la gran ciudad habitada por el *mikado*, emperador eclesiástico, descendiente de los dioses[3].

El *Carnatic* atracó en los muelles de Yokohama, cerca de la escollera del puerto y de la aduana, en medio de numerosos navíos de todas las nacionalidades.

Passepartout puso el pie, sin ningún entusiasmo, en aquella tierra tan curiosa de los Hijos del Sol[4]. No tenía nada mejor que hacer que dejarse llevar por el azar, y aventurarse por las calles de la ciudad.

Passepartout se encontró, primero, con una ciudad totalmente europea, con casas de poco alzado, adornadas con miradores sustentados sobre elegantes peristilos, que cubren sus calles, sus plazas, sus muelles y sus depósitos, todo el espacio comprendido desde el promontorio del Tratado hasta el río. Allí, al igual que en Hong Kong, y como en Calcuta, pulula una mezcolanza de gentes de todas las razas, americanos, ingleses, chinos, holandeses, comerciantes dispuestos a comprarlo todo y a venderlo todo, en medio de los cuales el francés se sentía tan extraño como si se hubiese encontrado en el país de los hotentotes.

Peristilo: Galería de columnas que rodea un edificio o parte de él.

Hotentote: De un pueblo khoisánida que habita el sudoeste de África, cerca del cabo de Buena Esperanza.

A Passepartout le quedaba un recurso, el de presentarse ante los agentes consulares inglés o francés establecidos en Yokohama; pero le repugnaba contar

Se encuentra situada al fondo de la bahía de su nombre y actualmente es una de las ciudades más pobladas del mundo. *Yokohama* se encuentra en la entrada de la bahía, en la orilla izquierda; esá unida actualmente a Tokyo y es uno de los mayores puertos del Pacífico.

[3] El *taikoun*, o *taikun*, era una especie de señor feudal que poseía ciudades y territorios, sobre los que ejercía su dominio. El *mikado* era el sumo pontífice japonés, cuando el poder religioso y espiritual estaba separado del poder civil ejercido por el emperador; después se dio ese nombre al mismo emperador y, por extensión, a su palacio.

[4] Japón significa precisamente «sol naciente», lo que hace que sus aborígenes sean «hijos del sol naciente». Por otro lado, se cree que los emperadores del Japón son descendientes directos del sol, ya que, según las tradiciones, el primer emperador, Jimmu Tenno, fue hijo suyo.

su historia, que estaba íntimamente ligada a la de su amo, y, antes de llegar a utilizarlo, quería agotar todos los recursos.

Por tanto, después de haber recorrido la parte europea de la ciudad, sin que el azar le sirviese para nada, se adentró en la parte japonesa, decidido, si era necesario, a llegar hasta Yedo.

Aquella parte autóctona de Yokohama se llama Benten, el nombre de una diosa del mar adorada en las islas vecinas. Allí se veían admirables avenidas de abetos y cedros, puertas sagradas de una extraña arquitectura, puentes escondidos en medio de bambúes y rosales, templos abrigados bajo la inmensa y melancólica cobertura de cedros seculares, boncerías[5] en las que vegetaban los padres del budismo y los sectarios de la religión de Confucio[6], calles interminables en las que se habría podido realizar una gran recolección de niños de cara sonrosada y rojas mejillas, hombrecitos que parecían haber sido recortados de alguno de sus biombos, y que jugaban en medio de caniches de patas cortas y gatos amarillentos, sin cola, tan perezosos como afectuosos.

Autóctona: Que se ha originado en el mismo lugar donde se encuentra.

En las calles no había más que un hormigueo, un vaivén incesante: los bonzos pasaban en procesión al tiempo que golpeaban sus monótonos tambores; *yakuninos*, oficiales de aduanas o policía, tocados con unas gorras puntiagudas incrustadas de laca, y que llevaban dos sables al cinto; soldados vestidos con trajes de algodón azul con rayas blancas, y armados con fusil de percusión; hombres armados del *mikado*, embutidos en su jubón de seda, con cota de mallas, y

Bonzo: Sacerdote o monje budista.

Jubón: Vestidura que cubre desde los hombros hasta la cintura, ceñida y ajustada al cuerpo.

Cota de mallas: Arma defensiva del cuerpo, usada antiguamente, guarnecida de mallas de pequeños eslabones o anillos de metal enlazados entre sí.

[5] Verne utiliza esta palabra para designar un lugar habitado por bonzos, es decir, sacerdotes monjes budistas.

[6] Nombre que se da al más famoso de los filósofos chinos, K'ung Fu Tse (*c.* 552-*c.* 479 a. de C.), cuya doctrina, conocida en occidente con el nombre de confucionismo, fue considerada como religión tanto en China como en Japón. Su lema fundamental era «Transmito y no invento», y sus enseñanzas estaban fundadas sbre el culto de la antigüedad y de las tradiciones.

otros muchos militares de toda condición, pues en Japón el oficio de armas es tan estimado como en China despreciado. Hermanos mendigos, peregrinos de largas túnicas, simples ciudadanos de cabellos lisos y negros como el ébano, la cabeza voluminosa, largo el busto, las piernas delgadas, bajos de estatura y la tez de un color que va desde los oscuros matices del cobre hasta el blanco mate, pero nunca amarillo, como los chinos, de los que los japoneses son esencialmente diferentes. En fin, entre los coches, los palanquines, los caballos, los porteadores, las carretillas de vela, los *norimones* de paredes lacadas, los *cangos* mullidos, auténticas literas de bambú, se veía circular a pasos muy cortos, dados con sus piececitos calzados de zapatos de tela, sandalias de paja o zuecos de madera labrada, algunas mujeres poco agraciadas, con los ojos oblicuos, el pecho liso y los dientes ennegrecidos a la moda, pero llevando con elegancia el traje nacional, el *kirimon,* una especie de bata ceñida cruzada por una faja de seda, cuya cintura se abría a la espalda por un nudo extravagante, que las modernas parisienses parecen haber copiado a las japonesas.

Passepartout se paseó durante varias horas en medio de aquella muchedumbre abigarrada, mirando tanto las curiosas y opulentas tiendas, como los bazares en los que se amontona todo el oropel de la orfebrería japonesa, los restaurantes adornados con banderolas y estandartes, en los que le estaba prohibido entrar; las casas de té, en las que se bebe la aromática infusión con sake, licor obtenido de maíz fermentado, los confortables fumaderos, en los que se fuma un tabaco muy fino, y no el opio, puesto que este es casi desconocido en Japón.

Abigarrada: Confusa, mezclada, heterogénea.

Opulenta: Rica.

Passepartout se encontró más tarde en plena campiña, en medio de los arrozales. Allí, junto a las flores que ofrecían sus últimos colores y sus últimos perfumes, se abrían resplandecientes las camelias, que se encontraban no entre los arbustos, sino sobre auténti-

Camelia: Arbusto de la familia de las teáceas, originario de Japón y de China, de hojas perennes, lustrosas y de un verde muy vivo y flores muy bellas, inodoras, blancas, rojas o rosadas.

cos árboles, y, en los cercados de bambú, se erguían cerezos, ciruelos y manzanos, que los indígenas cultivaban más por sus flores que por sus frutos, y que unos maniquíes gesticulantes y unos ruidosos torniquetes protegían de los picos de los gorriones, palomas, cuervos y otros voraces volátiles. No había ni un solo sauce llorón que no protegiese con su hojarasca una garza, melancólicamente posada sobre una pata; en fin, veía por todas partes cornejas, patos, gavilanes, ocas salvajes y un gran número de esas grullas que los japoneses tratan de «señorías», y que simbolizan para ellos la longevidad y la felicidad.

Errando así, de un lado para otro, Passepartout vio algunas violetas entre la hierba.

«Bueno —se dijo—, ya tengo comida».

Pero, después de haberlas olido, no les encontró perfume alguno.

«Mala suerte», se dijo.

Cierto es que, en previsión de lo que pudiera suceder, el muchacho había desayunado copiosamente antes de desembarcar del *Carnatic;* pero, después de pasearse durante aquella jornada, sentía el estómago vacío. Se fijó en que en los escaparates de las carnicerías indígenas no había ni corderos, ni cabras, ni cerdos, y, como sabía que era un sacrilegio matar a los bueyes, tan solo reservados para las necesidades de la agricultura, llegó a la conclusión de que la carne escaseaba en Japón. Y no se equivocaba; pero en lugar de las carnes del carnicero, su estómago se habría contentado con una pata de jabalí o de gamo, unas cuantas perdices o codornices, o cualquier ave de corral o pescado, que, con el producto de los arrozales, constituyen el alimento casi exclusivo de los japoneses. Pero tuvo que hacer de tripas corazón y dejar hasta el día siguiente la búsqueda de sustento.

Llegó la noche. Passepartout regresó a la ciudad indígena y erró por sus calles, en medio de las linternas multicolores, y mirando a los grupos de saltim-

Garza: Ave ciconiforme de cabeza pequeña con moño largo y gris.

Corneja: Ave paseriforme, de plumaje totalmente negro, pico robusto y voz característica.

Gavilán: Ave rapaz accipitriforme, de unos 20 cm de largo.

Grulla: Ave gruiforme de unos 12 dm de altura, con el pico recto y cónico, el cuello largo, alas grandes, cola corta y plumaje gris ceniciento.

Copiosamente: Abundantemente.

Hacer de tripas corazón: Sobreponerse a las adversidades.

banquis ejecutar sus prodigiosos ejercicios, y a los astrólogos que atraían a las muchedumbres alrededor de sus telescopios. Vio la rada, salpicada por las luces de los pescadores, que atraían a los peces hacia la luz de sus antorchas.

Finalmente las calles se vaciaron. A la muchedumbre sucedió la ronda de los *yakunino*. Aquellos oficiales, embutidos en sus magníficos trajes y en medio de sus cortejos, parecían embajadores, y Passepartout se decía jocosamente, cada vez que se encontraba con alguna de aquellas patrullas resplandecientes:

«¡Bueno va! ¡Otra embajada japonesa que embarca para Europa!».

Capítulo XXIII

En el que la nariz de Passepartout se alarga desmesuradamente

Al día siguiente, Passepartout, derrengado y hambriento, se dijo que necesitaba comer a cualquier precio, y que cuanto antes mejor. Tenía la posibilidad de vender su reloj, pero prefería morirse de hambre antes de hacerlo. Aquella era, pues, la ocasión de utilizar la fuerte voz, si no melodiosa, con que la naturaleza había gratificado al buen muchacho.

Derrengado: Muy cansado.

Conocía algunas canciones francesas e inglesas, y se decidió a intentarlo. Los japoneses debían de ser, sin duda alguna, amantes de la música, puesto que todo se llevaba a cabo en aquel país al son de los címbalos, de los atabales y de los tambores, y no dejarían de apreciar el talento de un virtuoso europeo.

Atabal: Timbal (tambor).

Pero, tal vez, aún era temprano para organizar un concierto, y los melómanos, inopinadamente despertados, no habrían pagado al cantante en monedas con la efigie del *mikado*.

Melómano: Persona fanática por la música.

Inopinadamente: Inesperadamente.

Passepartout se decidió, por tanto, a esperar algunas horas; pero, mientras caminaba, pensó que iba demasiado bien vestido para ser un artista ambulante, y se le pasó por la cabeza cambiar sus vestimentas por otras más viejas que estuviesen más en consonancia con su posición. Aquel cambio debería, además, proporcionarle un cierto beneficio, que podría aplicar inmediatamente a saciar su apetito.

Una vez tomada aquella resolución, faltaba llevarla a cabo. Tras una larga búsqueda, Passepartout descubrió un chamarilero indígena, al que propuso el cam-

Chamarilero: Persona que tiene por oficio comerciar en trastos viejos.

bio. El traje europeo gustó al chamarilero, y, muy pronto, Passepartout salió de allí vestido con una vieja túnica japonesa y tocado con una especie de turbante rayado, descolorido por el paso del tiempo. Pero, a cambio, resonaban en su bolsillo algunas monedas de plata.

«Bueno —pensó—, me haré a la idea de que estamos en Carnaval».

Una vez así «japonizado», la primera cosa que hizo Passepartout fue entrar en una *tea-house*[1] de modesta apariencia, y allí, con unos restos de aves y algunos puñados de arroz, comió como un hombre para el que la cena era un problema todavía por resolver.

«Ahora —pensó cuando se hubo saciado copiosamente—, se trata de no perder la cabeza. Ya no me queda el recurso de cambiar estos harapos por otros más japoneses. Hay que pensar, por tanto, en la mejor manera de salir de este país del Sol, del que no guardaré más que un lamentable recuerdo».

Pensó, entonces, visitar todos los paquebotes que estuviesen a punto de zarpar para América. Pretendía ofrecerse como cocinero o criado, sin pedir más retribución que el pasaje y la manutención. Una vez en San Francisco, ya vería cómo se las arreglaría. Lo importante era atravesar aquellas cuatro mil setecientas millas del Pacífico que separan Japón del Nuevo Mundo.

No siendo Passepartout un hombre capaz de dejar marchitar una idea, se dirigió hacia el puerto de Yokohama. Pero a medida que se aproximaba a los muelles, su proyecto, que le pareció tan sencillo en el momento de ocurrírsele la idea, le iba pareciendo cada vez menos factible. ¿Por qué iban a necesitar un cocinero o un criado a bordo de un paquebote americano, y qué confianza iba a inspirar él vestido de tal suerte?

Factible: Que se puede hacer.

Suerte: Manera.

Iba reflexionando de tal manera, cuando su mirada se posó en un inmenso anuncio que una especie

[1] «Casa de té». (En inglés en el origina.)

de clon paseaba por las calles de Yokohama. Aquel anuncio estaba redactado en inglés, y decía:

Clon: Payaso

COMPAÑÍA ACROBÁTICA JAPONESA
DEL
HONORABLE WILLIAM BATULCAR

ÚLTIMAS REPRESENTACIONES
Antes de su salida para los Estados Unidos
de los
NARIGUDOS-NARIGUDOS
BAJO LA ADVOCACIÓN DEL DIOS TINGOU

¡Gran atracción!

Advocación: Tutela, protección o patrocinio de la Divinidad o de los santos a la comunidad o institución que toma su nombre.

«¡Los Estados Unidos de América! —exclamó Passepartout—. ¡Eso es justamente lo que necesito!».

Siguió a aquel hombre-anuncio, y pronto penetró tras él en la ciudad japonesa. Un cuarto de hora más tarde se detuvo frente a una inmensa barraca coronada por varios haces de banderolas, y en cuyas paredes exteriores estaba representado, sin perspectiva pero con colores violentos, todo un conjunto de malabaristas.

Se trataba del establecimiento del honorable Batulcar, especie de Barnum[2] a la americana, director de un conjunto de saltimbanquis, malabaristas, payasos, acróbatas, equilibristas y gimnastas que, según el anuncio, daban sus últimas representaciones antes de abandonar el imperio del Sol hacia los estados de la Unión.

Haz: Conjunto de cosas largas y estrechas, dispuestas longitudinalmente y atadas por el centro.

Malabarista: Persona que hace juegos malabares, ejercicios de destreza que consisten en lanzar y recoger objetos diversos, como platos, pelotas, puñales, botellas, etc., con rapidez y sin que caigan al suelo, o sostenerlos en equilibrio.

[2] Phileas Taylor Barnum (1810-1891), empresario circense norteamericano que se enriqueció exhibiendo rarezas, a menudo falsas, entre ellas un monstruo antediluviano y una sirena fabricada por él mismo. Verne lo cita varias veces en sus obras. Véase *Viaje al centro de la Tierra,* n.º 19 de esta misma colección.

Passepartout cruzó bajo un peristilo que precedía a la barraca y preguntó por el señor Batulcar. El señor Batulcar lo recibió en persona.

—¿Qué desea usted? —dijo a Passepartout, a quien tomó en un principio por un indígena.

—¿Tiene usted necesidad de un criado? —preguntó Passepartout.

—¡Un criado! —exclamó el Barnum al tiempo que acariciaba su espesa perilla gris, más voluminosa bajo el mentón—. Tengo dos, obedientes, fieles, que nunca me han dejado, y que me sirven gratuitamente a condición de que yo los alimente... Helos aquí —añadió, al tiempo que mostraba sus dos robustos brazos, surcados por venas tan gruesas como las cuerdas de un contrabajo.

—¿Así, pues, no puedo servirle para nada?

—Para nada.

—¡Diablos! ¡Con lo bien que me vendría partir con ustedes!

—¡Ah! ¡Es eso! —dijo el honorable Batulcar—. Usted es tan japonés como yo mono. ¿Por qué se ha vestido de esa manera?

—Uno se viste como puede.

—Eso es cierto. ¿Es usted francés?

—Sí. Parisiense de París.

—Entonces, ¿sabrá usted hacer muecas?

—A fe mía —respondió Passepartout, ofendido al ver cómo su nacionalidad provocaba aquella pregunta— que nosotros, los franceses, sabemos hacer muecas; es bien cierto, pero no mejor que los americanos.

—Eso es verdad. Pues bien, si no lo contrato como criado, puedo contratarlo como payaso. Lo comprenderá usted, amigo mío. En Francia se exhiben cómicos extranjeros, y, en el extranjero, cómicos franceses.

—¡Ah!

—Además, parece usted fuerte.

—Sobre todo después de comer.

—¿Sabe usted cantar?

—Sí —respondió Passepartout, que antaño había actuado en orquestinas callejeras.

—Pero ¿sabe usted cantar cabeza abajo con un trompo girando sobre la planta del pie izquierdo y un sable en equilibrio sobre la planta del pie derecho?

Trompo: Peonza.

—¡Pardiez! —respondió Passepartout, que recordó los primeros ejercicios de su juventud.

—Es que, sépalo usted, todo consiste en eso —respondió el honorable Batulcar.

El contrato quedó concertado *hic et nunc*[3].

Por fin había encontrado Passepartout colocación. Se contrató para hacer de todo en el célebre grupo japonés. Era poco halagüeño, pero antes de ocho días estaría en ruta hacia San Francisco.

La representación, anunciada a bombo y platillo por el honorable Batulcar, debería iniciarse a las tres de la tarde, y muy pronto los formidables instrumentos de una orquesta japonesa, con tambores y tamtams, atronaban a la puerta. Se comprenderá que Passepartout no tuvo tiempo suficiente para aprenderse su papel, pero debería prestar el apoyo de sus sólidos hombros en el gran ejercicio del «racimo humano», ejecutado por los Narigudos del dios Tingou. Aquella *great atraction*[4] de la representación debería cerrar la serie de ejercicios.

Antes de las tres, los espectadores invadieron la inmensa barraca. Europeos e indígenas, chinos y japoneses, hombres, mujeres y niños se precipitaron sobre los estrechos bancos y sobre los palcos que se encontraban frente al escenario. Los músicos ya estaban dentro, y la orquesta entera, sin que faltase ninguno, hacía sonar con furia los gongs, platillos, flautas, tambores y bombos.

Aquella representación fue igual a cualquier otra exhibición de acróbatas. Pero hay que reconocer que

[3] «Aquí y ahora», es decir, de inmediato, en ese momento. (En latín en el original).
[4] «Gran atracción». (En inglés en el original).

los japoneses son los mejores equilibristas del mundo. Uno de ellos, provisto de un abanico y trocitos de papel, ejecutaba el gracioso ejercicio de las flores y las mariposas. Otro, con el oloroso humo de su pipa, trazaba rapidísimamente en el aire una serie de palabras azuladas, que formaban un saludo al público. Otro hacía malabarismos con velas encendidas, que apagaba sucesivamente cuando pasaban frente a sus labios y que volvía a encender, la una con la otra, sin interrumpir ni un solo instante sus hábiles ejercicios. Otro reproducía por medio de peonzas giratorias las combinaciones más increíbles; bajo su mano, aquellas máquinas sonoras parecían animarse de vida propia en su interminable giro; corrían a lo largo de los tubos de las pipas, por el filo de las espadas, sobre alambres, auténticos cabellos tendidos de uno a otro lado del escenario, giraban alrededor de grandes vasos de cristal, trepaban por una escala de bambú, se dispersaban por todos los rincones, y producían efectos armónicos de extraño carácter al combinar las diferentes tonalidades. Los malabaristas jugaban con ellas dándoles vueltas por el aire; las lanzaban como si fueran voladoras, con raquetas de madera, y ellas seguían girando siempre; las introducían en sus bolsillos, y, cuando las sacaban, seguían girando siempre, hasta el momento en que un muelle distendido las hacía expandirse en maravillosos fuegos artificiales.

Sería inútil describir aquí los prodigiosos ejercicios de los acróbatas y los gimnastas del grupo. Los números de la escalera, de la pértiga, de la bola, de los toneles, etc., fueron ejecutados con una precisión admirable. Pero el número fuerte de la representación era la exhibición de los «Narigudos», asombrosos equilibristas todavía desconocidos en Europa.

Los Narigudos formaban una corporación colocada directamente bajo la advocación del dios Tingou. Vestidos como heraldos de la Edad Media, llevaban un magnífico par de alas a sus espaldas. Pero lo que

Heraldo: Caballero que en las cortes de la Edad Media tenía el cargo de transmitir mensajes de importancia, ordenar las grandes ceremonias y llevar los registros de la nobleza de la nación.

los distinguía especialmente era aquella larga nariz adosada a sus rostros, y, sobre todo, el uso que de ella hacían. Aquellas narices no eran sino cañas de bambú, con una longitud de cinco, seis, hasta diez pies, unas rectas y otras curvas, estas lisas y aquellas nudosas. Sobre aquellos apéndices, sólidamente fijados, llevaban a cabo todos sus ejercicios de equilibrio. Una docena de aquellos sectarios del dios Tingou se acostaron sobre sus espaldas, y sus compañeros empezaron a juguetear sobre sus narices, erizadas como pararrayos, y saltaban, daban volteretas de la una a la otra, y ejecutaban sobre ellas las piruetas más increíbles.

Para finalizar, se había anunciado especialmente al público la pirámide humana, en la que una cincuentena de Narigudos compondrían el carro de Jaghernath[5]. Pero, en lugar de componer aquella pirámide teniendo las espaldas por punto de apoyo, los artistas de Batulcar tan solo se apoyaban en sus narices. Y como uno de los que componía la base del carro había abandonado el grupo, Passepartout fue escogido para sustituirlo, puesto que bastaba con ser vigoroso y hábil.

Cierto es que, al principio, el muchacho se sintió avergonzado cuando —triste recuerdo de su juventud— se vio vestido con aquellos ropajes de la Edad Media, y adornado con alas multicolores, y con una nariz de seis pies de largo colocada sobre su rostro. Pero, como, al fin y al cabo, aquella nariz era su medio para ganarse el pan, tuvo que aceptarlo.

Passepartout entró en el escenario y fue a colocarse junto a dos de sus colegas que deberían figurar en la base del carro de Jaghernath. Se tendieron en el suelo con la nariz apuntando hacia el cielo. Una segunda sección de equilibristas se posó sobre los largos apéndices, una tercera se instaló sobre esta últi-

[5] Véase la nota 1 del capítulo XII.

ma, después una cuarta, y, sobre aquellas narices que tan solo se tocaban por la punta, pronto se elevó un monumento humano que llegaba hasta el techo del teatro.

Los aplausos eran estruendosos, y los instrumentos de la orquesta sonaban atronadoramente, cuando la pirámide se conmovió, se rompió el equilibrio, una de las narices de la base abandonó el carro, y el monumento se desmoronó como un castillo de naipes.

Fue Passepartout quien, abandonando su puesto, franqueando la rampa sin la ayuda de sus alas y trepando a la galería de la derecha, cayó a los pies de un espectador, exclamando:

—¡Mi amo! ¡Mi amo!

—¿Usted?

—¡Yo!

—Pues bien, en ese caso, ¡al paquebote, muchacho!

Y el señor Fogg, la señora Aouda, que lo acompañaba, y Passepartout se precipitaron por los corredores hacia el exterior de la barraca. Pero, una vez allí, se encontraron con el honorable Batulcar, quien, furioso, reclamaba una indemnización por daños y perjuicios por la «ruptura». Phileas Fogg apagó su furor lanzándole unos cuantos *banknotes.* Y a las seis y media, en el momento en que iba a zarpar, el señor Fogg y la señora Aouda ponían el pie sobre el paquebote americano, seguidos por Passepartout, con sus alas a la espalda y, en el rostro, aquella nariz de seis pies de largo que todavía no se había podido quitar

Capítulo XXIV

Durante el que se efectúa la travesía del Pacífico

Lo que ocurrió cerca de la desembocadura del Shanghai se comprenderá fácilmente. Las señales hechas por la *Tankadère* fueron advertidas desde el paquebote de Yokohama. El capitán, viendo un pabellón a media asta, se dirigió hacia la goleta. Instantes más tarde, Phileas Fogg, después de saldar su pasaje al precio estipulado, metió en el bolsillo del patrón, John Bunsby, quinientas cincuenta libras (13.750 F). Después, el honorable caballero, la señora Aouda y Fix montaron a bordo del *steamer,* que prosiguió inmediatamente su ruta rumbo a Nagasaki y Yokohama.

Tras haber arribado la misma mañana del 14 de noviembre, a la hora reglamentaria, Phileas Fogg, dejando a Fix que se ocupara de sus asuntos, se dirigió al *Carnatic,* donde fue informado, para gran satisfacción de la señora Aouda —y probablemente para la suya propia también, aunque él no lo demostrara— de que, en efecto, el francés había llegado la víspera a Yokohama.

Phileas Fogg, que debería salir aquella misma noche para San Francisco, se puso inmediatamente a la búsqueda de su criado. Se dirigió, aunque en vano, a los agentes consulares francés e inglés, y, después de haber recorrido inútilmente las calles de Yokohama, y cuando ya desesperaba de volver a encontrar a Passepartout, el azar, o tal vez una especie de presentimiento, le hizo entrar en la barraca del honorable Batulcar. Nunca habría reconocido a su criado bajo aquel excéntrico atavío de heraldo; pero, este, en su posición invertida, vio a su amo entre los espectadores. No pudo contener un movimiento de su nariz. Y, de ahí, la ruptura del equilibrio y todo lo que le siguió.

Eso fue lo que Passepartout supo por boca de la señora Aouda, quien le relató, después, cómo realizaron la travesía de Hong Kong a Yokohama, en compañía de un tal señor Fix, sobre la goleta *Tankadère.*[1]

Al escuchar el nombre de Fix, Passepartout ni siquiera pestañeó. Pensó que todavía no era el momento de explicar a su amo todo lo que le ocurrió con el inspector de policía. Así es que, en el relato que Passepartout hizo de sus aventuras, se acusó y excusó tan solo por haber sido sorprendido por la embriaguez del opio en un fumadero de Yokohama.[2]

El señor Fogg escuchó fríamente su relato, sin responderle nada; después, abrió a su criado el crédito necesario para que pudiera procurarse a bordo vestimentas más adecuadas. Y, en efecto, todavía no había pasado ni una hora cuando el muchacho, después de cortar la nariz y haberse arrancado las alas, no llevaba nada sobre él que pudiera recordar al sectario del dios Tingou.

El paquebote que realizaba la travesía de Yokohama a San Francisco pertenecía a la compañía del Pacific Mail steam, y se llamaba *General Grant*. Se trataba de un gran *steamer* propulsado a ruedas, que desplazaba dos mil quinientas toneladas, muy bien acondicionado y muy veloz. Un enorme balancín se elevaba y descendía alternativamente por encima del puente; en una de sus extremidades se articulaba el vástago de un émbolo, y, en la otra, el de una biela, con lo que transformaba el movimiento rectilíneo en movimiento circular, y se aplicaba directamente al árbol de las ruedas. El *General Grant* estaba aparejado como una

Vástago: Barra que, sujeta al centro de una de las dos caras del émbolo, sirve para darle movimiento o transmitir el suyo a algún mecanismo.

Émbolo: Pieza que se mueve alternativamente en el interior de un cuerpo de bomba o del cilindro de una máquina para enrarecer o comprimir un fluido o recibir de él movimiento.

Biela: Barra que en las máquinas sirve para transformar el movimiento de vaivén en otro de rotación, o viceversa.

Árbol: Barra, fija o giratoria, que sirve de eje de una máquina.

[1] El autor escribe erróneamente Yokohama cuando debería decir Shanghai.
[2] Nuevamente, Verne escribe Yokohama cuando debería decir Hong Kong.

goleta de tres palos, y poseía una gran superficie de velamen, con lo que ayudaba poderosamente al vapor. Con sus doce nudos, el paquebote no debería emplear más de veintiún días en la travesía del Pacífico. Phileas Fogg pudo, por tanto, pensar que, después de haber llegado el 2 de diciembre a San Francisco, se encontraría el 11 en Nueva York, y el 20 en Londres, anticipándose, por tanto, en algunas horas a la fecha fatal del 21 de diciembre.

Los pasajeros eran bastante numerosos a bordo del *steamer;* ingleses, muchos americanos, una auténtica emigración de culis camino de América, y un cierto número de oficiales del ejército de la India, que empleaban sus vacaciones en dar la vuelta al mundo.

Culi: En la India, China y otros países de Oriente, trabajador o criado indígena.

Durante la travesía no se produjo ningún incidente náutico. El paquebote, sostenido por sus grandes ruedas y apoyado por su fuerte velamen, se balanceaba poco. El océano Pacífico hizo honor a su nombre. El señor Fogg estaba tan tranquilo y tan poco comunicativo como de costumbre. Su joven acompañante se sentía cada día más atada a aquel hombre, y por lazos muy diferentes a los del agradecimiento. Aquella naturaleza silenciosa, pero tan generosa en definitiva, le impresionaba mucho más de lo que ella misma pudiera creerse, y casi sin darse cuenta iba abandonándose a unos sentimientos a los que el enigmático Fogg no parecía prestar atención alguna.

Entre otras cosas, la señora Aouda se interesaba, cada vez más, por el proyecto del caballero. Le preocupaban las contrariedades que pudieran poner en peligro el éxito del viaje. A menudo hablaba con Passepartout, quien no dejaba de leer en el corazón de la señora Aouda. Aquel buen muchacho sentía hacia su amo la fe del carbonero[3]; no dejaba de elogiar la honradez, la generosidad y la abnegación de Phileas

[3] La fe de los sencillos, de los humildes, que creen porque sí, sin necesitar demasiadas explicaciones.

Fogg; después tranquilizaba a la señora Aouda sobre el resultado final del viaje, repitiéndole que lo más difícil ya estaba hecho, puesto que ya habían dejado atrás aquellos países tan fantásticos, que eran China y Japón, y que, por tanto, regresaban a las regiones civilizadas, y que, finalmente, un tren desde San Francisco hasta Nueva York, y un trasatlántico desde Nueva York hasta Londres, bastarían sin duda alguna para acabar con aquella imposible vuelta al mundo en los plazos establecidos.

Nueve días después de haber zarpado de Yokohama, Phileas Fogg llevaba recorrida, exactamente, la mitad del globo terrestre.

En efecto, el 23 de noviembre, el *General Grant* cruzaba el meridiano ciento ochenta, que es en el que se encuentran, en el hemisferio austral, los antípodas de Londres. De los ochenta días de que el señor Fogg disponía, era bien cierto que ya había empleado cincuenta y dos, y que no le quedaban más que veintiocho. Pero deberemos señalar que, si el caballero tan solo se encontraba a la mitad del camino de acuerdo con «la diferencia de meridianos», en realidad ya había recorrido más de las dos terceras partes de su ruta total. ¡Cuántos rodeos forzosos se vio obligado a dar desde Londres hasta Adén, desde Adén hasta Bombay, desde Calcuta hasta Singapur, y desde Singapur hasta Yokohama! Si hubieran seguido circularmente el paralelo cincuenta, que es el de Londres, la distancia a recorrer no habría sido más que de unas doce mil millas, mientras que Phileas Fogg se veía obligado, a causa de los caprichos de los medios de locomoción, a recorrer veintisiete mil, de las que ya llevaba recorridas, en aquella fecha del 23 de noviembre, unas diecisiete mil quinientas. Pero a partir de allí el camino era recto, y Fix no se encontraba allí para ponerle obstáculos a través de su camino.

No obstante, aquel mismo 23 de noviembre, Passepartout sintió una gran satisfacción. Recordaremos cómo el muy cabezota se obstinaba en guardar la hora de Londres en su famoso reloj de familia, y cómo tuvo por falsas las horas de todos y cada uno de los países que atravesaron. Y ocurrió que, aquel día, y pese a que él nunca lo adelantó ni retrasó, su reloj estuvo de acuerdo con los de a bordo.

Es comprensible que se sintiese triunfante. Y le habría gustado saber lo que aquel Fix habría podido decirle si se hubiese encontrado presente.

«Ese pillo, que me contaba un montón de historias sobre meridianos, sobre el sol y sobre la luna —se repetía Passepartout—. ¡Ay! ¡Esos tipos! ¡Si se les hiciese caso, buenos relojes acabarían haciendo ellos! ¡Ya estaba yo seguro de que, un día u otro, el sol se decidiría por ajustarse a mi reloj!».

Passepartout ignoraba que si la esfera de su reloj, al igual que las de los relojes italianos, hubiese estado dividida en veinticuatro horas, no habría tenido ningún motivo para sentirse triunfante, pues las agujas de su instrumento habrían indicado las nueve de la noche, es decir, la vigésimo primera hora después de la media noche, cuando, a bordo, eran las nueve de la mañana, diferencia precisamente igual a la que existe entre Londres y el meridiano ciento ochenta.

Pero si Fix hubiese sido capaz de explicarle aquel fenómeno puramente físico, Passepartout sería, sin duda alguna, incapaz, si no de comprenderlo, al menos de admitirlo. En todo caso, si por casualidad el inspector de policía se hubiese encontrado inopinadamente a bordo en aquel momento, habría sido muy posible que, Passepartout, rencoroso, y con muy buenas razones para serlo, hubiese tratado con él un tema muy diferente, y, por supuesto, de una manera también harto diferente...

Pero ¿dónde se encontraba Fix en aquellos instantes?

Fix se hallaba, precisamente, a bordo del *General Grant*.

En efecto, al llegar a Yokohama, el agente había abandonado al señor Fogg —a quien pensaba volver a encontrar a lo largo de la jornada—, yéndose directamente hacia el consulado inglés. Finalmente, allí estaba esperándole la orden de detención, la cual, corriendo tras él desde Bombay, llevaba ya una fecha de cuarenta días atrás; aquella orden de detención le había sido remitida desde Hong Kong, precisamente a bordo del *Carnatic*, el barco en el que, lógicamente, pensaban que él se encontraría a bordo. Imaginémonos la decepción que sufrió el detective. La orden de detención ya no le servía para nada. El señor Fogg ya se encontraba fuera de las posesiones inglesas. Ahora, para detenerlo, sería necesario una orden de extradición.

«Muy bien —se dijo Fix, después de unos instantes de cólera—, la orden ya no es útil aquí, pero lo será en Inglaterra. Ese pillo tiene toda la pinta de pretender regresar a su patria creyendo haber despistado a la policía. Pues bien, lo seguiré hasta allí. Y, en cuanto al dinero del botín, quiera Dios que le quede algo cuando llegue. Pues, entre viajes, primas, procesos, multas, elefante y gastos de todo género, mi hombre ya ha dejado en su camino más de cinco mil libras. Pero, a fin de cuentas, ¡el Banco es rico!».

Tomada tal decisión, se embarcó inmediatamente en el *General Grant*. Se encontraba a bordo cuando el señor Fogg y la señora Aouda llegaron. Con gran sorpresa por su parte, reconoció a Passepartout embutido en aquellos ropajes de heraldo. Se ocultó inmediatamente en su camarote a fin de evitar el tener que dar una explicación que pudiese comprometerlo, y, gracias al gran número de pasajeros que se encontraba a bordo, contaba con no ser visto por su enemigo, cuando aquel día precisamente se encontró cara a cara con él, a proa del navío.

Passepartout saltó a la garganta de Fix, y, sin ninguna explicación, y ante la satisfacción de numerosos americanos que apostaron inmediatamente por él, administró al desgraciado inspector una soberbia paliza, que vino a demostrar la gran superioridad del boxeo francés sobre el boxeo inglés.

Cuando Passepartout hubo acabado, se encontró más tranquilo y como aliviado de un gran peso. Fix se levantó en bastante mal estado, y, mirando a su adversario, le dijo fríamente:

—¿Ha terminado?

—Por el momento, sí.

—Entonces, venga a hablar conmigo.

—¿Que yo...?

—En interés de su amo.

Sorprendido por aquella sangre fría, Passepartout siguió al inspector de policía, y ambos se sentaron a proa del *steamer.*

Vapulear: Golpear.

—Usted me ha vapuleado —dijo Fix—. Está bien. Pero, ahora, escúcheme bien. Hasta aquí he sido el adversario del señor Fogg, pero a partir de ahora estoy dispuesto a ayudarlo.

—¡Ah! —exclamó Passepartout—. ¿Por fin lo cree usted un hombre honrado?

—No —respondió Fix, fríamente—. Lo creo un pillo... ¡Chist! No se mueva usted y déjeme hablarle. Mientras el señor Fogg se encontró en posesiones inglesas, mi interés estaba en retenerlo, en tanto esperaba su orden de detención. Lo he intentado todo. Lancé contra él a los sacerdotes de Bombay, lo emborraché a usted en Hong Kong y lo separé de su amo, le he hecho perder el paquebote de Yokohama...

Passepartout escuchaba con los puños apretados.

—Pero ahora —prosiguió Fix— el señor Fogg parece querer regresar a Inglaterra. Sea; yo lo seguiré. Pero, a partir de este momento, intentaré apartar los obstáculos de su camino con tanto celo como antes lo puse en acumularlos. Como usted verá, mi juego ha cambiado, y ha cambiado únicamente porque mi interés así lo exige. Añadiré que su interés y el mío coin-

ciden, ya que tan solo en Inglaterra podrá saber usted si está al servicio de un criminal o de un hombre honrado.

Passepartout escuchó a Fix con toda atención, y se convenció de que le hablaba con toda sinceridad.

—Entonces, ¿somos amigos? —le preguntó Fix.

—Amigos, no —contestó Passepartout—. Pero aliados, sí, aunque con reservas, ya que, a la menor sospecha de traición, le retorceré a usted el pescuezo.

—De acuerdo —dijo tranquilamente el inspector de policía.

Once días después, el 3 de diciembre, el *General Grant* entraba en la bahía de la Puerta de Oro y arribaba a San Francisco.

El señor Fogg no había, hasta entonces, ganado ni perdido ni un solo día.

Capítulo XXV

Donde se nos ofrece una ligera visión de San Francisco en un día de mitin electoral

Mitin: Reunión donde se discuten públicamente asuntos políticos o sociales.

Eran las siete de la mañana cuando Phileas Fogg, la señora Aouda y Passepartout pusieron pie en el continente americano —si, pese a todo, podemos dar ese nombre al muelle flotante sobre el que desembarcaron—. Aquellos muelles, subiendo y bajando con la marea, facilitaban las operaciones de carga y descarga de los navíos. En ellos atracan clíperes de todos los tamaños, *steamers* de todas las nacionalidades y esos *steamboats* de varios pisos que realizan su servicio por el río Sacramento y sus afluentes. Allí se amontonaban, también, los productos de un comercio que se extiende a México, Perú, Chile, Brasil, Europa, Asia y todas las islas del océano Pacífico.

Clíper: Buque de vela, fino, ligero y muy resistente.

Passepartout, en su alegría de tocar, finalmente, tierra americana, se creyó obligado a realizar su desembarco ejecutando un salto mortal del mejor estilo. Pero cuando cayó sobre el muelle, cuyas planchas estaban carcomidas, a punto estuvo de pasar a través del mismo. Desconcertado por la forma en que «puso pie» en el nuevo continente, el buen muchacho lanzó un grito formidable que provocó la desbandada de los numerosos cormoranes y pelícanos, huéspedes habituales de los muelles flotantes.

Carcomida: Roída por la carcoma, insecto coleóptero muy pequeño, de color oscuro, cuya larva roe y taladra la madera.

Cormorán: Cuervo marino, ave pelecaniforme de hasta 1 m de largo, color oscuro y pico largo.

Pelícano: Ave pelecaniforme de más de 1 m de largo, color blanco, pico ancho y muy largo con la piel de la mandíbula inferior en forma de bolsa, donde deposita los alimentos.

El señor Fogg, tan pronto como desembarcó, se informó de la hora de salida del primer tren para Nueva York. Era a las seis de la tarde. El señor Fogg tenía, por tanto, toda una jornada por delante para visitar la capital californiana. Hizo venir un coche para él y la señora Aouda. Passepartout montó en el pescante, y el vehículo, por tres dólares la carrera, se dirigió hacia el International Hotel.

Pescante: En los coches, asiento exterior desde donde el cochero gobierna las caballerías.

Desde el lugar elevado que ocupaba, Passepartout observaba con curiosidad esa gran ciudad americana: anchas calles, casas bajas y bien alineadas, iglesias y templos de un gótico anglosajón, muelles inmensos, depósitos como palacios, los unos de madera y los otros de ladrillo; en las calles, numerosos coches, ómnibus y tranvías, y, en las aceras abarrotadas, no solo americanos y europeos, sino también chinos e indios, en fin, con qué poder componer una población de más de doscientos mil habitantes.

Ómnibus: Vehículo de gran capacidad, para transportar personas dentro de las poblaciones.

Passepartout se sintió bastante sorprendido por lo que veía. Se encontraba anclado todavía en la imagen de la ciudad legendaria de 1849, en la ciudad de los bandidos, incendiarios y asesinos, llegados a la búsqueda de las pepitas de oro, inmensa Cafarnaum[1] de todos los desclasados que se jugaban el oro en polvo con un revólver en una mano y un cuchillo en la otra. Pero aquellos «buenos tiempos» habían pasado. San Francisco presentaba el aspecto de una gran ciudad comercial. La alta torre de la casa consistorial, en la que oteaban los vigías, dominaba todo aquel conjunto de calles y avenidas que se cortan perpendicularmente, y entre las que aparecen verdes jardincillos; y, después, una ciudad china que parecía haber sido importada del Celeste Imperio en una caja de juguetes. Ya no se veían ni los sombreros, ni las camisetas rojas como las que usaban los buscadores de oro, ni indios emplumados, sino, en su lugar, sombreros de seda y trajes negros, que vestían un gran número de caballe-

Desclasado: Que ha perdido o ha abandonado la posición que ocupa en el sistema de clases sociales.

Casa consistorial: Ayuntamiento.

Otear: Mirar, examinar desde lugar alto lo que está abajo.

Vigía: Persona destinada a velar o cuidar de hacer descubiertas desde un lugar adecuado.

[1] Se refiere a la situación de San Francisco, y de toda California, cuando en 1848 apareció oro en los ríos, ocasionando la llamada «fiebre del oro», que atrajo a miles de personas y la convirtió durante varios años en una zona prácticamente sin ley. Cafarnaum es una ciudad de Palestina, en Galilea. Jesucristo estableció su centro de acción, al principio de su vida pública, en esta ciudad, donde la vida judaica era activa.

ros animados de una actividad devoradora. Algunas calles, como Montgomery Street —la Regent Street de Londres, el bulevar de los Italianos de París, o el Broadway de Nueva York—, estaban llenas de espléndidas tiendas que ofrecían en sus escaparates los productos del mundo entero.

Cuando Passepartout llegó al International Hotel, no le pareció que hubiese abandonado Inglaterra.

La planta baja del hotel estaba ocupada por un inmenso bar, especie de bufé abierto gratis para todo el mundo. Se ofrecía fiambre de carne, sopa de ostras, panecillos y queso a todo aquel que lo deseara, sin que para ello se viese obligado a aligerar su bolsa. No se pagaba más que la bebida, cerveza, oporto o jerez, si es que la fantasía del cliente le hacía sentir tal antojo para refrescarse. Aquello le pareció «muy americano» a Passepartout.

Bufé: Mesa o conjunto de mesas donde se sirve comida, compuesta de manjares calientes y fríos, en diversos platos, para que cada cual se sirva lo que crea oportuno.

El restaurante del hotel era muy cómodo. El señor Fogg y la señora Aouda se instalaron ante una mesa, y fueron abundantemente servidos en platitos liliputienses por negros relucientes como el ébano.

Liliputiense: Muy pequeño (de *Liliput,* país de los enanos imaginado por Swift en sus *Viajes de Gulliver*).

Después de desayunar, Phileas Fogg, acompañado por la señora Aouda, abandonó el hotel para dirigirse a las oficinas del cónsul inglés, a fin de hacerse visar el pasaporte. Se encontró en la acera a su criado, quien le preguntó si, antes de coger el ferrocarril del Pacífico, no sería prudente comprar unas cuantas carabinas Enfield o revólveres Colt[2]. Passepartout había oído hablar de los siux y los pauni[3], que asaltaban

Carabina: Arma de fuego de menor longitud que el fusil.

[2] *Enfield* es una ciudad de Gran Bretaña, al norte de Londres, donde se fabrican las carabinas que llevan su nombre. El revólver *Colt,* con un tambor de siete cartuchos, fue inventado por el ingeniero norteamericano Samuel Colt (1814-1862).

[3] Los *siux* son un pueblo amerindio de las grandes praderas de América del Norte. Extremadamente belicosos, sostuvieron numerosos enfrentamientos con los colonos blancos que se instalaron en sus territorios; actualmente existen todavía unos 50.000 individuos. Los *pauni* son un pueblo amerindio de América del Norte. Gracias a su colaboración con los colonos contra Inglaterra, mantuvieron siempre buenas relaciones (a pesar de lo que insinúa Verne) con los gobiernos de los Estados Unidos; en 1876 pasaron a residir en una gran reserva en el estado de Oklahoma.

los trenes como si se tratara de vulgares bandoleros españoles. El señor Fogg le respondió que se trataba de una precaución inútil, pero lo dejó en libertad de hacer lo que creyese más conveniente. Después se dirigió hacia las oficinas consulares.

Todavía Phileas Fogg no había caminado ni doscientos metros cuando, «por la mayor de las casualidades», se encontró con Fix. El inspector se mostró extremadamente sorprendido. Pero ¿cómo? ¿El señor Fogg y él habían realizado la travesía juntos y no se habían encontrado a bordo? En todo caso, Fix no podía sentirse más que muy honrado de volver a ver al *gentleman* al que tanto debía, y, habiéndole reclamado sus intereses en Europa, se sentiría encantado de proseguir su viaje en una compañía tan agradable.

El señor Fogg le respondió que el honor sería para él, y Fix —que no quería perderlo de vista ni un solo instante— le pidió permiso para visitar, junto a ellos, aquella ciudad tan curiosa que era San Francisco.

Y he aquí como la señora Aouda, Phileas Fogg y Fix se paseaban por las calles. Muy pronto se encontraron en Montgomery Street, donde la afluencia de público era muy grande. La enorme muchedumbre se amontonaba sobre las aceras, en medio de la calzada, sobre los raíles del tranvía, pese al incesante trasiego de coches y ómnibus, en el umbral de las tiendas, e incluso sobre los tejados. Hombres-anuncio circulaban entre los grupos. Banderas y banderolas flotaban al viento. Los gritos resonaban por todas partes.

—¡Viva Kamerfield!

—¡Viva Mandiboy!

Se trataba de un mitin. Eso fue, al menos, lo que pensó Fix, y se lo comunicó inmediatamente al señor Fogg, añadiendo:

—Tal vez, señor, haríamos bien en no mezclarnos en este lío. Tan solo lograríamos recibir algún golpe que otro.

—En efecto —respondió Phileas Fogg—. Los puñetazos, aunque sean políticos, no dejan de ser puñetazos.

Fix se creyó obligado a sonreír ante tal observación, y, a fin de poder verlo todo sin encontrarse mezclados en el jaleo, la señora Aouda, Phileas Fogg y él se instalaron sobre el último peldaño de una escalera que subía a una terraza desde donde se contemplaba Montgomery Street. Delante de ellos, al otro lado de la calle, entre el cargadero de un vendedor de carbón y la tienda de un negociante de petróleo, se hallaba instalada una gran tribuna al aire libre, sobre la que las diversas riadas humanas parecían converger.

Riada: Figuradamente, bandada, multitud.

Pero ¿por qué aquel mitin? ¿A qué se debía? Phileas Fogg lo ignoraba totalmente. ¿Se trataba de la elección de un alto funcionario militar o civil, de un gobernador del Estado o de un miembro del Congreso? Viendo la extraordinaria animación que vivía la ciudad, no cabía duda de que podía tratarse de cualquier cosa.

En aquel momento se produjo un movimiento inesperado entre la multitud. Todas las manos se alzaban al aire. Algunas, sólidamente cerradas, parecían levantarse y abatirse rápidamente en medio de gritos —forma enérgica, sin duda alguna, de votar—. Grandes remolinos agitaban a la masa, que retrocedía. Las banderolas oscilaron, desaparecieron un instante y volvieron a aparecer hechas jirones. Las ondulaciones de aquella marejada se propagaron hasta la escalera, mientras que todas las cabezas cabrilleaban en la superficie, como una mar súbitamente azotada por el viento. El número de los sombreros negros disminuía a ojos vistas, y la mayor parte parecía haber perdido su altura habitual.

Marejada: Exaltación de los ánimos y señal de disgusto, murmuración o censura, manifestada la multitud, que suele preceder al verdadero alboroto.

—Evidentemente, se trata de un mitin —dijo Fix—, y el tema que lo ha provocado debe de ser de actualidad. No me extrañaría nada que se tratase, inclu-

Cabrillear: Brillar, resplandecer, centellear.

so, del asunto del *Alabama*[4], aunque ya haya sido resuelto.

—Tal vez —respondió simplemente el señor Fogg.

—En todo caso —prosiguió Fix—, hay dos líderes enfrentados: el honorable Kamerfield y el honorable Mandiboy.

La señora Aouda, del brazo de Phileas Fogg, miraba sorprendida aquella escena tumultuosa, y Fix se disponía a preguntar a uno de sus vecinos cuál era la razón de aquella efervescencia popular, cuando se produjo un movimiento más acusado entre la muchedumbre. Los vivas, coreados por injurias, se hicieron más fuertes. El asta de las banderas se convirtió en arma ofensiva. Aparecieron más manos y más puños por todas partes. Desde lo alto de los coches parados y de los ómnibus detenidos en medio de su carrera se intercambiaban fuertes porrazos. Todo era útil como proyectil. Botas y zapatos describían por el aire breves trayectorias, e incluso pareció que las detonaciones nacionales de algunos revólveres se mezclaban a las vociferaciones de la masa.

La marea humana se aproximó a la escalinata e invadió los primeros escalones. Uno de los bandos en litigio estaba siendo, evidentemente, rechazado, sin que los espectadores pudiesen saber si la ventaja caía de la parte de Mandiboy o de la de Kamerfield.

Litigio: Disputa, contienda.

—Creo que sería prudente que nos retirásemos —dijo Fix, que no deseaba que «su hombre» pudiese recibir un golpe o que le ocurriese una desgracia—. Si, por casualidad, Inglaterra tuviese algo que ver en todo esto y se nos reconoce como ciudadanos ingleses, podríamos pasarlo muy mal.

—Un ciudadano inglés... —respondió Phileas Fogg.

Pero el caballero no pudo acabar su frase. Detrás de él, desde la terraza que dominaba la escalinata, se escucharon terribles alaridos. Se gritaba:

[4] Véase la nota 1 del capítulo V.

—¡Viva! ¡Arriba Mandiboy! ¡Arriba!

Se trataba de un grupo de electores que acudía a reforzar a sus correligionarios, y que atacaba por el flanco a los partidarios de Kamerfield.

Correligionario: Que tiene la misma opinión política que otro.

El señor Fogg, la señora Aouda y Fix se encontraron entre dos fuegos. Era demasiado tarde para escapar. Aquel torrente de hombres, armados con bastones con puño de plomo y mazas, era irresistible. Phileas Fogg y Fix, procurando proteger a la joven, fueron arrollados. El señor Fogg, no menos flemático que de costumbre, quiso defenderse con aquellas armas que la naturaleza ha puesto en el extremo de los brazos de cualquier inglés, pero fue inútil. Un energúmeno, de tez colorada y barba rojiza, ancho de hombros y que parecía ser el jefe de la banda, levantó su formidable puño hacia Phileas Fogg, y el caballero habría salido muy mal parado si Fix, por abnegación, no se hubiese interpuesto y recibido el golpe sobre su cabeza. Un enorme hematoma surgió de inmediato bajo el sombrero de seda del detective, transformado en simple bonete.

Energúmeno: Furioso, alborotado, enfurecido.

Bonete: Especie de gorra, generalmente de cuatro picos, utilizada por los eclesiásticos, graduados, etcétera.

—¡*Yankee!* —dijo el señor Fogg, mirando a su adversario con profundo desprecio.

—¡*Englishman!*[5] —respondió el otro.

—¡Nos volveremos a encontrar!

—Cuando usted guste. ¿Su nombre?

—Phileas Fogg. ¿Y el suyo?

—Coronel Stamp W. Proctor.

Una vez dicho aquello, la marea humana pasó. Fix, que había caído al suelo, se levantó, con el traje destrozado, pero sin ninguna herida seria. Su gabán de viaje se había partido en dos trozos desiguales, y su pantalón se parecía a uno de esos calzones que algu-

[5] En su origen, *yanquee* (yanqui) se aplicaba solo a los habitantes de Nueva Inglaterra, y por extensión a los de todos los estados del Norte. En español ha pasado a ser sinónimo, con cierto matiz despectivo, de estadounidense en general. *Englishman* (inglés) también posiblemente tenga un carácter despectivo. (Ambas en inglés en el original).

nos indígenas —cosas de la moda— no se ponen hasta que, previamente, les han quitado los fondillos. Pero, en definitiva, la señora Aouda estaba ilesa, y únicamente Fix había recibido un puñetazo.

Fondillo: Parte trasera de los calzones o pantalones.

—Gracias —dijo el señor Fogg al inspector cuando se encontraron lejos de aquella marea humana.

—No se merecen —respondió Fix—. Pero vengan ustedes.

—¿Adónde?

—A una tienda de confecciones.

En efecto, aquella visita resultaría bastante oportuna. Las ropas de Phileas Fogg y de Fix estaban hechas jirones, como si aquellos dos caballeros se hubiesen batido por cuenta de los honorables Kamerfield y Mandiboy.

Una hora más tarde se encontraban convenientemente vestidos y peinados. Después regresaron al International Hotel.

Allí, Passepartout se hallaba esperando a su amo armado de media docena de revólveres de seis tiros y pistón central. Cuando se dio cuenta de que Fix estaba en compañía del señor Fogg, su frente se ensombreció. Pero, habiéndole relatado la señora Aouda, en pocas palabras, lo que acababa de suceder, Passepartout se tranquilizó. Resultaba, pues, evidente que Fix ya no era un enemigo, sino un aliado. Cumplía su palabra.

Pistón: Parte central de la cápsula, donde está colocado el fulminante.

Una vez acabada la cena, pidieron un coche para que llevase, tanto a los pasajeros como sus bultos, a la estación. En el momento de subir al vehículo, el señor Fogg preguntó a Fix:

—¿No habrá usted vuelto a ver a ese coronel Proctor?

—No —respondió Fix.

—Volveré a América para encontrarlo —dijo Phileas Fogg fríamente—. No sería conveniente que un ciudadano inglés se dejase tratar de esa manera.

El inspector sonrió y no respondió. Pero, por lo que se veía, el señor Fogg pertenecía a esa clase de ingleses que, si bien no toleraban el duelo en su país, se batían en el extranjero cuando se trataba de defender su honor.

A las seis menos cuarto, los viajeros llegaron a la estación y encontraron el tren dispuesto a partir.

En el momento en que el señor Fogg iba a subir al tren vio a un empleado y le preguntó:

—Dígame, amigo mío, ¿no ha habido hoy algunos incidentes en San Francisco?

—Tan solo se trataba de un mitin, señor —respondió el empleado.

—Sin embargo, me ha parecido notar una cierta animación en las calles.

—Se trataba de un simple mitin electoral.

—Para elegir a un general en jefe, sin duda alguna.

—No, señor. Un juez de paz.

Oído lo cual, Phileas Fogg se subió al vagón, y el tren partió a todo vapor.

Juez de paz: El que antes de la instrucción de los jueces municipales, en 1870, oía a las partes y procuraba reconciliarlas, y resolvía de plano las cuestiones de ínfima cuantía.

Capítulo XXVI

En el que se toma el expreso del ferrocarril del Pacífico

Ocean to Ocean, dicen los americanos, y esas tres palabras deberían ser la denominación general del *grand trunk*[1] que atraviesa los Estados Unidos de América de un lado a otro, por su parte más ancha. Pero, en realidad, el Pacific railroad se divide en dos ramales diferentes: el Central Pacific, entre San Francisco y Ogden, y el Union Pacific, entre Ogden y Omaha. Allí enlazan cinco líneas diferentes que ponen Omaha en constante comunicación con Nueva York.

Nueva York y San Francisco se encuentran, por tanto, actualmente unidas por una línea férrea ininterrumpida que no mide menos de tres mil setecientas ochenta y seis millas. Entre Omaha y el Pacífico, el ferrocarril atraviesa una región todavía frecuentada por los indios y las fieras, vasta extensión de territorio que los mormones empezaron a colonizar hacia 1845, después de que fuesen expulsados de Illinois.[2]

Sin embargo, antaño, y en las circunstancias más favorables, se necesitaban seis meses para ir de Nue-

[1] *Ocean to ocean* significa «de océano a océano». *Grand trunk,* «línea grandiosa, imponente», es la línea principal de los ferrocarriles. (Ambas en inglés en el original).

[2] Los *mormones* son los miembros de una secta fundada por el norteamericano Joseph Smith en 1830, llamada Iglesia de Jesucristo de los santos del último día. A la muerte de Smith (1844), su sucesor, Brigham Young, condujo a los mormones desde Illinois hasta Utah (1846-1847), donde se establecieron, fundando Salt Lake City, a orillas del Gran Lago Salado. Véase el capítulo siguiente, y, para ampliar detalles, puede consultarse la obra *Estudio en escarlata,* de Arthur Conan Doyle, n.º 11 de esta colección, donde se relata la peregrinación de los mormones.

va York hasta San Francisco. Actualmente, tan solo son necesarios siete días.

Fue en 1862 cuando, pese a la oposición de los diputados del Sur, que lo querían más meridional, el trazado de la *railroad*[3] se limitó al espacio comprendido entre los paralelos cuarenta y uno y cuarenta y dos. Y fue el mismo presidente Lincoln[5], de tan añorada memoria, quien fijó, en el estado de Nebraska, la ciudad de Omaha como la cabecera de línea de la nueva red. Los trabajos se iniciaron rápidamente, y se llevaron a cabo con esa actividad americana que no es ni perezosa ni burocrática. La rapidez en su ejecución no perjudicó, en modo alguno, la buena ejecución del proyecto. En las praderas se avanzaba a razón de una milla y media diarias. Sobre los raíles tendidos la víspera, una locomotora transportaba los necesarios para el tendido a realizar el día siguiente, y corría sobre ellos a medida que iban siendo colocados.

Añorada: Que es recordada con pena [la ausencia, privación o pérdida de una persona o cosa].

El Pacific railroad posee numerosas ramificaciones a todo lo largo de su recorrido, en los estados de Iowa, Kansas, Colorado y Oregón. Al dejar atrás Omaha, bordea la orilla izquierda del río Platte hasta la bifurcación de su brazo septentrional, y, siguiendo el meridional, atraviesa las tierras de Laramie y los montes Wahsatch, rodea el lago Gran Lago Salado y llega a Salt Lake City, la capital de los mormones, para introducirse en el valle de Tuilla; después, atraviesa el desierto americano, los montes Cedar y Humboldt, el río Humboldt, la Sierra Nevada y, finalmente, desciende por Sacramento hasta el Pacífico sin que a todo lo largo de este trazado se superen pendientes de más de ciento doce pies por milla, incluso en la travesía de las Montañas Rocosas.

[3] «Línea férrea», «ferrocarril». (En inglés en el original).

[4] Abraham Lincoln (1809-1865), político norteamericano; elegido presidente en 1860, durante su mandato estalló la guerra de Secesión a causa de la emancipación de los esclavos, que proclamó en enero de 1863; murió asesinado por J. W. Booth, un fanático sudista.

Así era esa larga arteria que los trenes recorren en siete días y que iba a permitir al honorable Phileas Fogg —al menos así lo esperaba él— tomar, el día 11, en Nueva York, el paquebote de Liverpool.

El vagón ocupado por Phileas Fogg era una especie de largo ómnibus que descansaba sobre dos trenes formados por cuatro ruedas cada uno, cuya movilidad permitía, incluso, atacar las curvas más cerradas. En su interior no había compartimientos, sino dos filas de asientos, dispuestos de cada lado, perpendicularmente al eje, y entre las que se había reservado una especie de pasillo que conducía a los retretes y otros servicios que cada vagón contenía. Todo a lo largo del tren, los vagones se comunicaban entre sí por pasarelas, y los pasajeros podían circular de uno a otro extremo del convoy, y hacer uso de los vagones salón, terraza, restaurante y café. Tan solo faltaba un vagón teatro. Pero algún día los habrá.

Sobre las pasarelas circulaban incesantemente vendedores de libros y periódicos ofreciendo sus mercancías, así como vendedores de licores, comestibles y cigarros, que no carecían de parroquianos.

Parroquiano: Cliente que se sirve de un comerciante o industrial con preferencia a otros.

Los viajeros salieron de la estación de Oakland a las seis de la tarde. Ya era de noche, una noche fría, oscura y con el cielo cubierto por nubes que amenazaban una nevada. El tren no rodaba con excesiva rapidez. Y, teniendo en cuenta las paradas, no recorrería más de veinte millas a la hora, velocidad que, no obstante, debería permitirle cruzar los Estados Unidos en el tiempo reglamentado.

Se hablaba poco en el vagón. Y, por otra parte, el sueño se iba apoderando de los viajeros. Passepartout estaba situado junto al inspector de policía, pero no le hablaba. Después de los últimos acontecimientos, sus relaciones se habían enfriado considerablemente. Con la simpatía había desaparecido la intimidad. Fix no había cambiado en su forma de ser, pero Passepartout se mantenía, por el contrario, extremadamente reservado, dispuesto a estrangular a su antiguo amigo a la menor sospecha.

Una hora después de la salida del tren comenzó a nevar —una nieve muy fina que no podía, afortunadamente, retrasar la marcha del tren—. Ya no se veía a través de las ventanillas más que un inmenso manto blanco, sobre el que las volutas del vapor exhalado por la locomotora parecían tener un color grisáceo.

Voluta: Espiral.
Exhalado: Despedido, lanzado.

A las ocho entró un *steward* en el vagón y anunció a los viajeros que había llegado la hora de acostarse. Aquel vagón era un *sleeping car*[5], y, en unos pocos minutos, quedó transformado en un dormitorio. Los respaldos de los asientos se plegaron y aparecieron unos camastros cuidadosamente enrollados, que fueron desplegados por medio de un ingenioso sistema; en unos instantes se improvisaron unos compartimientos, y cada viajero pudo disponer, muy pronto, de un confortable lecho protegido de miradas indiscretas por tupidas cortinas. Las sábanas eran blancas y las almohadas blandas. No quedaba ya más que acostarse y dormir —lo que cada cual llevó a cabo como si se hubiese encontrado en el cómodo camarote de un paquebote—, mientras que el tren proseguía su marcha a todo vapor a través del estado de California.

El territorio que se extiende entre San Francisco y Sacramento es de terreno poco accidentado. Esa parte del ferrocarril, llamada Central Pacific road, tomaba Sacramento como punto de partida y avanzaba después hacia el Este al encuentro del que partía de Omaha. De San Francisco hasta la capital de California, la línea corría directamente hacia el Nordeste, siguiendo el río American, que desemboca en la bahía de San Pablo. Las ciento veinte millas comprendidas entre aquellas dos importantes ciudades fueron recorridas en seis horas, y, hacia la medianoche, mientras

[5] *Steward* significa «camarero», y *sleeping car*, «coche cama». (En inglés en el original).

dormían su primer sueño, los viajeros pasaron por Sacramento. No vieron, por tanto, nada de aquella importante ciudad, sede legislativa del estado de California, ni sus magníficos muelles, ni sus anchas calles, ni sus espléndidos hoteles, ni sus palacios, ni sus templos.

Al salir de Sacramento, el tren, después de haber pasado por las estaciones de Junction, Roclin, Auburn y Colfax, se internó en el macizo de Sierra Nevada. Eran las siete de la mañana cuando pasó por la estación de Cisco. Una hora más tarde, el dormitorio se hallaba convertido, de nuevo, en un vagón ordinario, y los viajeros pudieron vislumbrar a través de las ventanillas el pintoresco paisaje de aquel país montañoso. El trazado de la línea férrea obedecía a los caprichos de la sierra, adhiriéndose aquí a los flancos de la montaña, y suspendiéndose allá sobre los precipicios, al tiempo que evitaba, siempre mediante audaces curvas, los ángulos muy cerrados, e internándose por los angostos desfiladeros que parecían no tener salida. La locomotora, brillante como un relicario, con su gran farol que lanzaba resplandores rojizos, su campana plateada y su «quitavacas»[6] que se extendía como un espolón, mezclaba sus silbidos y mugidos a los de los torrentes y cascadas, mientras el humo de su chimenea se enroscaba en las oscuras ramas de los pinos.

Había pocos, o ningún túnel, ni puentes sobre su recorrido. La vía férrea contorneaba el flanco de las montañas, sin violentar a la naturaleza, no buscando la línea recta como camino más corto entre dos puntos.

Hacia las nueve, el tren penetró por el valle de Carson en el estado de Nevada, siguiendo siempre la dirección Nordeste. Al mediodía dejaba Reno, donde

Angosto: Estrecho.

Relicario: Caja o estuche, generalmente. precioso, para custodiar reliquias.

Espolón: Remate de la proa de una nave, y en especial la punta de hierro, afilada y saliente, que servía para embestir a los buques enemigos.

[6] Se refiere al saliente que las locomotoras llevan en su parte delantera, a ras de suelo, que les permite despejar la vía de posibles obstáculos, nieve, troncos o, como dice Verne, vacas.

los viajeros dispusieron de veinte minutos para almorzar.

Desde aquel punto, la vía férrea, bordeando el río Humboldt, subió durante unas cuantas millas hacia el Norte, siguiendo el curso del río. Luego se desvió hacia el Este, y no abandonó el curso del río hasta haber llegado a las Humboldt Ranges, donde el río tiene sus fuentes, casi en el extremo oriental del estado de Nevada.

Después de haber almorzado, el señor Fogg, la señora Aouda y sus acompañantes ocuparon sus asientos en el vagón. Phileas Fogg, la joven, Fix y Passepartout, cómodamente instalados, contemplaban el variado paisaje que pasaba ante sus ojos —vastas praderas, montañas perfilándose en el horizonte, creeks[7] de aguas espumosas—. De cuando en cuando, una gran manada de bisontes se destacaba a lo lejos, cobrando la apariencia de un dique móvil. Aquellos innumerables ejércitos de rumiantes oponían, con frecuencia, un obstáculo insuperable al paso de los trenes. Se ha visto a millares de esos animales desfilar, durante horas, en apretadas filas, a través de las vías del ferrocarril. Las locomotoras se ven, entonces, obligadas a detenerse y a esperar a que la vía quede de nuevo libre.

Dique: Muro hecho para contener las aguas.

Y fue eso lo que ocurrió en aquella ocasión. Hacia las tres de la tarde, una manada de diez a doce mil cabezas interceptó la vía férrea. La locomotora, después de haber reducido su velocidad, trató de hundir su espolón en el flanco de la inmensa columna, pero se vio obligada a detenerse ante aquella masa impenetrable.

Se veía a aquellos rumiantes —los búfalos, como los llaman impropiamente los americanos— caminar con paso tranquilo y emitiendo, en ocasiones, formidables bramidos. Poseían una talla superior a la de

[7] «Riachuelos». (En inglés en el original).

los toros europeos, con las patas y la cola cortas, la alzada saliente que formaba una giba musculosa, los cuernos separados en su base y el cuello cubierto por una crin de largos pelos. No se podía ni soñar con detener aquella migración. Cuando los bisontes toman un camino, nada puede detener o modificar su marcha. Es un torrente de carne viva que ningún dique podría contener.

Jiba: Joroba.

Los pasajeros, distribuidos sobre las pasarelas, contemplaban aquel curioso espectáculo. Pero, de entre todos ellos, aquel que más prisa debería tener, Phileas Fogg, siguió en su sitio, esperando filosóficamente a que los búfalos tuviesen el placer de dejar el camino libre. Passepartout se sentía furioso por el retraso que causaba aquella aglomeración de animales. Hubiese querido descargar contra ellos su arsenal de revólveres. «¡Qué país! —se decía—. ¡Unos simples bueyes pueden aquí detener un tren y pasearse en procesión, sin prisa, como si no interrumpieran el tráfico! ¡Pardiez! Me gustaría saber si el señor Fogg tenía previsto este contratiempo en su programa. ¡Y a este maquinista ni siquiera se le ocurre lanzar su locomotora contra ese molesto rebaño!».

El maquinista ni siquiera intentó salvar aquel obstáculo, y había actuado con toda prudencia. Sin duda alguna, habría aplastado a los primeros búfalos atacados por el espolón de la locomotora; pero, por muy potente que aquella fuera, muy pronto habría sido detenida en su marcha, y se habría producido, inevitablemente, un descarrilamiento, y el tren habría tenido que quedarse allí, en una situación muy difícil.

Lo mejor era, pues, esperar pacientemente, e intentar después ganar el tiempo perdido forzando la marcha del tren. El desfile de los bisontes duró tres largas horas, y la vía no se encontró libre hasta el anochecer. En aquel momento, las últimas filas de la manada atravesaron los raíles, mientras que las primeras de ellas desaparecían por el horizonte, hacia el Sur.

Eran, por tanto, las ocho de la noche cuando el tren cruzó los desfiladeros de las Humboldt Ranges, y las nueve y media cuando se adentró en el territorio de Utah, la región del Gran Lago Salado, el curioso país de los mormones.

Capítulo XXVII

En el que Passepartout sigue un curso de historia mormona, a veinte millas por hora

Durante la noche del 5 al 6 de diciembre, el tren corrió hacia el Sudeste por espacio de unas cincuenta millas; después volvió a subir otras tantas millas hacia el Nordeste, y a aproximarse al Gran Lago Salado.

Passepartout se fue a tomar el aire a una de las pasarelas hacia las nueve de la mañana. El tiempo era frío y el cielo estaba gris, pero no nevaba. El disco solar, ampliado por las brumas, se aparecía como una enorme moneda de oro, y Passepartout se hallaba distraído calculando su valor en libras esterlinas, cuando la aparición de un extraño personaje le llamó la atención.

Aquel personaje, que se subió al tren en la estación de Elko, era un hombre de alta estatura, muy moreno, con bigotes negros, calcetines negros, sombrero negro de seda, chaleco negro, pantalón negro, corbata blanca y guantes de piel de perro. Parecía un reverendo. Iba de un extremo a otro del tren, y, sobre las puertas de cada vagón, pegaba con lacre unas notas escritas a mano.

Passepartout se aproximó, y leyó en una de aquellas notas que el honorable *elder*[1] William Hitch, misionero mormón, aprovecharía su presencia en el tren número 48 para dar, de once a doce, en el vagón número 117, una conferencia sobre mormonismo, por lo que invitaba a que lo escucharan a todos los caballeros de-

Reverendo: Se aplica como tratamiento a las dignidades eclesiásticas y a los prelados y graduados de las órdenes religiosas.

Lacre: Pasta de goma laca y trementina que se emplea, derretida, para cerrar y sellar cartas, documentos, etcétera.

[1] «Dignatario». (En inglés en el original).

seosos de instruirse sobre los misterios de la religión de los «Santos del último día»[2].

«Iré sin duda alguna», se dijo Passepartout, quien no conocía del mormonismo más que sus costumbres polígamas, base de la sociedad mormona.

Polígamo: Hombre que tiene a un tiempo varias mujeres en calidad de esposas.

Incentivo: Estímulo.

La noticia se extendió rápidamente por el tren, que transportaba un centenar de viajeros. De ellos, unos treinta como mucho, atraídos por el incentivo de la conferencia, ocupaban, a las once, los bancos del vagón número 117. Passepartout se encontraba en la primera fila de fieles. Ni su amo, ni Fix, se molestaron en acudir.

A la hora fijada, el *elder* William Hitch se levantó y, con un tono de voz bastante áspero, como si ya lo hubiesen contrariado por adelantado, exclamó:

—Yo os digo que Joe Smyth es un mártir, que su hermano Hyram es un mártir, y que las persecuciones del gobierno de la Unión contra los profetas van a convertir, también, a Brigham Young en un mártir. ¿Hay alguien que se atreva a sostener lo contrario?

Fisonomía: Aspecto.

Nadie se arriesgó a contradecir al misionero, cuya exaltación contrastaba con su fisonomía naturalmente tranquila. Pero, sin duda alguna, su cólera se explicaba por el hecho de que el mormonismo estaba, en aquellos momentos, siendo sometido a duras pruebas. Y, en efecto, el gobierno de los Estados Unidos acababa de reducir, no sin dificultades, a aquellos fanáticos independientes. Se había hecho con el control de Utah, y lo había sometido a las leyes de la Unión después de haber encarcelado a Brigham Young acusado de rebelión y poligamia. Desde entonces, los discípulos del profeta redoblaban sus esfuerzos, y se resistían con la palabra a las pretensiones del Congreso, en espera de poder hacerlo con sus actos.

Reducir: Someter.

Proselitismo: Celo de conseguir partidarios o adeptos.

Se ve que el *elder* William Hitch hacía proselitismo hasta en los mismos trenes.

[2] Véae la nota 2 del capítulo XXVI.

Y, entonces, contó con voz apasionada y gestos violentos la historia del mormonismo desde los tiempos bíblicos, explicando «cómo, en Israel, un profeta mormón de la tribu de José publicó los anales de la nueva religión, y después los legó a su hijo Morom; cómo muchos siglos más tarde, una traducción de aquel precioso libro, escrito con caracteres egipcios, fue realizada por Joseph Smyth hijo, granjero del estado de Vermont, quien se reveló como profeta místico en 1825; cómo, finalmente, un mensajero celeste se le apareció en un bosque luminoso y le entregó los anales del Señor».

Anales: Relato histórico, crónica.

En aquel momento, algunos oyentes poco interesados por aquella narración retrospectiva, abandonaron el vagón; pero William Hitch siguió narrando «cómo Smyth hijo, reuniendo a su padre, sus hermanos y algunos discípulos, fundó la religión de los Santos del último día —religión que, al haber sido adoptada no solo en América, sino también en Inglaterra, Escandinavia y Alemania, contaba entre sus fieles a artesanos y a un gran número de personas que ejercen profesiones liberales—; cómo se fundó una colonia en Ohio; cómo se construyó un templo, que costó doscientos mil dólares, y se edificó una ciudad en Kirkland; cómo Smyth se convirtió en audaz banquero y recibió, de un simple guía para visitantes de tumbas faraónicas, un papiro conteniendo una narración escrita por la propia mano de Abraham[3] y otros célebres egipcios».

Profesión liberal: La que no tiene carácter o reglamentación oficial. También, cualquiera de las que requieren el ejercicio del entendimiento.

Como aquel relato se iba haciendo demasiado largo, las filas de oyentes se aclararon todavía más, y el público quedó reducido a una veintena de personas.

Pero el *elder,* sin preocuparse de aquellas deserciones, contó con todo detalle «cómo Joe Smyth dio en bancarrota en 1837; cómo sus accionistas arruinados lo untaron de alquitrán y lo emplumaron; cómo rea-

Bancarrota: Quiebra (acción y efecto), especialmente la fraudulenta.

[3] Abraham, patriarca bíblico del siglo XIX a. C., fundador del pueblo hebreo, venerado como padre de la fe por hebreos, cristianos y mahometanos.

pareció más honorable y más honrado que nunca, años más tarde, en Independence, en Missouri, como jefe de una comunidad floreciente que no poseía menos de tres mil discípulos, y cómo, acosado por el odio de los gentiles, se vio obligado a huir al *Far West*[4] americano».

Quedaban todavía diez oyentes y, entre ellos, Passepartout, que escuchaba atentamente. Fue así como se enteró de que «después de largas persecuciones, Smyth reapareció en Illinois y fundó, en 1839, a las orillas del Mississippi, Nauvoo la Belle, población que llegó a alcanzar la cifra de veinticinco mil almas; cómo Smyth se convirtió en alcalde, juez supremo y general en jefe; cómo en 1843 presentó su candidatura a la presidencia de los Estados Unidos, y cómo, finalmente, después de caer en una emboscada en Carthage, fue encarcelado y asesinado por una banda de hombres enmascarados».

Al llegar a este punto, Passepartout se encontraba totalmente solo en el vagón, y el *elder*, mirándolo a los ojos, lo fascinaba con su palabra. Le recordó que, dos años después del asesinato de Smyth, su sucesor, el profeta inspirado Brigham Young, abandonó Nauvoo para ir a establecerse a las orillas del Gran Lago Salado, y que, una vez allí, sobre aquel maravilloso territorio, en medio de aquella fértil región, en la ruta de los emigrantes que atravesaban Utah para llegar al estado de California, la nueva colonia, gracias a los principios polígamos del mormonismo, se extendió considerablemente.

—Y he aquí por qué —añadió William Hitch— los celos del Congreso se han desatado contra nosotros, por qué los soldados de la Unión han hollado el suelo de Utah, por qué nuestro jefe, el profeta Brigham Young ha sido encarcelado con desprecio de toda justicia. ¿Cederemos a la fuerza? ¡Nunca! Expulsados de

Hollar: Pisar.

[4] «Lejano Oeste». (En inglés en el original).

Vermont, expulsados de Illinois, expulsados de Ohio, expulsados de Missouri, expulsados de Utah, volveremos a encontrar algún territorio independiente sobre el que plantaremos nuestras tiendas... Y tú, mi fiel oyente —añadió el *elder*, posando en el único oyente su enfurecida mirada—, ¿plantarás tu tienda a la sombra de nuestra bandera?

—No —contestó valientemente Passepartout, quien a su vez huyó, dejando al energúmeno predicar en el desierto.

Pero, durante el tiempo que duró aquella conferencia, el tren corrió con rapidez, y, hacia las doce y media, alcanzaba la punta noroccidental del Gran Lago Salado. Desde allí se podía dominar, en un vasto perímetro, el aspecto de aquel mar interior que lleva, también, el nombre de mar Muerto, y en el que desemboca, asimismo, un Jordán americano. Lago admirable, rodeado de grandes estratos de agrestes rocas, cubiertas por la blanca sal, soberbia capa de agua que antaño cubría un espacio mucho mayor, pero que, al elevarse con el tiempo sus orillas, redujo su superficie y aumentó su profundidad.

Estrato: Capa.

El Gran Lago Salado, de unas setenta millas de largo por treinta y cinco de ancho, se encuentra situado a tres mil ochocientos pies sobre el nivel del mar. Muy diferente al lago Asfaltites[5], cuya depresión alcanza los mil doscientos pies por debajo del nivel del mar, su salinidad es muy elevada y sus aguas contienen en disolución el cuarto de su peso en materia sólida. Su peso específico es de 1.170, mientras que el del agua destilada es de 1.000. Es por esto por lo que los peces no pueden vivir en sus aguas. Y aquellos que son lanzados al lago por los ríos Jordán, Weber y otros *creeks*, mueren muy pronto; pero, no obstante, no es cierto que la densidad de sus aguas sea tal, que un hombre no pueda sumergirse en ellas.

Peso específico: El de un cuerpo en comparación con el de otro de igual volumen tomado como unidad.

Agua destilada: La evaporada y reducida luego a líquida por medio del frío.

[5] Antiguo nombre del mar Muerto.

Alrededor del lago, la campiña estaba admirablemente cultivada, ya que los mormones conocen muy bien la agricultura; ranchos y corrales para los animales domésticos, campos de trigo, maíz y sorgo, frondosas praderas, setos de rosales silvestres por todas partes, de acacias y de euforbios, tal sería el aspecto de aquella comarca seis meses más tarde; pero en aquel momento el suelo desaparecía bajo una fina capa de nieve, que lo empolvaba ligeramente.

Sorgo: Zahína, planta graminácea, de granos mayores que los cañamones, que se usan para alimento de las aves y para hacer pan.

Acacia: Árbol o arbusto papilionáceo con flores en racimos colgantes. De algunas de sus especies se obtiene la goma arábiga.

Euforbio: Planta euforbiácea africana, de tallo carnoso, con espinas muy duras, de la cual se extrae una gomorresina usada en medicina.

A las dos, los viajeros descendieron en la estación de Ogden. El tren no reemprendería su marcha hasta las seis de la tarde. El señor Fogg, la señora Aouda y sus dos compañeros tenían, pues, tiempo más que suficiente para llegarse hasta la Ciudad de los Santos, por un caminito que salía de la estación de Ogden. Con dos horas bastaba para visitar aquella ciudad típicamente americana, y, como tal, edificada según el modelo de todas las ciudades de la Unión, que es el de un vasto tablero de ajedrez de largas líneas frías, con «la tristeza lúgubre de los ángulos rectos», según la expresión de Victor Hugo[6]. El fundador de la Ciudad de los Santos no había podido huir de esa necesidad de simetría que caracteriza a los anglosajones. En aquel singular país, en el que los hombres no se encuentran ciertamente a la altura de las instituciones, todo se hace «a escuadra»[7], las ciudades, las casas y las tonterías.

A las tres, los viajeros se paseaban por las calles de la ciudad, edificada entre la orilla del río Jordán y las primeras ondulaciones de los montes Wahsatch. Vieron muy pocas o ninguna iglesia, pero, por lo que

[6] Victor Hugo (1802-1885), poeta, novelista y dramaturgo francés, una e las grandes figuras de la literatura del siglo XIX; fue par de Francia, miembro de la Academia francesa y diputado en la Asamblea constituyente de 1848, y tuvo que exiliarse en 1851 a la subida al poder de Luis Napoleón. Sus obras más conocidas son *Los miserables* y *Nuestra Señora de París.*

[7] El autor hace aquí un juego de palabras al emplear el término *carrément,* que podría ser traducido también por «resueltamente».

a monumentos se refiere, pudieron contemplar la casa del profeta, el palacio de Justicia y el Arsenal; las casas eran de ladrillo azulado, con balcones y miradores, y estaban rodeadas por jardines con acacias, palmeras y algarrobos. Una muralla de arcilla y piedra, construida en 1853, rodeaba la ciudad. En la calle principal, en la que se encontraba el mercado, se elevaban varios hoteles adornados con banderas, y entre ellos el Lake Salt House.

Algarrobo: Árbol leguminoso papilionáceo, propio de las regiones templadas, de hojas persistentes, cuyo fruto es una vaina azucarada y comestible con semillas pequeñas y duras.

El señor Fogg y sus compañeros no encontraron la ciudad muy animada. Las calles estaban prácticamente desiertas, a excepción en todo caso de la zona del Templo, a la que no accedieron hasta que hubieron atravesado varios barrios rodeados de empalizadas. Las mujeres eran bastante numerosas, lo que se explica por la singular composición de las familias mormonas. No se debe pensar, sin embargo, que todos los mormones sean polígamos. Pueden decidirlo con toda libertad, pero es necesario señalar que son las ciudadanas de Utah precisamente las más interesadas en casarse, ya que, de acuerdo con la religión mormona, el cielo mormón no admite que las mujeres solteras disfruten de su bienaventuranza. Aquellas pobres criaturas no parecían ni contentas ni felices. Algunas de ellas, las más ricas sin duda, llevaban una chaqueta de seda negra abierta por el talle, bajo una capucha o un chal de lo más modesto. Las demás iban vestidas como indias.

Passepartout, en tanto que solterón empedernido, no dejaba de mirar con cierto temor a aquellas mormonas encargadas de conseguir entre varias de ellas la felicidad de un solo mormón. A su juicio, sería al marido a quien habría que compadecer. Le parecía terrible aquello de tener que guiar a varias señoras al mismo tiempo a través de las vicisitudes de la vida, conducirlas en grupo hasta el paraíso mormón, con la única perspectiva de volver a encontrarlas allí en compañía del glorioso Smyth —que debía de servir de adorno en aquel delicioso lugar— para toda la eternidad. Decididamente no tenía vocación para aquello, y le parecía —aunque tal vez esto fuese un error por su parte— que las ciudadanas de Great Lake City lanzaban a su persona miradas harto inquietantes.

Afortunadamente, su estancia en la Ciudad de los Santos no debería prolongarse demasiado. A las cuatro menos unos minutos los viajeros se encontraban de nuevo en la estación, y ocuparon sus asientos en el vagón.

Se oyó un silbido;[8] pero en el momento en que las ruedas motrices de la locomotora, patinando sobre los raíles, empezaban a imprimir al tren cierta velocidad, resonaron los gritos de «¡Alto! ¡Alto!». Un tren en marcha no se para. El caballero que profería aquellos gritos era evidentemente un mormón que llegaba con retraso. Corría desesperadamente, echando el bofe. Afortunadamente para él la estación no tenía ni puertas ni barreras. Se lanzó, pues, a la vía, saltó al estribo del último vagón, y cayó desfallecido sobre uno de los asientos.

Echar el bofe: Afanarse, trabajar excesivamente.

Estribo: Especie de escalón que sirve para subir o bajar de los carruajes.

Passepartout, que siguió con emoción el desarrollo de los incidentes de aquel gimnasta, se acercó a observar al rezagado, por el que sintió un vivo interés cuando se enteró de que el motivo de la huida de aquel ciudadano de Utah no era otro que una disputa conyugal.

Cuando el mormón recuperó el aliento, Passepartout se arriesgó a preguntarle cortésmente cuántas mujeres tenía para él solo, ya que, por la forma de fugarse, habría que suponerle al menos una veintena de ellas.

—¡Una sola, señor! —respondió el mormón, levantando los brazos al cielo—. ¡Una! ¡Y ya es bastante!

[8] Verne tiene un nuevo lapsus, ya que anteriormente dice que el tren saldría a las seis; del párrafo anterior se desprende que son las cuatro cuando los viajeros toman el tren y este arranca.

Capítulo XXVIII

En el que Passepartout no consiguió hacer entender el lenguaje de la razón

El tren, al dejar atrás Great Salt Lake y la estación de Ogden, subió durante una hora hacia el Norte, hasta el río Weber, a unas novecientas millas de San Francisco. A partir de aquel punto volvió a dirigirse hacia el Este, a través del accidentado macizo de los montes Wahsatch. Y fue en esa parte del territorio, comprendida entre aquellos montes y las montañas Rocosas propiamente dichas, donde los ingenieros americanos se encontraron con mayores dificultades. En aquel trecho la subvención del gobierno de la Unión alcanzó los cuarenta y ocho mil dólares por milla de tendido, mientras que en la llanura no era más que de dieciséis mil dólares; pero los ingenieros, tal y como hemos dicho, no violentaron la naturaleza, sino que se plegaron a ella, sorteando sus dificultades, y para alcanzar la gran cuenca no tuvieron que horadar más que un solo túnel en todo el tendido del ferrocarril.

Horadar: Agujerear una cosa de parte a parte.

Fue en el mismo lago Salado donde el trazado de la vía férrea alcanzó la mayor altitud. Desde aquel punto su perfil describía una curva muy alargada que descendía hasta el valle del Bittercreek, para remontarse de nuevo hasta la línea divisoria de las cuencas del Atlántico y el Pacífico. Los ríos eran muy numerosos en aquella región montañosa. Fue necesario salvar con puentecillos el Muddy, el Green y algunos otros. Passepartout se sentía cada vez más impaciente a medida que se aproximaban a la meta. Pero Fix, por su parte, habría querido salir ya de aquella difícil comarca. Temía los retrasos, le inquietaban los posibles accidentes, y tenía mucha más prisa que el mismo Phileas Fogg por poner cuanto antes el pie en tierra inglesa.

A las diez de la noche el tren se detuvo en la estación de Fort Bridger, de donde volvió a salir casi inmediatamente, y veinte millas más allá empezó a adentrarse en el estado de Wyoming —la antigua Dakota[1]—, siguiendo el valle del Bittercreek, en donde nace una buena parte de las aguas que conforman el sistema hidrográfico del Colorado.

Al día siguiente, 7 de diciembre, se detuvieron durante un cuarto de hora en la estación de Green River. La nieve había caído durante la noche con abundancia, pero, mezclada con la lluvia y medio fundida, no podía entorpecer la marcha del tren. Sin embargo aquel mal tiempo no dejó de inquietar a Passepartout, ya que la posible acumulación de las nieves, al enlodazar las ruedas de los vagones, podría en efecto llegar a comprometer el viaje.

Enlodazar: Enlodar, embarrar.

—¡También mi amo! —se decía—. ¡A quién se le ocurre viajar en invierno! ¿No podría haber esperado a la buena estación para aumentar sus posibilidades de éxito?

Pero en aquel momento, en que el buen muchacho no se ocupaba más que del estado del cielo y de la disminución de la temperatura, la señora Aouda sentía temores mucho más fuertes, que provenían de una causa totalmente distinta.

En efecto, algunos viajeros habían descendido de sus vagones y se paseaban por la estación de Green River, mientras esperaban la salida del tren. Y fue entonces cuando, a través de la ventanilla, la joven reconoció entre ellos al coronel Stamp W. Proctor, aquel americano que se había comportado tan groseramen-

[1] En 1869, separándose de Dakota, se constituyó como estado independiente, integrándose en la Unión en 1890.

te con Phileas Fogg durante el mitin de San Francisco. La señora Aouda, temiendo ser reconocida, se echó rápidamente hacia atrás.

Aquella circunstancia impresionó vivamente a la joven. Se sentía muy unida al hombre que, tan fríamente como se quiera, le daba día a día las pruebas de su más absoluta dedicación. Sin duda, no comprendía cuál era la amplitud del sentimiento que le inspiraba su salvador, y a aquel sentimiento ella no le daba todavía otro nombre que el de agradecimiento, pero, pese a ello, había algo más que todo eso. Así es que su corazón se estremeció cuando reconoció al grosero personaje, al que el señor Fogg, antes o después, deseaba pedir explicaciones por su conducta. Evidentemente tan solo el azar había llevado hasta aquel tren al coronel Proctor, pero, en fin, allí estaba, y era necesario impedir a toda costa que Phileas Fogg viera a su adversario.

Cuando el tren reemprendió la marcha, la señora Aouda aprovechó unos instantes en que el señor Fogg se encontraba adormilado en su asiento, para poner a Fix y a Passepartout al corriente de la situación.

—¡Que Proctor se encuentra en el tren! —exclamó Fix—. Pues bien, quede usted tranquila, señora, que, antes de vérselas el tal... con el señor Fogg, tendrá que vérselas conmigo. Me parece que en todo este asunto sigo siendo yo quien ha recibido los peores insultos.

—Y además —añadió Passepartout—, yo me encargo de él, por más coronel que sea.

—Señor Fix —prosiguió la señora Aouda—, el señor Fogg no permitirá que nadie se vengue en su nombre. Es muy capaz, él mismo lo ha dicho, de regresar a América para buscar a ese ofensor. Por tanto, si se encuentra con el coronel Proctor, no podremos hacer nada por impedir su enfrentamiento, que podría tener fatales consecuencias. Es, pues, indispensable que no lo vea.

—Tiene usted razón, señora —respondió Fix—. Un enfrentamiento podría echarlo todo a perder. Vencedor o vencido, el señor Fogg se vería retrasado y...

—Y —añadió Passepartout— eso sería harto favorable para los caballeros del Reform Club. Dentro de cuatro días estaremos en Nueva York. Pues bien, si durante estos cuatro días mi amo no abandona el vagón, podremos tener esperanzas de que el azar no le pondrá frente a frente con ese maldito americano que Dios confunda. Y podríamos muy bien impedirlo...

La conversación se detuvo. El señor Fogg se despertó y se puso a mirar la campiña a través de las ventanillas salpicadas de nieve. Pero más tarde y, sin que su amo ni la señora Aouda lo escucharan, Passepartout se dirigió al inspector de policía, preguntándole:

—¿Realmente se batiría usted en su lugar?

—Haré todo lo posible por llevarlo vivo a Europa —respondió simplemente Fix con un tono de voz que dejaba bien clara su voluntad implacable.

Passepartout sintió como si un escalofrío le recorriese todo el cuerpo, pero sus convicciones hacia su amo permanecieron inalterables.

Pero ¿habría alguna forma de retener al señor Fogg en aquel vagón, a fin de evitar cualquier posible encuentro con el coronel? No sería imposible, siendo el *gentleman* como era de un natural más bien poco agitado y poco curioso. En todo caso, el inspector de policía creyó haber encontrado un medio de evitarlo, puesto que momentos más tarde decía a Phileas Fogg:

—¿No le parece, señor, que aquí en el tren las horas se hacen mucho más largas y pesadas?

—En efecto —respondió el *gentleman*—, pero pasan.

—A bordo de los paquebotes —prosiguió el inspector—, solía usted echar la partida de *whist.*

—Sí —respondió Phileas Fogg—, pero aquí sería difícil, pues no tengo cartas ni compañeros de juego.

—¡Oh! Las cartas no será difícil comprarlas. Se vende de todo en estos trenes americanos. En cuanto a los compañeros de juego, si por casualidad la señora...

—En efecto, señor —respondió con viveza la joven—, sé jugar al *whist*. No olvide usted que forma parte de la educación inglesa.

—Y yo —prosiguió Fix—, creo poder afirmar que juego bastante bien. De modo que, entre los tres y un muerto...

—Como usted guste, señor —respondió Phileas Fogg, realmente encantado de poder jugar a su juego favorito incluso en el tren.

Passepartout fue enviado en busca del camarero, y regresó muy pronto con dos juegos completos de naipes, papeletas, fichas y una mesita cubierta de fieltro. No faltaba nada. Empezó el juego. La señora Aouda conocía aquel juego lo suficientemente bien, e incluso fue objeto de algunos cumplidos por parte del severo Phileas Fogg. En cuanto al inspector, se trataba de un jugador de primera categoría, y digno por tanto de enfrentarse con el *gentleman*.

Fieltro: Especie de paño no tejido que resulta de conglomerar borra, lana o pelo.

—Ahora —se dijo Passepartout—, ya lo tenemos. ¡No se moverá de aquí!

A las once de la mañana el tren alcanzó la línea divisoria de las cuencas de ambos océanos. Se trataba del Passe Bridger, con una altitud de siete mil quinientos veinticuatro pies por encima del nivel del mar, uno de los puntos más altos alcanzados por el trazado de la vía férrea a su paso por las montañas Rocosas. Unas doscientas millas más adelante los viajeros se encontrarían en las grandes praderas que se extienden hasta el Atlántico y que la naturaleza hizo tan propicias para el establecimiento de la línea férrea.

En la vertiente de la cuenca atlántica se desarrollaban ya los primeros ríos, afluentes o subafluentes del río North Platte. Todo el horizonte, hacia el Norte y el Este, se hallaba cubierto por aquella inmensa cortina semicircular que forma la parte septentrional de las Rocky Mountains, dominada por el pico Laramie. Entre aquella curva y la línea férrea se extendían vastas llanuras abundantemente irrigadas. A la derecha de la vía férrea se escalonaban los primeros declives del macizo montañoso, que se extendía hacia el Sur hasta las fuentes del río Arkansas, uno de los grandes afluentes del Missouri.

Irrigada: Regada.

A las doce y media los viajeros pudieron contemplar durante unos instantes el fuerte Halleck[2], que dominaba aquella comarca. Unas cuantas horas más, y la travesía de las montañas Rocosas se habría llevado a cabo. Podía, pues, suponerse que el paso del tren por aquella difícil región se realizaría sin ningún incidente. Ya no nevaba. El tiempo enfrió y se hizo más seco. Grandes pájaros, asustados por la locomotora, huyeron. Ninguna fiera, oso o lobo, se mostró por la llanura. Era el desierto en su inmensa desnudez.

Después de un desayuno bastante agradable, que les fue servido en el mismo vagón, el señor Fogg y sus compañeros de juego acababan de reanudar su interminable partida de *whist,* cuando se escucharon unos violentos silbidos. El tren se detuvo.

Passepartout se asomó por la puerta del vagón sin ver nada que pudiera haber motivado aquella parada. No había ninguna estación a la vista.

Tanto la señora Aouda como Fix temieron durante unos instantes que el señor Fogg tratase de bajar del tren. Pero el *gentleman* se limitó a decirle a su criado:

—Vaya a ver de qué se trata.

Passepartout se apeó del vagón. Unos cuarenta viajeros ya habían abandonado sus asientos, y entre ellos el coronel Stamp W. Proctor.

El tren se encontraba detenido frente a una señal roja que le cerraba el camino. El maquinista y el revi-

[2] El nombre del fuerte viene del general y jurista norteamericano Henry Wager Halleck (1815-1872), que fue general en jefe de los ejércitos de la Unión en 1862 y dos años después jefe del estado mayor del ejército.

sor, que se apearon a su vez, discutían acaloradamente con un guardavía que el jefe de la estación de Medicine Bow, la más inmediata, había enviado allí para detener el tren. Algunos viajeros se aproximaron y participaron en la discusión, entre ellos el susodicho coronel Proctor, con su voz fuerte y sus gestos imperiosos.

Guardavía: Empleado encargado de la vigilancia constante de un trozo de línea férrea.

Imperioso: Autoritario.

Passepartout se acercó y escuchó al guardavía, que decía:

—¡No! No se puede pasar. El puente de Medicine Bow se tambalea y no soportaría el peso del tren.

Era aquel un puente que se encontraba suspendido sobre un rápido, a una milla de distancia de donde se encontraba detenido el tren. Según el guardavía, amenazaba con desmoronarse, ya que varios de sus cables estaban rotos y era totalmente imposible arriesgarse a atravesarlo. El guardavía, pues, no exageraba en absoluto al afirmar que no se podía pasar. Y, si tenemos en cuenta la conocida temeridad de los americanos, hay que reconocer que, cuando se muestran prudentes, sería una locura no serlo.

Passepartout, sin atreverse a advertir a su amo de lo que ocurría, escuchaba con los dientes apretados, inmóvil como una estatua.

—Supongo —exclamó el coronel Proctor— que no pretenderán ustedes que nos quedemos aquí a echar raíces en la nieve.

—Coronel —respondió el revisor—, ya se ha telegrafiado a la estación de Omaha, para que nos envíen un tren, pero, probablemente, no llegará a Medicine Bow antes de seis horas.

—¡Seis horas! —exclamó Passepartout.

—Sin duda —respondió el revisor—. Además, necesitaremos todo ese tiempo para llegar a pie a la estación.

—¡A pie! —exclamaron todos los pasajeros.

—Pero, entonces, ¿a qué distancia está la estación? —preguntó uno de ellos.

—A doce millas, del otro lado del río.

—¡Doce millas por la nieve! —exclamó el coronel Stamp W. Proctor.

Retahíla: Serie de muchas cosas que están, suceden o se mencionan por su orden.

Imprecación: Maldición.

El coronel lanzó una retahíla de imprecaciones, tanto al revisor como al resto de los presentes, y Passepartout, furioso, le habría hecho coro de buena gana. Esta vez se encontraban con un obstáculo natural, contra el que nada podrían los *banknotes* de su amo.

Guirigay: Griterío y confusión.

El descontento era general entre los viajeros, quienes, sin contar con el retraso, se verían obligados a caminar una quincena de millas a través de la llanura cubierta de nieve. Así es que aquello era un guirigay, con exclamaciones y gritos que, sin duda alguna, habrían llamado la atención de Phileas Fogg si el caballero no se hubiese encontrado totalmente absorbido por el juego.

Sin embargo, a Passepartout no le quedaba más remedio que prevenirlo, y ya se dirigía hacia su vagón con la cabeza baja, cuando el maquinista del tren —un auténtico yanqui llamado Forsters— elevando el tono de voz, anunció:

—Señores, tal vez haya un medio para poder pasar.

—¿Por el puente? —preguntó un viajero.

—Por el puente.

—¿Con el tren? —preguntó el coronel.

—Con el tren.

Passepartout se detuvo y pareció devorar las palabras del maquinista.

—¡Pero el puente está a punto de hundirse! —exclamó el revisor.

—No importa —respondió Forster—. Creo que si nos lanzamos con el tren a toda marcha, tendremos algunas posibilidades de atravesar el puente.

—¡Diablos! —exclamó Passepartout.

Pero un cierto número de viajeros quedaron inmediatamente seducidos por la propuesta. Al coronel Proctor le complacía muy especialmente. Aquel cabeza loca encontró el proyecto muy factible. Recordó incluso que los ingenieros en su tiempo tuvieron la idea de atravesar los ríos «sin puentes», con trenes rígidos lanzados a toda velocidad, etc. A fin de cuentas, todos los interesados por aquel problema apoyaron la idea del maquinista.

—Tenemos un cincuenta por ciento de posibilidades de pasar —dijo uno de ellos.

—Un sesenta —comentó otro.

—¡Un ochenta...! ¡Un noventa por ciento!

Passepartout estaba estupefacto, pues aunque él se hallaba dispuesto a todo con tal de cruzar el Medicine Creek, aquella tentativa le parecía demasiado «americana».

«Pero —se dijo— hay algo mucho más sencillo, y a estas gentes no se les ocurre ni pensarlo...»

—Señor —dijo a uno de los viajeros—, el sistema propuesto por el maquinista me parece algo arriesgado, pero...

—Tiene un ochenta por ciento de probabilidades —le interrumpió el viajero, dándole la espalda.

—Ya lo sé —respondió Passepartout, dirigiéndose a otro caballero—, pero una simple reflexión...

—No hay nada que reflexionar, es inútil —respondió el americano, al tiempo que se encogía de hombros—; si el maquinista ha asegurado que pasaremos, así será.

—Sin duda alguna —prosiguió Passepartout—, pasaremos, pero tal vez fuese más prudente...

—¿Cómo? ¿Prudente? —exclamó el coronel Proctor, al que esa palabra, escuchada por casualidad, le hizo dar un respingo— ¡Han dicho que a gran velocidad! ¿Es que no lo entiende usted? ¡A toda velocidad!

—Lo sé... Lo comprendo... —repetía Passepartout, al que nadie le dejaba decir lo que pretendía—, pero tal vez sería, si no más prudente, puesto que la palabra no le ha gustado, al menos más lógico...

—¿Quién? ¿Qué? ¿Cómo? ¿Qué tiene esto que ver con la lógica? —exclamaron por todas partes.

El pobre muchacho ya no sabía cómo hacerse oír.

—¿Tiene usted miedo? —le preguntó el coronel Proctor.

—¡Miedo yo! —exclamó Passepartout—. ¡Pues bien, sea! Demostraré a toda esta gente que un francés puede ser tan americano como ellos.

—¡Al tren! ¡Al tren! —gritó el revisor.

—¡Sí! ¡Al tren! —repetía Passepartout—. ¡Al tren! ¡Y rápido! Pero nadie podrá hacerme pensar que no habría sido mucho más lógico hacernos pasar primero a pie por el puente a los viajeros, y después que pasase el tren...

Pero nadie escuchó aquella sabia reflexión, y nadie habría querido reconocer lo acertado de ella.

Los viajeros volvieron a sus vagones. Passepartout ocupó su asiento sin decir nada de lo que había ocurrido. Los jugadores estaban enfrascados en el *whist.*

La locomotora silbó poderosamente. El maquinista invirtió el vapor, dio marcha atrás durante casi una milla, retrocediendo como un atleta que quiere tomar impulso.

Después, tras un nuevo silbido, reemprendió la marcha hacia adelante; aceleró; en seguida la velocidad se hizo espantosa; no se escuchaba más que un solo gemido saliendo de la locomotora; los pistones daban veinte revoluciones por segundo; los ejes de las ruedas humeaban en sus cajas de engrase; se sentía, por decirlo así, que el tren, todo él, que corría a una velocidad de cien millas por hora, ya no pesaba sobre los raíles. La velocidad neutralizaba a la gravedad.

¡Y pasó! Fue como un relámpago. No pudieron verlo. El tren saltó, por así decirlo, de una orilla a otra, y era tal el impulso que llevaba, que el maquinista no pudo frenar la locomotora hasta cinco millas más allá de la estación.

Pero, apenas el tren hubo cruzado el río, el puente, definitivamente arruinado, se desplomó con gran estrépito sobre los rápidos de Medicine Bow.

Capítulo XXIX

Donde se narran diversos incidentes que solo pueden ocurrir en los ferrocarriles de la Unión

Aquella misma noche el tren prosiguió su ruta sin obstáculos, dejó atrás el fuerte Sauders, franqueó el paso de Cheyenne y llegó al paso de Evans. En aquel lugar, el ferrocarril alcanzó el punto más alto de todo su recorrido, ocho mil noventa y un pies sobre el nivel del mar. A los viajeros ya no les quedaba más que descender hacia el Atlántico a través de aquellas llanuras sin límites, niveladas por la naturaleza.

Allí se encontraba, sobre el *grand trunk*[1], el empalme hacia Denver City, la principal ciudad del Colorado. Aquel territorio era rico en minas de oro y plata, y más de cincuenta mil habitantes tenían fijada en él su residencia.

En aquel momento llevaban recorridas mil trescientas ochenta y dos millas desde la salida de San Francisco, en tres días y tres noches. De acuerdo con las previsiones, bastaría con otras cuatro noches y otros cuatro días para llegar a Nueva York. Phileas Fogg seguía, por tanto, dentro de los límites reglamentarios.

Durante la noche dejaron a la izquierda el campo Walbah. El Lodge Pole Creek corría paralelamente a la vía férrea, siguiendo la frontera rectilínea común a los estados de Wyoming y Colorado. A las once penetraron en Nebraska, pasaron cerca de Sedgwick, llegaron a Julesburgh, situada en el brazo sur del río Platte.

---

[1] Véase la nota 1 del capítulo XXVI.

Fue en aquel punto donde, el 23 de octubre de 1867, se llevó a cabo la inauguración de la Union Pacific Road, cuyo ingeniero jefe fue el general J. M. Dodge[2]. Hasta allí llegaron las dos potentes locomotoras que remolcaban los nueve vagones con los invitados a la ceremonia, entre los que se encontraba el vicepresidente, Thomas C. Durant; allí sonaron las aclamaciones; allí, los siux y los pauni ofrecieron el espectáculo de una pequeña guerra india; allí estallaron los fuegos artificiales; allí, en fin, gracias a una imprenta portátil, se publicó el primer número del periódico *Railway Pioneer.* Así se celebró la inauguración de aquel gran ferrocarril, instrumento del progreso y la civilización, lanzado a través del desierto y destinado a unir entre sí ciudades y pueblos que todavía no existían. El silbido de la locomotora, más potente que la lira de Anfión[3], los haría surgir muy pronto sobre el suelo americano.

Lira: Instrumento músico utilizado por los antiguos, compuesto de varias cuerdas tensas en un marco, que se pulsaban con ambas manos.

Sinuosidad: Ondulación.

A las ocho de la mañana, el fuerte MacPherson quedó atrás. Trescientas cincuenta y siete millas separaban aquel punto de Omaha. La vía férrea proseguía por su orilla derecha las caprichosas sinuosidades del brazo meridional del río Platte. A las nueve llegaron a la importante ciudad de North Platte, edificada entre los dos brazos de la gran corriente de agua, que se reunían en torno de ellos para no formar más que una sola arteria, afluente considerable cuyas aguas se confundían con las del Missouri un poco más arriba de Omaha.

El meridiano ciento uno estaba franqueado.

El señor Fogg y sus compañeros reanudaron el juego. Nadie se quejaba de la duración del viaje, ni siquiera el muerto. Fix empezó ganando algunas guineas, pero en aquel momento estaba volviendo a perder y

[2] Grenville Mellen Dodge (1831-1916), general durante la guerra civil, de 1866 a 1870, fue ingeniero jefe de la construcción del Union Pacific Railroad.

[3] Anfión, hijo de Zeus y Antíope, en la mitología griega; a los acordes de su maravillosa lira, encantaba a los animales y hacía mover los objetos inanimados.

A *raudales:* Abundantemente.

Picas: Uno de los cuatro palos de la baraja francesa, compuesta, además, por tréboles, corazones y diamantes.

no se mostraba menos interesado por el juego que el señor Fogg. Durante la mañana, la suerte favoreció especialmente a este *gentleman.* Los triunfos llovían a raudales sobre sus manos. En un momento dado, después de haber combinado una jugada bastante audaz, se preparaba a jugar picas cuando, detrás de su asiento, se escuchó una voz profunda y con ribetes de insolencia que decía:

—Yo jugaría diamantes...

El señor Fogg, la señora Aouda y Fix levantaron la cabeza. El coronel Proctor se encontraba frente a ellos.

Stamp W. Proctor y Phileas Fogg se reconocieron inmediatamente.

—¡Ah! ¿Es usted, el inglés? —exclamó el coronel—. ¿Es usted quien quiere jugar picas?

—Y quien las juega —respondió fríamente Phileas Fogg, echando sobre el tapete el diez de picas.

—Pues yo prefiero los diamantes —respondió el coronel Proctor con la voz alterada, e hizo un gesto para coger la carta jugada, mientras añadía—: No sabe usted jugar.

—Tal vez lo haga mejor a otro juego —dijo Phileas Fogg levantándose.

—No tiene más que intentarlo, hijo de John Bull[4] —respondió el grosero personaje.

La señora Aouda se puso pálida. Toda la sangre afluyó a su corazón. Cogió el brazo de Phileas Fogg, que la rechazó dulcemente. Passepartout estaba dispuesto a lanzarse sobre el americano, quien miraba a su adversario con el aire más insolente. Pero Fix se levantó, y, dirigiéndose al coronel, le dijo:

—Olvida usted que con quien tiene que entendérselas es conmigo, señor, conmigo, a quien usted no solo ha insultado, sino que además ha golpeado.

[4] Voces inglesas que significan «Juan Toro», nombre que se aplica a Inglaterra por su aplomo y obstinación. Tal apodo procede de la *Historia de John Bull,* un libelo que el médico de la reina Ana, John Arbunthnot (1667-1735) escribió en 1712 contra John Churchill (1650-1722), duque de Marlborough.

—Señor Fix —dijo el señor Fogg—, le ruego que me disculpe, pero este asunto tan solo me concierne a mí. Al pretender que me equivocaba jugando picas, el coronel me ha injuriado de nuevo y, por tanto, deberá darme una satisfacción.

Cuando usted quiera y donde usted quiera —contestó el americano—. Y con el arma que usted quiera.

La señora Aouda trató en vano de retener al señor Fogg. El inspector trató inútilmente de asumir el protagonismo de la disputa. Passepartout estaba a punto de lanzar al coronel a través de la puerta, pero una señal de su amo lo detuvo. Phileas Fogg abandonó el vagón y el americano lo siguió a la pasarela.

—Señor —dijo Phileas Fogg a su adversario—, tengo demasiada prisa por regresar a Europa, y cualquier retraso perjudicaría mucho mis intereses.

—Bueno. ¿Y a mí qué me cuenta? —respondió el coronel Proctor.

—Señor —respondió cortésmente Phileas Fogg—, después de nuestro encuentro en San Francisco, y una vez que hubiese liquidado los asuntos que me reclaman en el viejo continente, estaba dispuesto a regresar a América para encontrarme con usted.

—¡No me diga!

—¿Quiere usted citarse conmigo para dentro de seis meses?

—¿Y por qué no dentro de seis años?

—He dicho seis meses —contestó el señor Fogg—, y seré puntual a la cita.

—Eso no es más que un pretexto —exclamó Stamp W. Proctor—. ¡Ahora o nunca!

—Sea —respondió Phileas Fogg—. ¿Va usted a Nueva York?

—No.

—¿A Chicago?

—No.

—¿A Omaha?

—¡No le importa! ¿Conoce Plum Creek?

—No —respondió Phileas Fogg.

—Es la próxima estación. El tren llegará allí dentro de una hora. Se detendrá diez minutos. En diez minutos podremos intercambiar algunos disparos de revólver.

—Sea —respondió el señor Fogg—. Me detendré en Plum Creek.

—Y hasta creo que se quedará —añadió el americano, con una insolencia sin igual.

—Quién sabe —respondió el señor Fogg, y después regresó a su vagón, tan frío como de costumbre.

Allí, el *gentleman* empezó por tranquilizar a la señora Aouda, asegurándole que a los fanfarrones nunca hay que temerlos. Después rogó a Fix que le sirviese de testigo en el enfrentamiento que iba a tener lugar. Fix no pudo negarse, y Phileas Fogg reanudó tranquilamente su interrumpido juego, jugando picas con una calma absoluta.

Fanfarrón: Que se jacta de lo que no es, especialmente de valiente.

A las once el silbido de la locomotora anunció la proximidad de la estación de Plum Creek. El señor Fogg se levantó, y, seguido por Fix, fue hacia la pasarela. Passepartout los acompañaba llevando un par de revólveres. La señora Aouda se quedó en el vagón, pálida como una muerta.

En aquel momento se abrió la puerta del otro vagón, y apareció igualmente sobre la pasarela el coronel Proctor seguido de un testigo, un yanqui de su calaña. Pero, en el momento en que ambos adversarios iban a apearse, el revisor corrió gritándoles:

Calaña: Naturaleza.

—No se puede bajar, señores.

—¿Por qué? —preguntó el coronel.

—Llevamos veinte minutos de retraso, y el tren no se detiene aquí.

—Pero tengo que batirme con este señor.

—Lo siento —respondió el empleado, pero proseguimos inmediatamente. ¡Miren, ya suena la campana!

En efecto, la campana sonó y el tren se puso en marcha.

—Créanme que lo siento, señores —dijo entonces el revisor—. En otras circunstancias habría podido complacerlos. Pero, después de todo, y puesto que no han tenido tiempo de batirse aquí, ¿quién les impide hacerlo en marcha?

—Tal vez no le convenga al señor —dijo el coronel Proctor con un tono burlón.

—Me conviene perfectamente —respondió Phileas Fogg.

«Decididamente estamos en América —pensó Passepartout—, y este revisor del tren debe de ser todo un hombre de mundo».

Y, después, siguió a su amo.

Los dos adversarios y sus testigos, precedidos por el revisor, fueron pasando de uno a otro vagón hasta la cola del tren. El último vagón no estaba ocupado más que por una decena de viajeros. El revisor les preguntó si no les molestaría dejar el campo libre a los dos caballeros por unos instantes, ya que debían ventilar una cuestión de honor.

¡Cómo no! Los viajeros estaban realmente encantados de poder complacer a los dos caballeros, y se retiraron hacia las pasarelas.

Aquel vagón, de una cincuentena de pies de largo, se prestaba maravillosamente a las necesidades de la situación. Los dos adversarios podían lanzarse uno contra otro por los asientos y tirotearse a gusto. Nunca duelo alguno fue tan fácil de concertar. El señor Fogg y el coronel Proctor, provistos cada cual de dos revólveres de seis tiros, entraron en el vagón. Sus testigos permanecieron fuera y les cerraron las puertas. Al primer silbido de la locomotora deberían iniciar el fuego... Después, tras un lapso de dos minutos, retirarían del vagón lo que quedase de los dos *gentlemen*.

Realmente nada sería más fácil que aquello. Era tan sencillo, que Fix y Passepartout sintieron latir sus corazones como si fueran a romperse.

Estaban esperando el silbido convenido, cuando de pronto resonaron unos gritos salvajes. Se pudieron oír diversas detonaciones, pero no procedían del vagón de los duelistas. Aquellas detonaciones se prolongaban, por el contrario, todo a lo largo del tren. Se oyeron gritos de terror en el interior del convoy.

El coronel Proctor y el señor Fogg, empuñando sus revólveres, salieron rápidamente del vagón y se precipitaron hacia adelante, allí donde sonaban más aparatosamente las detonaciones y los gritos.

Comprendieron inmediatamente que el tren estaba siendo atacado por una banda de siux.

Estos audaces indios no estaban realizando un simple ensayo, ya que no era la primera vez que paraban un convoy. Según su costumbre, se lanzaban, al menos un centenar de ellos sobre los estribos de los vagones, con la misma agilidad con que un artista de circo lo hubiese hecho sobre un caballo lanzado al galope.

Aquellos siux estaban provistos de fusiles. De ahí las primeras detonaciones, a las que los viajeros, casi todos ellos armados, respondieron con tiros de revólver. Al principio los indios se lanzaron sobre la locomotora. El maquinista y el fogonero pronto fueron puestos fuera de combate a porrazos. Un jefe siux quiso parar el tren, pero, no sabiendo maniobrar la palanca del regulador, abrió generosamente la introducción del vapor en lugar de cerrarla, y la locomotora, lanzada, corrió con una velocidad espantosa.

Al mismo tiempo, los siux invadieron los vagones, y corrieron como monos enfurecidos sobre los imperiales, derribando las puertas y luchando cuerpo a cuerpo con los viajeros. El furgón de equipajes fue forzado y saqueado, y los bultos, lanzados sobre la vía. Los gritos y los disparos no daban tregua.

Imperial: Sitio con asientos que algunos carruajes tienen encima de la cubierta.

Mientras tanto, los viajeros se defendían con valor. Algunos vagones sostenían el asalto como auténticos fuertes ambulantes, lanzados a una velocidad de cien millas por hora.

La señora Aouda se comportó valerosamente desde el inicio del ataque. Revólver en mano, se defendía con heroicidad, disparando a través de las destrozadas ventanillas cuando un salvaje se le ponía a tiro. Una veintena de siux, heridos de muerte, cayeron sobre la vía, y las ruedas de los vagones aplastaron como gusanos a todos los que desde lo alto de las pasarelas cayeron sobre los raíles.

Algunos viajeros, gravemente heridos por las balas o las porras, yacían sobre los asientos.

Sin embargo, era imprescindible que aquello finalizase pronto. La lucha duraba ya unos diez minutos, y, si el tren no se paraba, no podría acabar más que con la victoria de los siux. En efecto, la estación del fuerte Kearney se encontraba a menos de diez millas de distancia. Allí había una guarnición americana, pero, una vez dejado atrás, entre fuerte Kearney y la siguiente estación los siux se harían los amos del tren.

El revisor se batía al lado del señor Fogg, cuando una bala lo derribó. Al caer, aquel hombre gritó:

—¡Si el tren no se detiene en cinco minutos, estamos perdidos!

—¡Se detendrá! —dijo Phileas Fogg, quien quiso lanzarse fuera del vagón.

—Quédese aquí, señor —le gritó Passepartout—. ¡Eso es asunto mío!

Phileas Fogg no tuvo tiempo suficiente para detener al valeroso muchacho, el cual, abriendo una de las puertas del vagón sin ser visto por los siux, consiguió deslizarse bajo el mismo. Y, entonces, mientras la lucha proseguía sobre su cabeza, recuperando su agilidad y habilidad circenses, avanzó bajo los vagones, agarrándose a las cadenas, pasando de un coche al otro con una destreza maravillosa y alcanzando así la cabeza del tren. No fue visto, ni podría haberlo sido.

Una vez allí, y sujetándose tan solo con una mano entre el furgón de los equipajes y el ténder, soltó con

Ténder: Vagón enganchado a la locomotora, que lleva el combustible y agua necesarios para alimentarla.

la otra las cadenas de seguridad; pero, a causa de la tracción operada, nunca habría podido liberar la barra de enganche entre ambos si una sacudida de la locomotora no la hubiese hecho saltar, y el tren, suelto, quedó algo rezagado, mientras la locomotora se lanzaba a mayor velocidad.

Impulsado por la fuerza de la inercia, el tren siguió rodando durante algunos minutos, pero fueron manipulados los frenos desde el interior de los vagones y se logró finalmente detener el convoy a menos de cien pasos de la estación de Kearney.

Allí, los soldados del fuerte, alertados por las detonaciones, corrieron a toda prisa. Los siux no los esperaron, ya que, antes de haberse detenido el tren, toda la banda se dio a la fuga.

Pero, cuando se llevó a cabo el recuento de los viajeros sobre el andén de la estación, pudieron comprobar que varios de entre ellos no respondían a las llamadas, y, entre otros, el valeroso francés, cuya abnegación acababa de salvarlos.

Capítulo XXX

En el que Phileas Fogg cumple sencillamente con su deber

Tres viajeros, Passepartout incluido, fueron dados por desaparecidos. ¿Murieron en la lucha? ¿Se encontraban prisioneros de los siux? Aún no podía saberse.

Los heridos eran numerosos, pero se vio que ninguno de ellos lo estaba mortalmente. Uno de los más graves era el coronel Proctor, quien se batió valerosamente y a quien derribó una bala en la ingle. Lo transportaron a la estación, junto a los otros viajeros cuyo estado reclamaba cuidados inmediatos.

La señora Aouda se encontraba ilesa. Phileas Fogg, que no se había cuidado demasiado de sí mismo, no tenía ni un solo rasguño. Fix estaba herido en un brazo, una herida sin importancia. Pero faltaba Passepartout, y las lágrimas corrían abundantemente por los ojos de la joven.

Mientras tanto, todos los viajeros abandonaron el tren. Las ruedas de los vagones estaban manchadas de sangre. De sus cubos y radios colgaban jirones informes de carne humana. Sobre la blanca llanura, y hasta donde alcanzaba la vista, podían verse largos regueros de color rojo. Los últimos indios desaparecieron por el Sur, del lado del río Republican.

Cubo: Pieza central en que se encajan los rayos de las ruedas de los carruajes.

El señor Fogg, con los brazos cruzados, estaba inmóvil. Debía tomar una grave decisión. La señora Aouda, cerca de él, lo miraba sin pronunciar una palabra... Comprendió aquella mirada. Si su servidor se encontraba prisionero, ¿no debería arriesgarlo todo para arrancárselo a los indios?

—Lo encontraré vivo o muerto —dijo sencillamente a la señora Aouda.

—¡Oh, señor..., señor Fogg! —exclamó la joven, al tiempo que cogía la mano de su compañero y la cubría de lágrimas.

—¡Y vivo —añadió el señor Fogg— si no perdemos ni un solo minuto!

Con aquella resolución, Phileas Fogg acababa de sacrificarlo todo. Acababa de firmar su ruina total. Un solo día de retraso le haría perder el paquebote en Nueva York. Su apuesta estaba, pues, inexorablemente perdida. Pero, ante la idea de que aquello «era su deber», no lo dudó.

El capitán que mandaba el fuerte Kearney estaba allí. Sus soldados —alrededor de un centenar— se aprestaron a la defensa, para el caso de que los siux hubiesen dirigido un ataque contra la estación.

Apestar: Preparar, disponer.

—Señor —dijo el señor Fogg al capitán—, han desaparecido tres viajeros.

—¿Muertos? —preguntó el capitán.

—Muertos o prisioneros —contestó Phileas Fogg—. Esa es la incertidumbre que deberemos aclarar. ¿Tiene usted intención de perseguir a los siux?

—Es muy arriesgado, señor —dijo el capitán—. Esos indios pueden ir hasta más allá del Arkansas. Y yo no puedo dejar abandonado el fuerte que me han confiado.

—Señor —prosiguió Phileas Fogg—. Se trata de la vida de tres hombres.

—Sin duda alguna..., pero, dígame, ¿puedo arriesgar la vida de cincuenta por salvar a tres?

—No sé si usted puede o no puede, señor, pero debe hacerlo.

—Señor —respondió el capitán—, no hay nadie aquí que pueda enseñarme cuál es mi obligación.

—Sea —dijo Phileas Fogg—. ¡Iré yo solo!

—Pues bien, no irá usted solo —exclamó el capitán, emocionado muy a pesar suyo—. ¡No! ¡Tiene us-

ted un gran corazón...! ¡Treinta voluntarios! —añadió, volviéndose hacia sus soldados.

Toda la compañía en bloque se presentó voluntaria. El capitán solo tuvo que elegir entre aquellos valerosos hombres. Designó a treinta soldados, y un viejo sargento se puso al frente de ellos.

—Gracias, capitán —dijo el señor Fogg.

—¿Me permite que le acompañe? —preguntó Fix al *gentleman*.

—Haga lo que usted guste, señor —le respondió Phileas Fogg—. Pero, si quiere hacerme un favor, quédese con la señora Aouda. En el caso de que me ocurra cualquier desgracia...

Una súbita palidez invadió el rostro del inspector de policía. ¡Separarse del hombre que había seguido paso a paso con tanta insistencia! ¡Dejarlo así, aventurándose en el desierto! Fix miró atentamente al *gentleman* y, pese a su desconfianza, pese al combate que se estaba librando en su interior, tuvo que bajar los ojos ante aquella mirada serena y clara.

—Me quedaré —dijo.

Unos instantes más tarde Fogg estrechó la mano de la joven; después, tras haberle entregado su preciosa bolsa de viaje, partió con el sargento y su pequeña tropa.

Pero, antes de partir, dijo a los soldados:

—Amigos míos, hay mil libras de recompensa para ustedes si salvamos a los prisioneros.

Eran entonces las doce y algunos minutos.

La señora Aouda se retiró a una sala de la estación, y allí, sola, pensaba en Phileas Fogg, en aquella generosidad simple y grandiosa, en aquel sereno valor. El señor Fogg acababa de sacrificar su futuro, y ahora arriesgaba su vida sin vacilar, por deber, sin frases. A sus ojos, Phileas Fogg era un héroe.

Por su parte, el inspector Fix no pensaba lo mismo, y no podía contener su nerviosismo. Se paseaba febrilmente por el andén. Subyugado durante unos

Subyugado: Dominado, sometido.

instantes, había vuelto a ser él mismo. Una vez que Fogg se había marchado, comprendía la estupidez que acababa de cometer al permitirle partir. ¡Había consentido separarse de aquel hombre al que seguía a través del mundo entero! Vuelto a ser él mismo, se recriminaba, se acusaba, se trataba tal y como lo hubiese hecho el director general de la policía metropolitana, amonestando a un bisoño agente cogido en flagrante delito de ingenuidad.

Bisoño: Nuevo, inexperto.

En flagrante: En el mismo momento de estarse cometiendo un delito, sin que el autor haya podido huir.

«Soy un inepto —pensaba—. El otro le habrá dicho quién soy yo. Se ha ido y no volverá. Y ahora, ¿dónde podré encontrarlo? ¿Pero cómo habré podido dejarme impresionar así yo, Fix, que llevo en el bolsillo su orden de detención? ¡Decididamente, no soy más que un pobre imbécil!».

Así razonaba el inspector de policía, mientras que, muy a su pesar, las horas transcurrían lentamente. No sabía qué hacer. En ocasiones se sintió tentado a explicárselo todo a la señora Aouda. Pero comprendía cómo sería recibido por aquella mujer. ¿Qué debía hacer? ¡Se sentía tentado a lanzarse a través de las vastas y blancas llanuras en persecución de aquel Fogg! No le parecía imposible poder encontrarlo. Las huellas del destacamento todavía estaban impresas en la nieve... Pero muy pronto una nueva nevada borró todas las huellas.

Fue entonces cuando el desaliento pudo con él. Sintió como un irresistible deseo de abandonar la partida. Y, precisamente, no tardó en presentársele la oportunidad de abandonar la estación de Kearney y de proseguir aquel viaje, tan fecundo en desdichas.

En efecto, hacia las dos y media, mientras nevaba copiosamente, se escuchó un largo silbido que llegaba del Este. Una enorme sombra, precedida de un resplandor rojizo, avanzaba lentamente, considerablemente aumentada por las brumas que le daban un aspecto fantástico.

Sin embargo, no podía esperar que llegara tan pronto ningún tren procedente del Este. Era demasiado pronto para que llegase el tren de socorro pedido por telégrafo, y el que iba de Omaha a San Francisco no debería pasar por allí hasta el día siguiente. Pronto supieron a qué atenerse.

Aquella locomotora que se acercaba lentamente, lanzando grandes silbidos, era la misma que, después de haber sido desenganchada del tren, siguió su camino a una velocidad tan espantosa y llevándose con ella al fogonero y al maquinista inconscientes. Corrió sobre los raíles durante varias millas, pero después, falta de combustible, se apagó el fuego; el vapor fue bajando de presión, y, una hora más tarde, después de reducir paulatinamente su velocidad, la locomotora se detuvo finalmente a veinte millas de la estación de Kearney.

No perecieron ni el fogonero ni el maquinista, y, después de un desvanecimiento bastante largo, volvieron en sí.

La máquina se encontraba entonces parada. Cuando se encontraron en el desierto con la locomotora sola y sin vagones, el maquinista comprendió lo que les había ocurrido. Cómo desengancharon la locomotora del resto del tren era algo que no fue capaz de adivinar, pero no le cabía duda alguna de que el tren quedó atrás, y en una situación apurada.

El maquinista no dudó cuál era su obligación. Continuar su ruta en dirección a Omaha era lo más prudente; regresar hacia el tren, que tal vez los indios estuviesen saqueando todavía, lo más peligroso... ¡No importaba! Unas cuantas paladas de carbón y de leña fueron introducidas en el fogón de la caldera, y el fuego se reanimó, la presión subió de nuevo, y, hacia las dos de la tarde, la locomotora empezó a caminar marcha atrás en dirección a la estación de Kearney. Era ella la que silbaba entre las brumas.

Fue una gran satisfacción para los viajeros cuando vieron cómo la locomotora se enganchaba, de nuevo, a la cabeza del tren. Podrían reanudar su viaje, tan desgraciadamente interrumpido.

Al llegar la locomotora, la señora Aouda abandonó la estación y se dirigió al revisor:

—¿Van a salir? —le preguntó.

—En este instante, señora.

—Pero esos prisioneros..., nuestros pobres compañeros.

—No puedo interrumpir el servicio —respondió el revisor—. Ya llevamos tres horas de retraso.

—¿Cuándo pasará el próximo tren de San Francisco?

—Mañana por la noche, señora.

—¡Mañana por la noche! Pero será demasiado tarde. Hay que esperar.

—Es imposible —respondió el revisor—. Si quiere usted partir, suba al coche.

—Yo no me iré —respondió la joven.

Fix escuchó toda la conversación. Hacía unos instantes, cuando le faltaba cualquier medio de locomoción, estaba decidido a abandonar Kearney, y ahora, cuando el tren se encontraba allí dispuesto para salir, cuando no tenía más que volver a ocupar su sitio en el vagón, una fuerza irresistible lo ataba al suelo. Aquel andén de la estación le quemaba los pies, pero no podía quitarlos de allí. Volvió a iniciarse un nuevo combate en su ánimo. La cólera del fracaso le ahogaba. Quería luchar hasta el final.

Mientras tanto, los viajeros y algunos heridos —entre ellos el coronel Proctor, cuyo estado era grave— ocuparon sus plazas en los vagones. Se oía el zumbido de la caldera sobrecalentada y el silbido del vapor escapándose por las válvulas. El maquinista hizo sonar el silbato, el tren se puso en marcha, y pronto desapareció, mezclando su blanco humo con los arremolinados copos de nieve que caían sin cesar.

El inspector Fix se había quedado.

Pasaron algunas horas. El tiempo era muy malo y el frío muy intenso. Fix, sentado en un banco de la estación, se encontraba inmóvil. Se habría podido pensar que dormía. La señora Aouda, pese a la ventisca, salía a cada instante de la sala puesta a su disposición. Iba al borde del andén, intentaba ver a través de las brumas que reducían el horizonte, y escuchaba por si podía oír algún ruido. Pero nada. Entonces regresaba a la sala, aterida por el frío, para volver a salir instantes más tarde, y siempre inútilmente.

Empezó a anochecer. El destacamento no regresaba. ¿Dónde se encontraba en aquel momento? ¿Habrían alcanzado a los indios? ¿Habría habido lucha, o tal vez aquellos soldados, perdidos en medio de las brumas, erraban de un lado para otro? El capitán del fuerte Kearney estaba muy preocupado, aunque no quería dejar trascender su inquietud.

Llegó la noche, la nieve cayó con menos fuerza, pero la intensidad del frío aumentó. La mirada más intrépida no habría visto sin temor aquella oscura inmensidad. Un silencio absoluto reinaba sobre la llanura. Ni el vuelo de un pájaro, ni el paso de una fiera perturbaban aquella calma infinita.

Durante toda aquella noche la señora Aouda, con el corazón encogido de angustia y el ánimo lleno de siniestros presentimientos, erró de un lado para otro por el borde de la pradera. Su imaginación la transportaba lejos de allí y le mostraba mil peligros. Lo que pudo haber sufrido durante aquellas largas horas sería muy difícil de describir.

Fix continuaba inmóvil sobre el mismo lugar, pero él tampoco dormía. En un momento dado un hombre se le acercó y le habló, pero el agente lo despidió después de haber respondido a sus palabras con un gesto negativo.

Así transcurrió la noche. Al amanecer, el disco semiapagado del sol se elevó sobre el horizonte brumoso. Sin embargo, tenían una visibilidad de unas dos millas. Phileas Fogg y el destacamento se habían dirigido hacia el Sur... El Sur estaba totalmente desierto. Eran las siete de la mañana.

El capitán, totalmente inquieto, no sabía qué decisión tomar. ¿Debía enviar un segundo destacamento en ayuda del primero? ¿Debía sacrificar nuevos hombres con tan pocas posibilidades de salvar a los que se sacrificaron primero? Pero sus dudas no duraron demasiado, y con un gesto llamó a uno de sus tenientes, le ordenó que se realizase un reconocimiento hacia el Sur, y fue entonces cuando se oyeron disparos. ¿Se trataba de una señal? Los soldados salieron del fuerte, y a cosa de media milla divisaron una tropa que regresaba en formación.

El señor Fogg iba a la cabeza, y cerca de él Passepartout y los otros dos viajeros arrancados de las manos de los siux.

Había habido un combate a diez millas del fuerte Kearney. Pocos instantes antes de la llegada del destacamento, Passepartout y sus dos compañeros se encontraban luchando contra sus guardias, y el francés ya había derribado a tres de ellos a puñetazos, cuando su amo y los soldados se lanzaron en su ayuda.

Todos, salvadores y salvados, fueron acogidos con gritos de alegría, y Phileas Fogg distribuyó a los soldados la recompensa prometida, mientras Passepartout se repetía, no sin algo de razón:

—Decididamente, hay que reconocer que le salgo caro a mi amo.

Fix, sin decir ni una sola palabra, miraba al señor Fogg, y habría resultado muy difícil analizar las emociones que se debatían en su ánimo. En cuanto a la señora Aouda, cogió al caballero de una mano, y la mantuvo cerrada entre las suyas sin poder articular una palabra.

Mientras tanto Passepartout, desde el momento en que llegó, buscaba al tren por la estación. Pensa-

ba que se encontraría allí, listo para salir disparado hacia Omaha, y creía que todavía podría recuperarse el tiempo perdido.

—¡El tren, el tren! —gritó.

—Se fue dijo Fix.

—¿Y cuándo pasará el próximo tren? —preguntó el señor Fogg.

—Esta noche.

—¡Ah! —respondió simplemente el impasible *gentleman*.

Capítulo XXXI

En el que el inspector Fix se toma muy en serio los intereses de Phileas Fogg

Phileas Fogg llevaba un retraso de veinte horas. Passepartout, causa involuntaria de aquel retraso, estaba desesperado. ¡Decididamente, había arruinado a su amo!

En aquel momento, el inspector se aproximó al señor Fogg, lo miró directamente a los ojos.

—En serio, señor —le dijo—, ¿tiene usted mucha prisa?

—En serio —respondió Phileas Fogg.

—Insisto —prosiguió Fix—. ¿Tiene usted realmente mucho interés en estar en Nueva York el día 11 antes de las nueve de la noche, hora en que zarpa el paquebote de Liverpool?

—El mayor de los intereses.

—¿Y si su viaje no se hubiese visto interrumpido por este ataque de los indios, habría llegado usted a Nueva York el día 11 por la mañana?

—Sí. Doce horas antes de la salida del paquebote.

—Bien. Lleva usted, por tanto, veinte horas de retraso. De doce a veinte, quedan ocho. Son ocho las horas que hay que recuperar. ¿Quiere usted intentarlo?

—¿A pie?

—No. En trineo —respondió Fix—, en un trineo a vela. Un hombre me propuso ese medio de locomoción.

Se trataba del hombre que habló al inspector de policía durante la noche, y cuya oferta rechazó Fix.

Phileas Fogg no respondió a Fix; pero habiéndole mostrado este cuál era el hombre en cuestión, el cual se paseaba frente a la estación, el *gentleman* se dirigió hacia él. Un instante después Phileas Fogg y aquel americano, llamado Mudge, entraban en una cabaña construida cerca del fuerte Kearney.

Allí el señor Fogg pudo examinar un vehículo bastante curioso, especie de chasis montado sobre dos largos travesaños, un poco levantados a proa como los esquíes de un trineo, y sobre el que podían instalarse cuatro o cinco personas. Hacia la proa del chasis, a un tercio de distancia de la misma, se alzaba un mástil muy alto sobre el que se envergaba una cangreja. Ese mástil, sólidamente sujeto por obenques metálicos, tendía un estay de hierro que servía para izar un foque de grandes dimensiones. A popa una especie de timón espadilla permitía gobernar el aparato.

Se trataba, como se ve, de un trineo aparejado como balandra. Durante el invierno, sobre la helada llanura, cuando los trenes se encuentran detenidos por la acumulación de las nieves, aquellos vehículos realizaban travesías extremadamente rápidas de una estación a otra. Estaban además prodigiosamente aparejados —mejor aparejados incluso de lo que puede estarlo un cúter de regatas, expuesto siempre a zozobrar—, y, viento en popa, se deslizaban por la superficie de las praderas con una rapidez igual, si no superior, a la de los ferrocarriles.

En unos instantes se concretó un acuerdo entre el señor Fogg y el patrón de aquella curiosa embarcación de tierra. El viento era bueno, favorable, y soplaba del Oeste fuertemente. La nieve se encontraba endurecida, y Mudge se jactaba de poder conducir al señor Fogg y a sus acompañantes en unas cuantas horas a la estación de Omaha. De allí partían con mucha frecuencia trenes, tanto para la ciudad de Chicago como para la de Nueva York. No resultaba imposible que el retraso pudiese ser recuperado. No ca-

Chasis: Armazón, bastidor que sostiene el motor y la carrocería de un automóvil.

Envergar: Sujetar las velas a las vergas.

Cangreja: Vela de cuchillo de forma trapezoidal.

Obenque: Cabo grueso que sujeta la cabeza de un palo o de un mastelero a los costados del buque o a la cofa correspondiente.

Estay: Cabo que sujeta la cabeza de un mástil al pie del más inmediato.

Foque: Vela triangular que se orienta y sujeta sobre el bauprés.

Espadilla: Timón provisional que se arma con las piezas de que se puede disponer a bordo, cuando se ha perdido el propio.

Balandra: Velero pequeño con cubierta y solo un palo.

Cúter: Embarcación con velas al tercio, una cangreja y varios foques.

Zozobrar: Naufragar.

bía, por tanto, vacilación alguna a la hora de intentar la aventura, siempre y cuando se llevara a efecto cuanto antes.

El señor Fogg no quería exponer a la señora Aouda a las torturas de una travesía al aire libre, con aquel frío que la velocidad haría todavía más insoportable, así es que le propuso que se quedase en la estación de Kearney al cuidado de Passepartout. El buen muchacho se encargaría de conducirla a Europa por una ruta mejor y en unas condiciones más aceptables.

La señora Aouda se negó a separarse del señor Fogg, y Passepartout se alegró mucho de tal determinación. En efecto, por nada del mundo habría querido dejar a su amo, puesto que Fix iba a acompañarlo.

En cuanto a lo que pensaba el inspector de policía, sería muy difícil decirlo. ¿Habrían vacilado sus convicciones a causa del regreso de Phileas Fogg, o, por el contrario, seguía considerándolo como un pillo tan lleno de confianza en sí mismo que, una vez realizada su vuelta al mundo, se sentiría absolutamente seguro en Inglaterra? Tal vez la opinión de Fix sobre Phileas Fogg se habría, en efecto, modificado. Pero no por ello estaría menos dispuesto a cumplir con su deber, y, puesto que era el más impaciente de todos ellos, a apresurar lo más posible su regreso a Inglaterra.

A las ocho, el trineo estaba listo para partir. Los viajeros —quizá deberíamos decir pasajeros— se instalaron en el trineo y se arrebujaron en sus mantas de viaje. Las dos inmensas velas ya estaban izadas, y bajo el impulso del viento el vehículo se deslizó sobre la nieve endurecida a una velocidad de cuarenta millas por hora.

Arrebujarse: Cubrirse, envolverse, taparse.

La distancia que separaba fuerte Kearney de Omaha era en línea recta —a vuelo de abeja, como dicen los americanos— de doscientas millas como mucho. Si el viento se mantenía, podrían recorrer aquella distancia en cinco horas. Si no se producía ningún incidente, a la una de la tarde habrían llegado a Omaha.

¡Qué travesía! Los viajeros, apretujados los unos contra los otros, no podían hablarse. El frío, incrementado por la velocidad, les cortaba la palabra. El trineo se deslizó con tanta ligereza sobre la superficie de la llanura como una embarcación sobre la superficie de las aguas, pero con la ventaja de que no tenía que luchar contra las olas. Cuando la brisa llegaba a ras de tierra, parecía como si el trineo fuese elevado sobre el hielo por las velas, amplias alas de gran envergadura. Mudge, al timón, se mantenía en línea recta, y de un golpe de espadilla rectificaba los bandazos que el aparato tendía a realizar. Todo el velamen trabajaba. El foque ya no estaba abrigado por la cangreja. Se izó un mástil para la cofa, y una espiga tendida al viento añadió toda su potencia de impulsión a la del resto del velamen. No podía calcularse matemáticamente, pero sin duda alguna la velocidad del trineo no bajaba de las cuarenta millas por hora.

Cofa: Meseta colocada horizontalmente en el cuello de un palo para afirmar la obencadura de la gavia, facilitar la maniobra de las velas altas, etcétera.

Espiga: Una de las velas de la galera.

—Si no se rompe nada —comentó Mudge—, llegaremos.

Y Mudge tenía mucho interés en que así fuera, ya que el señor Fogg, fiel a su costumbre, lo había seducido con la promesa de una fuerte recompensa.

La pradera, que el trineo surcaba en línea recta, estaba lisa como el mar. Se habría podido pensar en un inmenso estanque helado. El ferrocarril que ponía en comunicación aquella parte del territorio subía, de Sudoeste a Noroeste, a través de Grand Island, Columbus —importante ciudad de Nebraska—, Schuyler, Fremont y, por último, Omaha. Seguía todo a lo largo de su recorrido la margen derecha del río Platte. El trineo, acortando aquel camino, tomaba la cuerda del arco descrito por el ferrocarril. Mudge no temía en absoluto verse interceptado por el río Platte en aquella especie de recodo que formaba antes de llegar a Fremont, puesto que sus aguas estaban heladas. El camino estaba, pues, totalmente libre de obstáculos, de forma que Phileas Fogg solo podía temer dos

Cuerda: Segmento de recta que une los extremos de un arco o curva.

cosas: una avería en el aparato, o un cambio de viento o que amainase.

Amainar: Aflojar, perder su fuerza el viento.

Pero la brisa no decaía. Al contrario. Soplaba tan fuerte que curvaba el mástil sólidamente sujeto por los obenques de acero. Aquellos cabos metálicos, parecidos a las cuerdas de un instrumento, resonaban como si un arco hubiese producido sus vibraciones. El trineo se deslizaba, pues, en medio de una armonía quejumbrosa de una intensidad muy particular.

Quinta: Intervalo musical que consta de tres tonos y un semitono mayor.

Octava: Sonido que forma la consonancia más sencilla y perfecta con otro, y en la octava alta es producido por un número exactamente doble de vibraciones que este.

Esas cuerdas dan la quinta y la octava —dijo el señor Fogg—. Y esas fueron las únicas palabras que pronunció durante toda la travesía. La señora Aouda, cuidadosamente empaquetada entre las pieles y las mantas de viaje, se encontraba en la medida de lo posible bien protegida de los ataques del frío.

En cuanto a Passepartout, con la cara tan roja como el disco solar cuando se pone entre las brumas, aspiraba aquel aire cortante. Con aquel fondo de imperturbable confianza que le caracterizaba, recuperó muy pronto las esperanzas. En vez de llegar a Nueva York por la mañana, lo harían por la tarde, pero aún había algunas probabilidades de llegar antes de que hubiese zarpado el paquebote de Liverpool.

Passepartout se sintió, incluso, tentado de estrechar la mano de Fix, su aliado. No olvidaba que fue el propio inspector quien procuró el trineo a vela, y, en consecuencia, el único medio posible para poder llegar a Omaha a tiempo. Pero, por no sé qué presentimiento, se mantuvo tan reservado como de costumbre.

En todo caso había una cosa que Passepartout no olvidaría nunca, y era el sacrificio que el señor Fogg hizo sin dudarlo al ir a arrancarlo de las manos de los siux. En ello el señor Fogg había arriesgado su fortuna y su vida... ¡No! ¡Su criado no lo olvidaría nunca!

Mientras cada uno de los viajeros se entregaba a sus propias reflexiones, el trineo volaba sobre el inmenso tapiz de nieve. Si pasaba sobre algunos *creeks*, afluentes o subafluentes del río Little Blue, no se daban ni cuenta. Los campos y los ríos desaparecían bajo una llanura uniforme. La llanura estaba totalmente desierta. Encajonada entre el Union Pacific Road y el ramal que unía Kearney con Saint Joseph, formaba como una gran isla desierta. Ni un pueblo, ni una estación, ni siquiera un fuerte. De cuando en cuando se veía pasar como un relámpago algún árbol retorcido, cuyo blanco esqueleto se doblaba bajo el viento. En ocasiones bandadas de pájaros salvajes levantaban el vuelo al unísono. Otras veces algunos lobos de las praderas, en manadas numerosas, esqueléticos, hambrientos y empujados por una feroz necesidad, rivalizaban en velocidad con el trineo. Entonces Passepartout, revólver en mano, se mantenía dispuesto a abrir fuego sobre los más próximos. Si cualquier incidente hubiese detenido el trineo en esos momentos, los viajeros, atacados por aquellos feroces carniceros, habrían corrido el mayor de los peligros. Pero el trineo aguantaba, no tardaba en coger la suficiente ventaja, y pronto la manada, aullando, quedaba rezagada.

Al mediodía, Mudge reconoció por algunos indicios que estaban pasando sobre el curso helado del río Platte. No dijo nada, pero ya se sentía seguro de que veinte millas más allá alcanzarían la estación de Omaha.

Y, en efecto, aún no era la una de la tarde, cuando el experto guía, abandonando el timón, se precipitó hacia las drizas de las velas y las arrió, mientras el trineo, impulsado por su propia inercia, recorrió la media milla que le quedaba. Por fin se detuvo, y Mudge, mostrando un montón de tejados cubiertos de nieve, dijo simplemente:

Driza: Cuerda con que se izan y arrían las vergas, velas, banderas, etcétera.

—Hemos llegado.

¡Habían llegado! Habían llegado, en efecto, a aquella estación que se encuentra diaria y frecuentemente comunicada con el este de los Estados Unidos.

Passepartout y Fix saltaron a tierra y sacudieron sus miembros entumecidos. Ayudaron al señor Fogg y a la joven a bajarse del trineo; Phileas Fogg pagó generosamente a Mudge, al que Passepartout estrechó la mano como si de un amigo se tratara, y después todos ellos se dirigieron hacia la estación de Omaha.

En aquella importante ciudad de Nebraska termina el ferrocarril del Pacífico propiamente dicho, que pone la cuenca del Mississippi en comunicación con el gran océano. Para ir de Omaha a Chicago, el ferrocarril, bajo el nombre de Chicago Rock Island Road, corre directamente hacia el Este atravesando cincuenta estaciones.

Un tren directo estaba a punto de partir. Phileas Fogg y sus compañeros solo tuvieron tiempo de instalarse en un vagón. No pudieron ver nada de Omaha, pero Passepartout se confesó a sí mismo que no tenían ninguna razón para sentirlo.

El tren pasó con gran rapidez por el estado de Iowa, por Council Bluffs, Des Moines y la ciudad de Iowa. Durante la noche atravesó el Mississippi por Davenport, y penetró en el estado de Illinois por Rock Island. Al día siguiente, 10, a las cuatro de la tarde, llegaron a Chicago, que ya había resurgido de sus ruinas[1] y se asentaba más orgullosamente que nunca a las orillas de su bello lago Michigan.

La distancia entre Chicago y Nueva York es de novecientas millas. En Chicago había abundancia de trenes. Así es que el señor Fogg saltó inmediatamente de un tren a otro. La fogosa locomotora del Pittsburg Fort Wayne Chicago railroad partió a toda velocidad, como si hubiese comprendido que el honorable *gentleman* no tenía tiempo que perder. Atravesó como un rayo los estados de Indiana, Ohio, Pennsylvania y Nueva Jersey, y pasó por ciudades de nombres antiguos, algunas de las cuales ya tenían calles y tranvías,

[1] Se refiere al terrible incendio sufrido en octubre de 1871 que se inició en una cuadra de la calle Koven y que desvastó, durante dos días y dos noches, ocho kilómetros cuadrados de la ciudad. Destruyó 17.450 edificios, dejando a 70.000 personas sin hogar, muriendo más de doscientas en el incendio.

pero no casas. Finalmente apareció el Hudson, y el 11 de diciembre, a las once y cuarto de la noche, el tren se detuvo en la estación, situada en la margen derecha del río, justamente delante del mismo muelle de los *steamers* de la línea Cunard, llamada también British and North American royal mail stearn packet Co.

El *China*, con destino a Liverpool, había zarpado cuarenta y cinco minutos antes.

Capítulo XXXII

En el que Phileas Fogg entabla una lucha directa contra la mala suerte

Al zarpar, el *China* se llevó con él las últimas esperanzas de Phileas Fogg.

En efecto, ninguno de los paquebotes que realizaban el servicio directo entre América y Europa, ni los trasatlánticos franceses, ni los navíos de la White Star line, ni los *steamers* de la Compañía Imman, ni los de la línea de Hamburgo, ni ningún otro, podían solucionar el difícil problema que, a última hora, se le había planteado al caballero. A todas luces, parecía insoluble.

Insoluble: Que no se puede resolver.

El *Pereire*, de la compañía trasatlántica francesa —cuyos admirables navíos igualan en velocidad y superan en comodidad a los de las demás líneas sin excepción— no zarparía hasta dos días más tarde, el 14 de diciembre. Por otra parte, lo mismo que los de la compañía hamburguesa, no iba directamente a Liverpool o a Londres, sino a El Havre, y aquella travesía suplementaria entre El Havre y Southampton habría anulado los últimos esfuerzos de Phileas Fogg por llegar a tiempo a Londres.

En cuanto a los paquebotes Imman, uno de los cuales, el *City of Paris,* zarparía al día siguiente, no había ni que pensar en ellos. Aquellos navíos se dedicaban especialmente al transporte de los emigrantes, poseían unas máquinas muy poco potentes, navegaban tanto a vela como a vapor, y su velocidad era bastante mediocre. Empleaban en la travesía de Nueva York a Inglaterra más tiempo del que le quedaba al señor Fogg para ganar su apuesta.

El *gentleman* se dio perfectamente cuenta de todo aquello al consultar el *Bradshaw,* que le daba día por día los movimientos de la navegación transoceánica.

Passepartout estaba anonadado. Haber perdido el paquebote por cuarenta y cinco minutos le mataba. Y era por su culpa, pues, en lugar de ayudar a su amo, no había hecho otra cosa que sembrar obstáculos en su camino. Y cuando rememoraba todos los incidentes del viaje, cuando calculaba las sumas inútilmente gastadas por su culpa, y cuando imaginaba que aquella enorme apuesta, unida a los considerables gastos de aquel viaje ya inútil arruinarían totalmente al señor Fogg, se injuriaba a sí mismo.

El señor Fogg no le hizo, sin embargo, reproche alguno, y, al abandonar el muelle de los paquebotes trasatlánticos, no dijo más que estas palabras:

—Mañana veremos lo que se puede hacer. Vengan ustedes.

El señor Fogg, la señora Aouda, Fix y Passepartout abandonaron el muelle en el Jersey city ferry boat y subieron a un coche, que los condujo hasta el hotel Saint Nicolas en Broadway. Alquilaron varias habitaciones y pasaron allí la noche, que fue bastante corta para Phileas Fogg, quien durmió perfectamente, pero más bien larga para la señora Aouda y sus compañeros, a quienes el nerviosismo les impedía descansar.

Al día siguiente era el 12 de diciembre. Y del 12 de diciembre a las siete de la mañana hasta el 21 a las ocho y cuarenta y cinco de la noche quedaban nueve días, trece horas y cuarenta y cinco minutos. Si Phileas Fogg hubiese partido la víspera en el *China,* uno de los mejores veleros de la compañía Cunard, habría llegado a Liverpool, y después a Londres, dentro de los límites deseados.

El señor Fogg abandonó el hotel solo, después de haber advertido a su criado que le esperase allí y de haber avisado a la señora Aouda para que se encontrase dispuesta a partir en cualquier momento.

El señor Fogg se dirigió después a los muelles del Hudson, y entre los navíos amarrados a sus muelles o anclados en el río buscó detenidamente todos los que estuviesen dispuestos a zarpar. Varios navíos arbolaban su guión de partida, y se preparaban para hacerse a la mar con la marea de la mañana, ya que no había ni un solo día en el que, desde aquel nuevo y admirable puerto de Nueva York, no zarpasen al menos cien navíos con destino a todos los lugares del mundo; pero la mayor parte de ellos eran barcos de vela, y no podían convenir a Phileas Fogg.

Ya parecía que el *gentleman* había fracasado en su última tentativa, cuando vio, fondeado frente a la Batería a poco más de un cable de distancia, un barco de carga propulsado por hélice, de finas líneas, y cuya chimenea dejaba escapar grandes mechones de humo, lo que indicaba que se preparaba para zarpar.

Cable: Décima parte de la milla, equivalente a 185 metros.

Phileas Fogg llamó una chalupa, se embarcó, y en unas cuantas paladas se encontró junto a la escala del *Henrietta, steamer* con casco de hierro cuyas superestructuras eran de madera.

Chalupa: Embarcación pequeña con cubierta y dos palos para velas.

El capitán del *Henrietta* se encontraba a bordo. Phileas Fogg subió al puente y preguntó por el capitán. Este se presentó inmediatamente.

Se trataba de un hombre de cincuenta años, una especie de lobo de mar, un refunfuñón que no debería ser nada agradable para los demás. Grandes ojos, tez color del cobre oxidado, cabellos rojos, aspecto grosero y fuerte contextura, en fin, todo lo contrario a un hombre de mundo.

Lobo de mar: Marino viejo y experimentado en su profesión.

—¿El capitán? —preguntó Phileas Fogg.

—Soy yo.

—Yo soy Phileas Fogg, de Londres.

—Y yo, Andrew Speedy, de Cardif.

—¿Van a zarpar?

—Dentro de una hora.

—¿Con destino a...?

—Burdeos.

—¿Qué carga llevan?

—Piedras en el vientre. No tengo flete. Zarpo en lastre.

Flete: Carga de un buque.

Lastre: Peso puesto en la embarcación para que esta se sumerja hasta donde convenga.

Locuaz: Que habla mucho o demasiado.

—¿Lleva pasajeros?

—No. Nunca llevo pasajeros. Es una mercancía demasiado molesta y locuaz.

—¿Qué tal navega su navío?

—Hace entre once y doce nudos. El *Henrietta* es un barco conocido.

—¿Quiere llevarme a Liverpool, a mí y a otras tres personas?

—¿A Liverpool? ¿Y por qué no a China?

—He dicho a Liverpool.

—No.

—¿No?

—No. Mi destino es Burdeos y voy a Burdeos.

—¿A ningún precio?

—A ningún precio.

El capitán habló con un tono de voz que no admitía réplica.

—Pero los armadores del *Henrietta*... —prosiguió Phileas Fogg.

—Los armadores soy yo —dijo el capitán—. El barco es mío.

—Se lo alquilo.

—No.

—Se lo compro.

—No.

Phileas Fogg no pestañeó. Sin embargo, la situación era muy grave. Ni Nueva York era Hong Kong, ni el capitán del *Henrietta* era el patrón de la *Tankadère.* Hasta allí, el dinero del *gentleman* siempre había vencido todos los obstáculos. Pero aquella vez el dinero fracasaba.

Sin embargo, tenía que encontrar el medio de atravesar el Atlántico en barco, a menos de hacerlo en globo, lo que, además de aventurado, era prácticamente irrealizable.

Pareció como si Phileas Fogg hubiese tenido una buena idea, pues dijo al capitán:

—Está bien. ¿Quiere llevarnos a Burdeos?

—No. Aunque me pagara usted doscientos dólares.

—Le ofrezco dos mil (10.000 F).

—¿Por persona?

—Por persona.

—¿Y son ustedes cuatro?

—Cuatro.

El capitán Speedy se rascó la cabeza como si hubiese querido arrancarse la epidermis. A cambio de ganar ocho mil dólares, y sin modificar su ruta, bien le valía la pena que se olvidase de su antipatía por toda especie de pasajero. Además, unos pasajeros de dos mil dólares ya no son pasajeros: son una mercancía preciosa.

—Zarpo a las nueve —dijo simplemente el capitán Speedy—. Si usted y los suyos están aquí a esa hora...

—A las nueve nos encontraremos a bordo —respondió no menos sencillamente el señor Fogg.

Eran las ocho y media. Desembarcar del *Henrietta,* subir a un coche, llegar al hotel Saint Nicolas y recoger a la señora Aouda, Passepartout, e incluso el inseparable Fix, al que ofreció gratuitamente su pasaje, fue llevado a cabo por el *gentleman* con aquella calma que no le abandonaba en ninguna circunstancia.

En el momento en que el *Henrietta* aparejaba, los cuatro se encontraban a bordo.

Cuando Passepartout se enteró de lo que costaría aquella última travesía lanzó uno de esos «¡Oh!» prolongados que recorren todos los intervalos de la gama cromática descendente.

Gama: Escala musical.

En cuanto al inspector Fix, se dijo que decididamente el Banco de Inglaterra no saldría indemne de aquel negocio. En efecto, cuando llegasen, y aun admitiendo que el señor Fogg no tirase todavía algunos puñados a la mar, faltarían más de siete mil libras (175.000 F) de la bolsa de los *banknotes*.

Indemne: Libre o exento de daño.

Capítulo XXXIII

Donde Phileas Fogg se muestra a la altura de las circunstancias

Una hora después, el *steamer Henrietta* dejaba atrás la *lightboat*[1] que señala la entrada del Hudson, doblaba la punta de Sandy Hook y se adentraba en el mar. Durante la jornada, costeó Long Island hasta el faro de Fire Island, y después avanzó rápidamente hacia el Este.

Al día siguiente, 13 de diciembre, al mediodía, un hombre subió al puente para tomar la estrella. Sin duda alguna se pensará que aquel hombre era el capitán Speedy. Pues no. Era Phileas Fogg, *esquire.*

Tomar la estrella: Tomar la altura del polo.

En cuanto al capitán Speedy, se hallaba encerrado bajo llave en su camarote, y lanzaba tales aullidos, que denotaban claramente la cólera que lo invadía, rayana en el paroxismo, y que era por otro lado perfectamente comprensible.

Lo ocurrido era muy sencillo. Phileas Fogg quería ir a Liverpool y el capitán no quería llevarlo allí. Así es que Phileas Fogg aceptó ir a Burdeos y, en las treinta horas que llevaba a bordo, estuvo manipulando a base de *banknotes* de tal forma, que la tripulación, marineros y fogoneros —tripulación algo intérlope, que no se llevaba demasiado bien con su capitán—, estaba totalmente de su parte. Y fue así como Phileas Fogg ocupó el lugar y la plaza del capitán Speedy, como el capitán se encontraba encerrado en su camarote, y

Intérlope: Comercio de una nación que es fraudulento en las colonias de otra. Aplícase también a los buques dedicados a este tráfico sin autorización.

[1] «Baliza luminosa». (En inglés en el original). [La baliza es una señal fija o flotante para guiar a los navegantes en un paso difícil].

como finalmente el *Henrietta* se dirigía a Liverpool. Y una cosa resultaba evidente al ver maniobrar al señor Fogg, y es que el señor Fogg era marino.

Cómo acabaría aquella aventura, ya lo sabremos más adelante.

No obstante, la señora Aouda, aunque no decía nada, estaba preocupada. Fix se quedó absolutamente pasmado. En cuanto a Passepartout, encontraba que aquello era sencillamente admirable.

«Entre once y doce nudos», había dicho el capitán Speedy, y efectivamente el *Henrietta* navegaba a aquella velocidad media.

Por tanto, si —¡cuántos «si» todavía!— el mar no se ponía demasiado mal, si el viento no saltaba al Este, y si no se producía ninguna avería en el barco o ningún accidente en la máquina, el *Henrietta* podría recorrer, en los nueve días que van del 12 al 21 de diciembre las tres mil millas que separaban Nueva York de Liverpool. Aunque también es cierto que, una vez allí, tanto el asunto del *Henrietta* como el del Banco podrían ocasionarle al *gentleman* más problemas de los que él mismo pudiera sospechar.

Durante los primeros días, la navegación se llevó a cabo en condiciones excelentes. La mar no estaba demasiado fuerte; el viento parecía haberse fijado del Nordeste; se izaron las velas latinas y bajo ellas el *Henrietta* navegó como un auténtico trasatlántico.

Latina: Triangular.

Passepartout estaba encantado. La última hazaña de su amo, en cuyas consecuencias no quería ni pensar, le entusiasmaba. La tripulación nunca había visto a un hombre más alegre ni más ágil. Multiplicaba sus muestras de amistad hacia los marineros, a los que sorprendía con sus habilidades circenses. Les prodigaba los más afectuosos calificativos y las bebidas más atractivas. A sus ojos, los marineros maniobraban como caballeros y los fogoneros se activaban como héroes. Su buen humor, muy contagioso, se comunicaba a todos. Olvidó el pasado, las molestias y los peli-

gros. No pensaba más que en aquella meta, tan cercana, y en ocasiones hervía de impaciencia como si él mismo estuviese avivado por los fogones del *Henrietta.* A menudo el buen muchacho rodaba en torno a Fix; lo miraba con una cara «muy significativa», pero no le hablaba, pues ya no existía ninguna clase de intimidad entre los dos antiguos amigos.

Además, todo hay que decirlo, Fix ya no entendía nada de todo aquello. La conquista del *Henrietta,* el soborno de su tripulación, y aquel Fogg maniobrando como un marino consumado, todo aquel conjunto de cosas lo aturdía. Ya no sabía qué pensar. Pero, después de todo, un caballero que había empezado robando cincuenta y cinco mil libras bien podía acabar robando un navío. Y Fix naturalmente acabó pensando que el *Henrietta,* gobernado por Fogg, no se dirigiría a Liverpool, sino a cualquier parte del mundo donde un ladrón convertido en pirata pudiese sentirse seguro. Aquella hipótesis, hay que reconocerlo, era muy plausible, y el detective empezó a lamentar muy seriamente el haberse embarcado en toda aquella aventura.

En cuanto al capitán Speedy, continuaba aullando en su camarote, y Passepartout, encargado de proveerlo de alimentos, pese a su fortaleza, lo hacía tomando infinitas precauciones. El señor Fogg, por su parte, parecía ignorar totalmente que existiese un capitán a bordo.

El día 13 doblaron la cola del banco de Terranova. Malos parajes aquellos. Sobre todo durante el invierno las brumas eran muy frecuentes y los vientos temibles. Desde la víspera el barómetro, que bajó bruscamente, presagiaba un próximo cambio atmosférico. Y, en efecto, durante la noche se modificó la temperatura, el frío se hizo más intenso, e incluso el viento cambió del Sudeste.

Banco: En los mares, ríos y lagos navegables, elevación del fondo que se prolonga en una gran extensión y que dificulta la navegación.

Era un serio contratiempo. El señor Fogg, para no apartarse de su ruta, se vio obligado a recoger las ve-

Roda: Pieza gruesa y curva que forma la proa de la nave.

las y a forzar las máquinas. Sin embargo, la marcha del navío disminuyó a causa del estado de la mar, cuyas grandes olas acababan rompiéndose contra la roda del barco. Experimentaron violentos cabeceos, y ello en detrimento de la velocidad. Poco a poco la brisa iba haciéndose huracanada, y se temía incluso que el *Henrietta* llegase a no poder mantenerse a flote. Pero huir de la tormenta era exponerse a lo desconocido con todas sus consecuencias.

El semblante de Passepartout se oscureció al mismo tiempo que el cielo, y durante dos días el buen muchacho se sintió mortalmente angustiado. Pero Phileas Fogg era un marino audaz, que sabía hacer frente a la mar, así es que mantuvo su rumbo incluso sin reducir la presión del vapor. El *Henrietta,* cuando no podía elevarse sobre una ola, la atravesaba, y su puente era barrido por las aguas, pero pasaba. En algunas ocasiones, incluso, cuando alguna montaña de agua elevaba la popa fuera de las olas, la hélice emergía de las aguas y giraba en el aire con sus aspas enloquecidas, pero el navío seguía adelante.

Sin embargo el viento no arreció tanto como era de temer. No llegó a ser uno de esos huracanes que lo arrasan todo a velocidades de noventa nudos. Se mantuvo fuerte, pero desgraciadamente sopló con obstinación del Sudeste, impidiendo así que se pudieran desplegar las velas. Pese a que, tal y como veremos, habría sido muy útil que hubiesen acudido en ayuda del vapor.

El 16 de diciembre se cumplieron setenta y cinco días desde la partida de Londres. El *Henrietta* todavía no llevaba un retraso demasiado inquietante. Habían realizado poco más o menos la mitad de la travesía, y los parajes más peligrosos habían quedado atrás. En verano se habría podido garantizar el éxito. Pero, en invierno, se encontraban a la merced del mal tiempo. Passepartout no sabía qué pensar. Pero en el fondo le quedaba alguna esperanza, ya que, si bien el viento les había fallado, al menos podían contar con el vapor.

Pero aquel mismo día el maquinista subió al puente, donde mantuvo una animada conversación con el señor Fogg.

Sin saber por qué —tal vez a causa de un presentimiento—, Passepartout se sintió terriblemente inquieto. Habría dado una de sus orejas por poder escuchar lo que tanto el uno como el otro decían. Sin embargo, pudo escuchar algunas palabras, y entre ellas estas que pronunció su amo:

—¿Está usted seguro de lo que dice?

—Totalmente, señor —respondió el maquinista—. No olvide usted que desde que zarpamos hemos navegado a toda máquina, y aunque teníamos suficiente carbón para ir a baja presión desde Nueva York hasta Burdeos, no teníamos suficiente para ir de Nueva York a Liverpool a toda máquina.

—Veré lo que podemos hacer —respondió el señor Fogg.

Passepartout lo comprendió todo. Y se sintió mortalmente inquieto. ¡Iban a quedarse sin carbón!

«¡Ah! —se dijo Passepartout—. Si mi amo es capaz de salir de esta, entonces ya no me cabrá duda alguna de que se trata de un tío formidable».

Y, habiéndose encontrado con Fix, no pudo dejar de ponerlo al corriente de la situación.

—Entonces —le preguntó el agente, con los dientes apretados—, ¿cree usted realmente que vamos a Liverpool?

—¡Naturalmente!

—¡Imbécil! —respondió el inspector, que se fue, encogiéndose de hombros.

Passepartout estuvo a punto de responder airadamente a aquel calificativo, cuya verdadera significación no alcanzó a comprender; pero se dijo que aquel pobre Fix debía de sentirse totalmente desconcertado y muy humillado en su amor propio, después de haber seguido tan erróneamente una falsa pista alrededor del mundo, así es que se olvidó del asunto.

Pero ¿qué iba a hacer Phileas Fogg? Era difícil de imaginar. Sin embargo, parecía como si el flemático *gentleman* ya hubiese tomado una decisión, ya que aquella misma tarde mandó llamar al maquinista, y le dijo:

—Avive usted las calderas hasta que nos quedemos sin combustible.

Momentos más tarde, la chimenea del *Henrietta* vomitaba torrentes de humo.

El navío prosiguió, pues, su marcha a toda máquina; pero, tal y como lo había anunciado, dos días después, el 18 de diciembre, el maquinista advirtió que el combustible se agotaría aquella misma jornada.

—Que no se reduzca la presión —respondió el señor Fogg—. Por el contrario, carguen las válvulas.

Aquel día hacia mediodía, después de haber tomado la altura y calculado la posición del navío, Phileas Fogg mandó llamar a Passepartout y le dio la orden de ir en busca del capitán Speedy. Fue como si le ordenaran al muchacho que liberara a un tigre, y bajó a la toldilla, diciendo:

Toldilla: Cubierta parcial que tienen algunos buques a la altura de la borda desde el palo mesana al coronamiento de popa.

—Seguro que estará rabioso.

Y, en efecto, momentos más tarde, entre gritos e imprecaciones, cayó una bomba sobre la toldilla. Aquella bomba era el propio capitán Speedy. Y resultaba evidente que se encontraba a punto de estallar.

—¿Dónde estamos? —fueron las primeras palabras que el capitán Speedy pronunció, en medio de los sofocos que la cólera le provocaba, y, desde luego, por poco propenso que aquel hombre hubiese sido a la apoplejía, seguro que le habría dado un ataque.

Apoplejía: Suspensión súbita y más o menos completa de la acción cerebral, debida a hemorragia, embolia o trombosis de una arteria del cerebro.

—¿Dónde estamos? —repitió con el rostro congestionado.

—A setecientas setenta millas de Liverpool (300 leguas) —respondió el señor Fogg con su imperturbable calma.

—¡Pirata! —exclamó Andrew Speedy.

—Le he hecho venir, señor...

—¡Escoria marina!

—... señor —prosiguió Phileas Fogg—, para rogarle que me venda su navío.

Escoria: Cosa vil y de ninguna estimación. Desecho.

—¡No! ¡Por todos los diablos! ¡No!

—Es que voy a verme obligado a quemarlo.

—¿Quemar mi barco?

—Sí, al menos sus superestructuras, ya que nos encontramos sin combustible.

—¡Quemar mi barco! —exclamó el capitán Speedy, que ya ni podía pronunciar las palabras—. ¡Un navío que vale cincuenta mil dólares (250.000 F)!

Aquí tiene usted sesenta mil (300.000 F) —respondió Phileas Fogg, ofreciéndole al capitán un fajo de *banknotes.*

Aquello produjo un efecto prodigioso sobre Andrew Speedy. No se es americano si no se siente una viva emoción a la vista de sesenta mil dólares. El capitán olvidó instantáneamente su cólera, su encierro y todas sus quejas contra el pasajero. Su navío tenía veinte años. ¡Aquel podía ser un negocio fabuloso! La bomba ya no podía estallar. El señor Fogg acababa de arrancarle la mecha.

—¿Y el casco será para mí? —preguntó en un tono de voz curiosamente suave.

—El casco y la maquinaria, señor. ¿Estamos de acuerdo?

—De acuerdo.

Y Andrew Speedy, cogiendo el fajo de *banknotes,* los contó y los hizo desaparecer en un bolsillo.

Durante esta escena, Passepartout se quedó blanco como la tiza. En cuanto a Fix, estuvo a punto de sufrir una apoplejía. Llevaba gastadas casi veinte mil libras, y aquel Fogg se atrevía a regalar el casco y la máquina, es decir, el valor total del navío. Aunque también era cierto que la suma robada se elevaba a cincuenta y cinco mil libras.

En cuanto Andrew Speedy se hubo embolsado el dinero:

—Señor —le dijo el señor Fogg—, todo esto no debe extrañarle. Sepa usted que perderé veinte mil libras si no llego a Londres el 21 de diciembre antes de las ocho cuarenta y cinco de la noche. Perdí el paquebote de Nueva York, y puesto que usted se negaba a llevarme a Liverpool...

—¡E hice muy bien, por los cincuenta mil diablos del infierno —exclamó Andrew Speedy—, puesto que he ganado al menos cuarenta mil dólares!

Después, más tranquilo, añadió:

—¿Sabe una cosa, capitán...?

—Fogg.

—Capitán Fogg. Pues bien. Estoy seguro de que usted tiene algo de yanqui.

Y, después de haberle dicho a su pasajero lo que él creía que era un cumplido, iba a marcharse cuando Phileas Fogg le dijo:

—Entonces, ¿el barco me pertenece?

—Sin duda alguna, de la quilla hasta la cofa, pero todo lo que sea de madera, bien entendido.

—Está bien. Mande usted demoler las instalaciones interiores, y que aviven las calderas con esos restos.

Júzguese la cantidad de madera que era necesario consumir para mantener la presión del vapor. Aquel día se quemaron la toldilla, las cámaras altas, los camarotes, los alojamientos y el sollado.

Al día siguiente, 19 de diciembre, se quemaron los mástiles, las arboladuras y los tablones de pino. Se derribaron los mástiles y se partieron a hachazos. La tripulación trabajaba con un celo increíble. Passepartout talaba, cortaba, serraba, hacía el trabajo de diez hombres. Era una furia destructora.

Al día siguiente, 20, el fogón devoró los empallevados, las empavesadas, la obra muerta y la mayor parte del puente. El *Henrietta* ya no era más que un barco arrasado como un pontón.

Sollado: Cubierta inferior del buque.

Empalletado: Defensa que se formaba en el costado del buque con la ropa de los marineros metida en unas redes.

Empavesada: Faja de paño azul o encarnado con franjas blancas, que sirve para adornar las bordas y las cofas de los buques y cubrir los asientos de popa de falúas y botes.

Obra muerta: Parte del casco de un barco que está por encima de la línea de flotación.

Pontón: Barco chato para pasar los ríos, construir puentes y limpiar el fondo de los puertos con el auxilio de algunas máquinas.

Pero aquel mismo día avistaron la costa de Irlanda y el faro de Fastnet.

Sin embargo, a las diez de la noche el navío solo se encontraba a lo largo de Queenstown. A Phileas Fogg ya no le quedaban más que veinticuatro horas para llegar a Londres. Y ese era el tiempo que le faltaba al *Henrietta* para arribar a Liverpool, incluso navegando a toda máquina. Y el vapor iba a faltarle finalmente al audaz *gentleman*.

—Señor —le dijo entonces el capitán Speedy, que acabó interesándose por su apuesta—, lo compadezco sinceramente. ¡Todo se vuelve contra usted! Solo nos encontramos frente a Queenstown.

—¡Ah! —dijo el señor Fogg—. ¿Entonces esas luces que vemos ahí son la ciudad de Queenstown?

—Sí.

—¿Podemos entrar en el puerto?

—No antes de tres horas. Solo con la pleamar.

—Pues esperemos —contestó tranquilamente Phileas Fogg, sin que su rostro aparentase que, por una suprema inspiración, iba a intentar todavía vencer una vez más a la suerte adversa.

En efecto, Queenstown es un puerto de la costa de Irlanda en el que los transatlánticos que llegan de los Estados Unidos dejan, al pasar, sus sacas del correo. Ese correo es llevado a Dublín en expresos siempre dispuestos a partir. Desde Dublín llegan a Liverpool en *steamers* muy veloces, con lo que consiguen un adelanto de doce horas sobre los veleros más rápidos de las compañías marítimas.

Aquellas doce horas que ganaba el correo procedente de América también pretendía ganarlas Phileas Fogg. En lugar de llegar al día siguiente a Liverpool a bordo del *Henrietta*, lo haría al mediodía y, por tanto, tendría tiempo suficiente para llegar a Londres antes de las ocho y cuarenta y cinco de la noche.

Hacia la una de la madrugada, el *Henrietta* entraba con la marea en el puerto de Queenstown, y Phileas

Fogg, después de haber recibido un vigoroso apretón de manos del capitán Speedy, lo dejó sobre el casco arrasado de su navío, que todavía valía la mitad del precio por el que lo había vendido.

Los pasajeros desembarcaron rápidamente. Fix sintió en aquel momento un deseo feroz de detener al señor Fogg. ¡Y no lo hizo! ¿Por qué? ¿Qué lucha se libraba en su ánimo? ¿Se había puesto de parte del señor Fogg? ¿Comprendió finalmente que se había equivocado? Sin embargo, Fix no abandonó al señor Fogg. Con él, con la señora Aouda y con Passepartout, que apenas si tenía tiempo para respirar, subieron al tren de Queenstown a la una y media de la mañana, llegaron a Dublín al amanecer, y se embarcaron inmediatamente a bordo de uno de esos *steamers* —auténticos husos de acero, todo máquina— que, desdeñando elevarse sobre las olas, las atraviesan invariablemente.

A las doce menos veinte del mediodía del 21 de diciembre, Phileas Fogg desembarcaba por fin en los muelles de Liverpool. Ya no estaba más que a seis horas de Londres.

Pero en aquel momento Fix se le acercó, le puso la mano sobre el hombro y mostró su orden de detención.

—¿Es usted el señor Phileas Fogg?—dijo.

—Sí, señor.

—¡En nombre de la Reina, queda usted detenido!

Capítulo XXXIV

Que procura a Passepartout la ocasión de hacer un pésimo, pero tal vez inédito, juego de palabras

Phileas Fogg estaba en la cárcel. Lo encerraron en el puesto de la Customs house, la aduana de Liverpool, y allí debería pasar la noche en espera de su traslado a Londres.

En el momento de su detención, Passepartout quiso abalanzarse sobre el detective. Pero los policías se lo impidieron. La señora Aouda, espantada por la brutalidad del hecho, no sabiendo nada, no podía comprender nada. Passepartout le explicó la situación. El señor Fogg, aquel honrado y valeroso caballero al que debía la vida, estaba detenido acusado de robo. La joven protestó contra tal alegación, se indignó, y las lágrimas corrieron por sus ojos cuando comprendió que no podía hacer nada, que no podía intentar nada para salvar a su salvador.

En cuanto a Fix, detuvo al caballero porque su deber así se lo ordenaba, fuera o no culpable. La justicia sería quien lo decidiese.

Pero entonces Passepartout se dio cuenta, aterrado, de que era él la causa de toda aquella desgracia. En efecto, ¿por qué ocultó aquella situación al señor Fogg? Cuando Fix le reveló su identidad de inspector de policía y la misión que tenía encomendada, ¿por qué se arriesgó no advirtiendo a su amo? Prevenido, su amo habría dado a Fix, sin duda alguna, las pruebas de su inocencia; le habría demostrado su error; en todo caso no habría viajado a sus expensas y tras sus huellas aquel desgraciado agente cuya primera preocupación, en el mismo momento en que había puesto el pie sobre el suelo del Reino Unido, fue la de detenerlo. Pensando en sus culpas, en sus imprudencias, el pobre muchacho se sentía acometido por los más irresistibles remordimientos. Lloraba que daba pena verlo. Quería romperse la cabeza.

La señora Aouda y él permanecieron, pese al frío, bajo el peristilo de la aduana. Ni el uno ni el otro querían irse. Querían ver aún una vez más al señor Fogg.

En cuanto al *gentleman*, estaba bien y definitivamente arruinado, y ello en el preciso momento en que iba a alcanzar la meta. Aquella detención lo perdía irremisiblemente. Habiendo llegado a Liverpool el 21 de diciembre a las doce menos veinte, tenía ante él hasta las ocho y cuarenta y cinco de la noche para presentarse en el Reform Club, es decir, nueve horas y quince minutos[1], y no necesitaba más que seis para llegar a Londres.

Quien en aquel momento hubiese entrado en el puesto de aduanas se habría encontrado al señor Fogg inmóvil, sentado en un banco de madera, tranquilo, imperturbable. No podría decirse que estaba resignado, pero aquel último golpe no lo había emocionado, al menos aparentemente. ¿Se estaba incubando en su ánimo una de esas rabias secretas, terribles porque están contenidas, y que no estallan hasta el último momento con una fuerza irresistible? No se sabe. Pero Phileas Fogg estaba allí, tranquilo, esperando... ¿qué? ¿Conservaba alguna esperanza? ¿Seguía creyendo todavía en el éxito, pese a que la puerta de aquella cárcel se había cerrado tras él?

Fuera lo que fuese, el señor Fogg depositó cuidadosamente su reloj sobre una mesa, y miraba atentamente la marcha de sus agujas. Ni una sola palabra

[1] Error de Verne, una vez más, ya que, desde las doce menos veinte a las ocho y cuarenta y cinco, van nueve horas y cinco minutos, no nueve horas y quince minutos.

escapó de sus labios, pero su mirada poseía una fiereza singular.

En todo caso la situación era terrible, y para quien no pudiese leer en su conciencia se resumía así:

Si era un hombre honrado, estaba arruinado.

Si era deshonesto, estaba cogido.

¿Tuvo entonces la idea de escapar? ¿Se le ocurrió buscar si aquel puesto tenía alguna salida practicable? ¿Pensaba huir? Podría llegar a pensarse, ya que en un momento dado recorrió toda la habitación. Pero la puerta estaba sólidamente cerrada, y la ventana, protegida por barrotes de hierro. Volvió, pues, a sentarse, y sacó de su cartera de bolsillo el itinerario del viaje. Sobre la línea que contenía estas palabras:

«21 de diciembre, sábado, Liverpool»,

añadió:

«80.º día, 11 horas 40 de la mañana»,

y esperó.

Sonó una hora en el reloj de la Customs house. El señor Fogg constató que el suyo adelantaba dos minutos exactos con respecto a aquel reloj.

¡Las dos! Admitiendo que subiese en aquel momento a un expreso, todavía podría llegar a Londres y al Reform Club antes de las ocho cuarenta y cinco de la noche. Su frente se arrugó ligeramente.

A las dos y treinta y tres sonó un ruido en el exterior, un estrépito de puertas que se abrían. Se escuchó la voz de Passepartout, se oía la voz de Fix.

La mirada de Phileas Fogg brilló un instante.

La puerta del puesto se abrió y vio a la señora Aouda, Passepartout y Fix, que se precipitaron hacia él.

Fix estaba sin aliento, llevaba los cabellos alborotados... No podía hablar.

—Señor —balbució—, señor..., perdón..., un parecido lamentable..., ladrón detenido hace tres días..., usted... libre...

¡Phileas Fogg estaba libre! Se acercó al detective. Lo miró de frente, y, haciendo el único movimiento rápido que en su vida había hecho y que jamás volvería a hacer, echó los dos brazos hacia atrás y golpeó con ambos puños al desdichado inspector de policía.

—¡Bien dado! —exclamó Passepartout, quien se permitió un pésimo juego de palabras, digno de un francés, y añadió—: ¡Pardiez!, he aquí lo que podría llamarse una bella aplicación de los puños de Inglaterra.[2]

Tendido en el suelo, Fix no pronunció una palabra. Tenía lo que se merecía. Pero inmediatamente el señor Fogg, la señora Aouda y Passepartout abandonaron la aduana. Se precipitaron a un coche y en unos minutos llegaron a la estación de Liverpool.

Phileas Fogg preguntó si había algún expreso dispuesto a partir para Londres...

Eran las dos y cuarenta minutos... El expreso había salido treinta y cinco minutos antes.

Phileas Fogg encargó entonces un tren especial.

Había varias locomotoras de gran velocidad a punto, pero, a causa de las exigencias del servicio, el tren especial no podría salir antes de las tres.

A las tres, Phileas Fogg, después de haberle dicho unas cuantas palabras al maquinista respecto a cierta prima a ganar, corría en dirección a Londres en compañía de la joven y de su fiel criado.

Necesitaban recorrer en cinco horas y media la distancia que separa Liverpool de Londres, cosa factible cuando la vía está completamente libre a lo largo de todo el recorrido. Pero hubo retrasos forzosos, y, cuando el *gentleman* llegó a la estación, estaban dando las nueve menos diez en todos los relojes de Londres.

[2] Juego de palabras del autor. En francés *point* (punto) y *poing* (puño) se pronuncia igual. *Point d'Anglaterre* era la denominación dada al arte de aplicar flores de encaje sobre tul. La confusión de Passeportout viene, por tanto, de la similitud de pronunciación entre *point* y *poing*.

Phileas Fogg, después de haber realizado aquel viaje alrededor del mundo, llegaba con un retraso de cinco minutos...

Había perdido la apuesta.

Capítulo XXXV

En el que Passepartout no se hace repetir dos veces la orden de su amo

Al día siguiente los habitantes de Saville row se habrían sentido muy sorprendidos si alguien les hubiese afirmado que el señor Fogg se encontraba, de nuevo, en su domicilio. Todo estaba cerrado, tanto las puertas como las ventanas. No se había producido ningún cambio en el exterior de la vivienda.

En efecto, después de haber abandonado la estación, Phileas Fogg dio a Passepartout la orden de comprar algunas provisiones y después regresó a su domicilio.

Aquel caballero recibió con su acostumbrada impasibilidad el golpe que le asestó la suerte. ¡Estaba arruinado! Y todo por culpa de aquel torpe inspector de policía. Después de haber recorrido con paso firme tan largo camino, después de haber vencido mil obstáculos y desafiado mil peligros, y habiendo tenido incluso tiempo para hacer el bien por su camino, fracasar en la misma meta a causa de un hecho tan brutal como imprevisible y ante el que se encontraba totalmente desarmado era terrible. De la considerable suma que llevó consigo no le quedaba más que un resto insignificante. Su fortuna no se componía más que de las veinte mil libras depositadas en el establecimiento de los hermanos Baring, y esas veinte mil libras se las debía a sus colegas del Reform Club. Después de tantos gastos efectuados, aquella apuesta no le habría enriquecido, y lo más probable es que tampoco él habría deseado enriquecerse con la misma, ya que pertenecía a esa clase de hombres que apuestan por el pundonor, pero la apuesta perdida lo dejaba totalmente arruinado. Por lo demás, el *gentleman* había tomado una resolución. Sabía lo que le quedaba por hacer.

Una habitación de la casa de Saville row fue reservada para la señora Aouda. La joven estaba desesperada. A través de algunas palabras pronunciadas por el señor Fogg, comprendió que este meditaba un proyecto funesto.

En efecto, es bien sabido hasta qué deplorables extremos se dejan llevar en ocasiones esos ingleses monomaníacos cuando se sienten obsesionados por una idea fija. Así es que Passepartout vigilaba con disimulo a su amo.

Monomaníaco: Que padece monomanía, alienación mental sobre una sola idea.

Pero antes de nada, el buen muchacho subió a su habitación y apagó el farol que llevaba ochenta días encendido. Había encontrado en el buzón una factura de la compañía del gas, y pensó que ya era hora de acabar con aquel gasto superfluo, del que él era el único responsable.

Pasó la noche. El señor Fogg se acostó, pero ¿durmió? En cuanto a la señora Aouda, no consiguió tener ni un solo instante de reposo. Y Passepartout pasó la noche en vela, como un perro a la puerta de su amo.

Al día siguiente, el señor Fogg lo llamó y le ordenó lacónicamente que se ocupara del desayuno de la señora Aouda. Para él, se contentaría con una taza de té y una tostada. La señora Aouda tendría que excusarle por no acompañarla en el desayuno y el almuerzo, pero él debía consagrar todo su tiempo a poner en orden sus asuntos. No bajaría. Solo por la noche solicitaría a la señora Aouda que lo recibiera por unos instantes.

Lacónicamente: De forma breve y concisa.

Passepartout no tenía más remedio que aceptar el programa que le fue comunicado. Miraba a su amo, siempre impasible, y no podía decidirse a abandonar aquella habitación. Su corazón latía agitadamente, su conciencia estaba llena de remordimientos, ya que se acusaba más que nunca de ser él la causa de aquel irreparable desastre. ¡Sí! Si le hubiera revelado las pretensiones del agente Fix, seguro que el señor Fogg no habría llevado al agente Fix a Liverpool, y entonces...

Passepartout no pudo contenerse.

—¡Mi amo! ¡Señor Fogg! —exclamó—. ¡Maldígame! Ha sido por mi culpa por lo que...

—No acuso a nadie —respondió Phileas Fogg en el tono más tranquilo—. Váyase.

Passepartout abandonó la habitación y fue en busca de la joven, a la que puso al corriente de las intenciones de su amo, confiando en que tal vez esta podría influir en él.

—Señora —añadió—, no puedo hacer nada. ¡Nada! No tengo ninguna influencia sobre mi amo. Tal vez usted...

—¿Qué influencia puedo tener yo? —respondió la señora Aouda—. El señor Fogg no se deja influenciar. ¿Acaso ha comprendido la magnitud de mi agradecimiento? ¿Acaso ha leído alguna vez en mi corazón? Amigo mío, será necesario no dejarlo solo ni por un instante. ¿Dice usted que le ha manifestado la intención de hablarme esta noche?

—Sí, señora. Se trata, sin duda alguna, de asegurar su situación en Inglaterra.

—Entonces, esperemos —dijo la joven, quedándose pensativa.

Así, durante aquella jornada del domingo, la casa de Saville row permaneció como si se hubiese encontrado deshabitada, y por vez primera desde que vivía en aquella casa Phileas Fogg no salió para el club cuando dieron las once y media en la torre del Parlamento.

Pero ¿por qué habría de presentarse el caballero en el Reform Club? Sus colegas ya no le esperaban. Puesto que la víspera por la noche, aquella fatídica fecha del sábado 21 de diciembre, Phileas Fogg no había aparecido en el Reform Club a las ocho y cuarenta y cinco, su apuesta estaba perdida. Ni siquiera era necesario acercarse a su banquero para recoger la suma de veinte mil libras. Sus adversarios tenían en sus manos un cheque firmado por él, y bastaba con que enviaran una simple nota a los hermanos Baring para que cargaran aquellas veinte mil libras en su crédito.

El señor Fogg no necesitaba, pues, salir. Permaneció en su habitación y puso en orden sus asuntos. Passepartout no cesaba de subir y bajar la escalera de la casa de Saville row. Las horas no pasaban para el pobre muchacho. Se paraba a escuchar a la puerta de la habitación de su amo, sin pensar que pudiera estar cometiendo la menor indiscreción. Miraba por el ojo de la cerradura, y se imaginaba que estaba en su perfecto derecho al hacerlo. A cada instante, Passepartout se temía una catástrofe. A veces pensaba en Fix, pero un cambio se había operado en su ánimo. Ya no le guardaba rencor al inspector de policía. El inspector Fix se había equivocado, como todo el mundo, respecto a Phileas Fogg, y, al seguirlo, al detenerlo, no había hecho más que cumplir con su deber, mientras que él... Aquella idea lo abrumaba, se tenía por el peor de los miserables.

Cuando Passepartout no podía aguantar su soledad, llamaba a la puerta de la señora Aouda, entraba en su habitación, se sentaba en un rincón sin decir palabra, y miraba a la joven, siempre pensativa.

Hacia las siete y media de la tarde, el señor Fogg solicitó ser recibido por la señora Aouda, e, instantes más tarde, la joven y él se encontraban solos en aquella habitación.

Phileas Fogg cogió una silla y se sentó cerca de la chimenea, frente a la señora Aouda. Su rostro no reflejaba ninguna emoción. El Fogg del regreso era, exactamente, el mismo Fogg de la partida. La misma calma, la misma impasibilidad.

Permaneció en silencio durante cinco minutos, levantó la mirada hacia la señora Aouda.

—Señora —dijo—, ¿me perdonará usted por haberla traído a Inglaterra?

—¿Yo, señor Fogg...? —respondió la señora Aouda, reprimiendo los latidos de su corazón.

—Le ruego que me permita acabar —prosiguió el señor Fogg—. Cuando se me ocurrió llevarla lejos de aquella comarca tan peligrosa para usted, era rico. Y contaba con poner una parte de mi fortuna a su disposición. Su existencia habría sido feliz y libre. Ahora, en cambio, estoy arruinado.

—Lo sé, señor Fogg —respondió la joven—, y a mi vez querría preguntarle si podrá usted perdonarme por haberle seguido y, ¿quién sabe?, por haber contribuido tal vez a su ruina, al retrasarlo.

—Señora, usted no podía continuar en la India, y su salvación tan solo podía estar asegurada si se alejaba lo suficiente como para que aquellos fanáticos no pudieran cogerla de nuevo.

—Así es que, señor Fogg —prosiguió la señora Aouda—, no contento con haberme librado de una muerte horrible, ¿se creyó usted obligado a asegurar mi posición en el extranjero?

—Sí, señora —respondió Fogg—, pero los acontecimientos se han vuelto contra mí. Sin embargo, le pido permiso para poner a su nombre lo poco que me queda.

—Pero, usted, señor Fogg, ¿qué será de usted?

—Yo, señora —respondió fríamente el *gentleman*—, no necesito nada.

—Pero entonces, señor, ¿cómo afrontará la suerte que le espera?

—Como debe ser —respondió el señor Fogg.

—En todo caso —prosiguió la señora Aouda—, la miseria no puede alcanzar a un hombre como usted. Sus amigos...

—No tengo amigos, señora.

—Sus familiares...

—No tengo ningún familiar.

—Entonces lo compadezco, señor Fogg, puesto que la soledad es algo muy triste. ¡No tener ni un corazón en el que verter las penas! Sin embargo, se dice que la miseria compartida es mucho más soportable.

—Eso dicen, señora.

—Señor Fogg —dijo entonces la señora Aouda, levantándose y tendiendo una mano al caballero—, ¿quiere usted tener al mismo tiempo un familiar y una amiga? ¿Quiere usted hacerme su esposa?

Al oír aquello, el señor Fogg se levantó a su vez. Sus ojos tenían como un reflejo inhabitual, y sus labios algo así como un ligero temblor. La señora Aouda lo estaba mirando. La sinceridad, la rectitud, la firmeza y la dulzura de la bella mirada de una noble mujer que se atrevía a todo por salvar a aquel a quien todo debía, lo asombraron primero y lo cautivaron después. Cerró los ojos un instante, como para evitar que aquella mirada penetrara más profundamente en su alma... Cuando volvió a abrirlos:

—La amo —dijo simplemente—. Sí, en verdad, por todo lo que hay de más sagrado en este mundo, la amo, y soy todo suyo.

—¡Ah...! —exclamó la señora Aouda, llevándose la mano al corazón.

Llamaron a Passepartout. Llegó inmediatamente. El señor Fogg sostenía todavía en su mano la de la señora Aouda. Passepartout lo comprendió todo, y su ancha faz resplandeció como el sol en el cenit de las regiones tropicales.

El señor Fogg le preguntó si no sería demasiado tarde para ir a prevenir al reverendo Samuel Wilson, de la parroquia de Maryle Bone.

Passepartout sonrió con la mejor de sus sonrisas.

—Nunca es demasiado tarde —dijo.

Eran las ocho y cinco.

—¿Será para mañana, lunes? —preguntó.

—¿Para mañana lunes? —preguntó el señor Fogg mirando a la joven.

—¡Para mañana lunes! —contestó la señora Aouda.

Passepartout salió corriendo.

Capítulo XXXVI

En el que Phileas Fogg vuelve a cotizarse en el mercado

Hora es ya de señalar aquí qué cambio de opinión se produjo en el Reino Unido cuando se conoció la detención del auténtico ladrón del Banco —un tal James Strand—, que se llevó a cabo el 17 de diciembre en Edimburgo.

Tres días antes, Phileas Fogg estaba considerado como un criminal al que la policía perseguía a ultranza, y ahora se había convertido de nuevo en el honrado caballero que realizaba matemáticamente su excéntrico viaje alrededor del mundo.

Algarabía: Alboroto.

¡Qué efecto, qué algarabía en los periódicos! Todos los que habían apostado a favor o en contra —que ya tenían olvidado aquel asunto— resucitaron como por arte de magia. Todas las transacciones recuperaron su validez. Todos los compromisos revivieron y, hay que decirlo, las apuestas se reanudaron con más energía todavía. El nombre de Phileas Fogg se cotizó de nuevo en el mercado.

Transacción: Trato, convenio, negocio.

Los cinco colegas del caballero del Reform Club pasaron aquellos tres días sumidos en la inquietud. Aquel Phileas Fogg que ya tenían olvidado reaparecía ante su vista. ¿Dónde se encontraba en aquel momento? El 17 de diciembre —día de la detención de James Strand— se cumplían setenta y siete días desde que Phileas Fogg partiera de Londres, y no tenían ni una sola noticia suya. ¿Habría sucumbido? ¿Habría renunciado a la lucha, o proseguía por el contrario su camino según el itinerario convenido? Y el sábado 21 de diciembre, a las ocho y cuarenta y cinco de la noche, ¿reaparecería como el dios de la exactitud en el umbral del salón del Reform Club?

Deberemos renunciar a describir la ansiedad en la que durante tres días se vio sumido todo aquel mundo de la sociedad inglesa. Se enviaron despachos a América, a Asia, en busca de noticias de Phileas Fogg. Enviaron mañana y tarde observadores a vigilar la casa de Saville row. Nada. Incluso la misma policía no sabía qué había sido del detective Fix, quien se lanzó tan desafortunadamente sobre una falsa pista. Lo cual no impidió que las apuestas se realizaran de nuevo a gran escala. Phileas Fogg, como un caballo de carreras, llegaba a la última vuelta. Ya no se le cotizaba a cien, sino a veinte, a diez, e incluso a cinco, y el viejo paralítico, lord Abermale, lo tomaba a la par.

Así es que el sábado por la tarde una gran muchedumbre abarrotaba Pall Mall y las calles adyacentes. Se hubiese dicho que se trataba de una inmensa concentración de corredores de bolsa permanentemente situada en las cercanías del Reform Club. La circulación estaba paralizada. Se discutía, se peleaba, se gritaban las cotizaciones del «Phileas Fogg» como si se tratara de un valor bursátil. Los policías contenían a duras penas a la muchedumbre y, a medida que avanzaba el tiempo y se aproximaba la hora en que Phileas Fogg debería presentarse, la emoción alcanzó proporciones inimaginables.

Aquella noche, los cinco colegas del caballero se encontraban reunidos desde hacía nueve horas en el gran salón del Reform Club. Los dos banqueros, John Sullivan y Samuel Fallentin, el ingeniero Andrew Stuart, el administrador del Banco de Inglaterra Gauthier Ralph y el hombre de negocios Thomas Flanagan, esperaban con ansiedad.

En el momento en que el reloj del gran salón dio las ocho y veinticinco, Andrew Stuart se levantó, y dijo:

—Señores, dentro de veinte minutos el plazo convenido entre el señor Phileas Fogg y nosotros habrá expirado.

—¿A qué hora llegó el último tren de Liverpool? —preguntó Thomas Flanagan.

—A las siete y veintitrés minutos —respondió Gauthier Ralph—, y el próximo no llegará hasta las doce y diez.

—Pues bien, señores —prosiguió Andrew Stuart—, si Phileas Fogg hubiese llegado en el tren de las siete y veintitrés minutos, ya se encontraría aquí. Por tanto, podemos considerar que hemos ganado la apuesta.

—Esperemos y no nos precipitemos —respondió Samuel Fallentin—. Saben ustedes perfectamente que nuestro colega es un excéntrico de primera categoría. Su exactitud es muy conocida.

Nunca llega ni demasiado tarde ni demasiado pronto y, si se presentase aquí en el último minuto, les aseguro que no me sorprendería en absoluto.

—Y yo —dijo Andrew Stuart, que estaba, como de costumbre, muy nervioso—, aunque lo viera, no lo creería.

—En efecto —prosiguió Thomas Flanagan—, el proyecto de Phileas Fogg era insensato. Por mucha que fuese su exactitud, no podía impedir que se produjesen retrasos inevitables, y un retraso de dos o tres días tan solo sería más que suficiente para comprometer su viaje.

—Tengan ustedes en cuenta —advirtió John Sullivan—, que no hemos tenido ninguna noticia de nuestro colega, y sin embargo a lo largo de su itinerario no han faltado las comunicaciones telegráficas.

—Ha perdido, señores —añadió Andrew Stuart—, ha perdido una y cien veces que lo intentara. Saben ustedes además que el *China*, el único paquebote de Nueva York que puede haber cogido para llegar a Liverpool dentro de los límites establecidos ha llegado ayer. Y aquí está la lista de los pasajeros que la *Ship-*

ping Gazette ha publicado, y el nombre de Phileas Fogg no se encuentra en ella. Incluso admitiendo que la suerte le haya sido muy favorable, nuestro colega se encontrará todavía en América. Creo que el retraso que sufriría sobre la fecha acordada será de unos veinte días, así es que el viejo lord Abermale perderá también sus cinco mil libras.

—Es evidente —respondió Gauthier Ralph—. Así es que mañana tan solo tendremos que presentarnos en el establecimiento de los hermanos Baring con el cheque del señor Fogg.

En aquel momento, el reloj del salón dio las ocho y cuarenta.

—Todavía quedan cinco minutos —dijo Stuart.

Los cinco colegas se miraron. Puede creerse que los latidos de sus corazones experimentaron una ligera aceleración, ya que, incluso para unos reputados jugadores como ellos, la apuesta era demasiado fuerte. Pero no quisieron dejar que sus emociones se pudiesen sentir, ya que, a propuesta de Samuel Fallentin, tomaron asiento ante una mesa de juego.

—No daría las cuatro mil libras de mi parte de la apuesta —dijo Andrew Stuart al sentarse—, aunque me ofrecieran tres mil novecientas noventa y nueve libras por ella.

La aguja marcaba, en aquel momento, las ocho y cuarenta y dos minutos.

Los jugadores cogieron las cartas, pero en cada momento sus miradas se posaban sobre el reloj. Se puede afirmar que, fuera cual fuese su seguridad, nunca los minutos les parecieron tan largos.

—Las ocho y cuarenta y tres —dijo Thomas Flanagan, al tiempo que cortaba las cartas que le presentaba Gauthier Ralph.

Se hizo un momento de silencio. El gran salón del club estaba tranquilo. Pero en el exterior se oía el alboroto de la muchedumbre, dominado de cuando en cuando por gritos agudos. El péndulo del reloj marcaba los segundos con una regularidad matemática. Cada jugador podría contar las divisiones sexagesimales que golpeaban sus oídos.

Sexagesimal: Que cuenta o subdivide de 60 en 60.

—Las ocho y cuarenta y cuatro —dijo John Sullivan con un tono de voz en el que se notaba una emoción involuntaria.

Tan solo un minuto más y habrían ganado la apuesta. Andrew Stuart y sus colegas no jugaban. Habían abandonado las cartas. Contaban los segundos.

Al cuadragésimo segundo, no ocurrió nada. Al quincuagésimo, tampoco.

Al quincuagésimo quinto segundo se escuchó en el exterior algo así como un trueno; aplausos, vivas, e incluso imprecaciones, que se propagaron como un fragor ilimitado.

Los jugadores se levantaron.

Al quincuagésimo séptimo segundo, la puerta del salón se abrió, y, el péndulo todavía no había marcado su sexagésimo segundo, cuando, seguido por una muchedumbre delirante que forzó la entrada del club, Phileas Fogg apareció y dijo con su voz tranquila:

—Aquí estoy, señores.

Capítulo XXXVII

En el que se demuestra que Phileas Fogg no ganó en aquella vuelta al mundo otra cosa que la felicidad

¡Sí! Phileas Fogg en persona.

Se recordará que a las ocho y cinco de la noche, unas veinticinco[1] horas después de la llegada de los viajeros a Londres, Passepartout fue enviado por su amo a prevenir al reverendo Samuel Wilson sobre una cierta boda que debería celebrarse ineludiblemente al día siguiente.

Passepartout fue, pues, encantado a cumplir su encargo. Se dirigió con paso rápido a la morada del reverendo Samuel Wilson, que todavía no había regresado. Naturalmente Passepartout lo esperó, pero tuvo que hacerlo al menos sus buenos veinte minutos.

En total, que eran las ocho y treinta y cinco cuando salió de casa del reverendo. Pero ¡en qué estado! Los cabellos alborotados, sin sombrero, y corriendo como nunca se había visto correr a hombre alguno, empujando a los transeúntes, precipitándose como una tromba sobre las aceras.

En tan solo tres minutos llegó a la casa de Saville row y se precipitó sin aliento en la habitación del señor Fogg.

No podía hablar.

—¿Qué ocurre? —preguntó el señor Fogg.

---

[1] Solo son veintitrés, ya que, según se dice en el capítulo XXXIV, «cuando el *gentleman* llegó a la estación, estaban dando las *nueve menos diez* en todos los relojes de Londres».

—Mi amo... —balbució Passepartout—... boda... imposible.

—¿Imposible?

—Imposible... para mañana.

—¿Por qué?

—Porque mañana... ¡es domingo!

—Lunes —respondió el señor Fogg.

—No... Hoy es sábado.

—¿Sábado? ¡Imposible!

—¡Sí! ¡Sí! ¡Sí! ¡Sí! —exclamó Passepartout—. Se ha equivocado usted en un día. Hemos llegado con veinticuatro horas de adelanto... ¡Pero no nos quedan más que diez minutos...!

Passepartout cogió a su amo por el cuello y lo arrastró con una fuerza irresistible.

Phileas Fogg, de esta forma conducido, sin tiempo para reflexionar, salió de su habitación, salió de su casa, saltó a un *cab*[2], prometió cien libras al cochero y, después de aplastar dos perros y de haber chocado contra cinco coches, llegó al Reform Club.

El reloj marcaba las ocho y cuarenta y cinco cuando hizo su entrada en el gran salón...

¡Phileas Fogg dio la vuelta al mundo en ochenta días!

¡Phileas Fogg ganó su apuesta de veinte mil libras!

Pero ¿cómo es posible que un hombre tan exacto, tan meticuloso, pudiera haber cometido aquel error de un día? ¿Cómo pudo creer cuando llegaron a Londres que era sábado 21 de diciembre, si no era más que viernes, 20 de diciembre, tan solo setenta y nueve días después de su partida?

He aquí la razón de aquel error. Era muy sencilla.

«Sin darse cuenta», Phileas Fogg ganó un día sobre su itinerario, y eso únicamente porque había dado la vuelta al mundo yendo hacia el Este, ya que si, por

[2] Véase la nota 3 del capítulo IV.

el contrario, hubiese ido hacia el Oeste, habría perdido ese mismo día.

En efecto, al caminar hacia el Este, iba hacia el sol, y, por tanto, los días disminuían para él tantas veces cuatro minutos como grados cruzaba en aquella dirección. Pero, teniendo en cuenta que la circunferencia terrestre tiene trescientos sesenta grados, si los multiplicamos por cuatro minutos, nos dan, precisamente, veinticuatro horas, es decir, aquel día ganado inconscientemente. En otras palabras, mientras que Phileas Fogg, caminando hacia el Este, vio pasar el sol *ochenta veces* por el meridiano, sus colegas, que se quedaron en Londres, tan solo lo vieron pasar *setenta y nueve veces.* Por eso aquel día, que era sábado y no domingo, como creía el señor Fogg, ellos lo estaban esperando en el salón del Reform Club.

Y es eso lo que el famoso reloj de Passepartout —que siguió conservando siempre la hora de Londres— habría podido constatar si, al mismo tiempo que los minutos y las horas, hubiese marcado los días.

Phileas Fogg ganó, pues, las veinte mil libras. Pero, como gastó en el camino alrededor de diecinueve mil, el resultado pecuniario de la apuesta era bastante mediocre. Sin embargo, ya lo hemos dicho, el excéntrico *gentleman* no había buscado en aquella apuesta la fortuna, sino tan solo la lucha. E incluso las mil libras que le sobraron las repartió entre el honrado Passepartout y el desgraciado Fix, a quien era incapaz de guardar rencor. Tan solo, y por cuestión de principios, retuvo a su criado el precio de las mil novecientas veinte horas de gas consumidas por su culpa.

Aquella misma noche el señor Fogg, tan impasible, tan flemático como de costumbre, dijo a la señora Aouda:

—¿Sigue interesándole ese matrimonio, señora?

—Señor Fogg —respondió la señora Aouda—, yo soy quien debe preguntárselo. Estaba usted arruinado, y helo aquí rico...

—Perdóneme, señora, pero esa fortuna le pertenece a usted. Si usted no hubiese tenido la idea del matrimonio, mi criado no habría advertido mi error, y...

—Querido señor Fogg... —dijo la joven.

—Querida Aouda... —respondió Phileas Fogg.

La boda se llevó a cabo cuarenta y ocho horas más tarde, y Passepartout, magnífico, resplandeciente, deslumbrante, hizo de testigo de la joven. ¿No correspondía tal honor a quien la había salvado?

Solo que al día siguiente al amanecer Passepartout llamaba estrepitosamente a la puerta de su amo.

La puerta se abrió, y el impasible caballero apareció en su umbral.

—¿Qué ocurre, Passepartout?

—Ocurre, señor. Lo que ocurre es que acabo de darme cuenta en este mismo instante...

—¿De qué?

—De que podíamos haber realizado la vuelta al mundo en solo setenta y ocho días.

—Sin duda alguna —respondió el señor Fogg—, pero sin haber atravesado la India. Y si yo no hubiera atravesado la India, no habría salvado a la señora Aouda, ella no sería mi mujer, y...

El señor Fogg cerró tranquilamente la puerta.

Así pues, Phileas Fogg ganó su apuesta. Recorrió en ochenta días aquel viaje alrededor del mundo. Empleó para llevarlo a cabo todos los medios de transporte, paquebotes, ferrocarriles, coches, yates, barcos de carga, trineos, y hasta un elefante. El excéntrico *gentleman* desplegó en aquel asunto sus maravillosas dotes de sangre fría y de exactitud. Pero ¿y después? ¿Qué ganó con todo aquel desplazamiento? ¿Qué le proporcionó aquel viaje?

¿Diremos que nada? Sea. Nada, salvo una encantadora mujer, que, por muy increíble que pueda parecer, hizo de él el más feliz de los hombres.

Y, en verdad, ¿quién no daría por menos de todo eso la vuelta al mundo?

APÉNDICE
La versión Verne

Desengañémonos. Por supuesto que fueron felices. Además dieron otra vuelta al globo que yo sepa, un poco más pausada, por supuesto, y como luna de miel. Incluso puedo afirmar que la muerte no los trató mal del todo, ya que —muy viejecitos ambos— recibieron sepultura común gracias a un submarino alemán. El océano acaricia hoy sus huesos en un más que probable abrazo compartido.

Pero desengañémonos. Yo también soy viejo. Y el próximo invierno no me va a permitir ver las flores de mayo. Ando mal de salud. Pero he vivido intensamente, he comido los más suculentos manjares y he gozado los más deleitosos cuerpos. ¿Mi nombre? No importa. En el fondo sabes muy bien quién soy. Solo tienes que avanzar unas páginas y mirar. Pero ¿vas a traicionar así la memoria de un muerto? Déjalo, no importa tanto, de verdad. Pronto te darás cuenta de a lo poco que alcanza ese descubrimiento.

Verás. Es sencillo. Todo empezó por casualidad, que es —si lo piensas— como realmente comienzan todas las cosas. Buenas o malas, los fracasos, las aventuras.

Descubrí al señor Verne una mañana de invierno de 1872 en la Sorbona. Para concretar un poco más, en la hemeroteca de esta estupenda universidad. Me interesaba por entonces recoger ciertos artículos ingleses sobre la cotización histórica de ciertos valores bursátiles cuando, al alzar la vista o más bien, al aguzar el oído, le descubrí.

—¡Diantres! ¡Diantres! Sí. Sí. ¡Esto es!

El señor Verne no se caracterizaba precisamente por su discreción. Solía ocupar un rinconcito con mesa propia y quinqué. Era particularmente famosa esa manía suya por revolver la historia a través de la prensa escrita y por llenar su mesa, y casi todo el espacio vital que le rodeaba de panfletos, recortes, atlas... Y farfullaba, comentaba e imprecaba a media voz cada hallazgo, cada dato, cada minucia... Muchas de sus novelas no son solo recomendadas en las academias, sino en las sociedades geográficas del mundo entero.

También era algo despistado. Cuando el señor Verne quiso dirigirse a mi persona mis manos ya estaban por el quinto documento.

—¡Pero, señor, qué hace, deje esos papeles!

Mi innata indiscreción acababa otra vez de traicionarme. Quise conocer qué motivaba aquel grito eufórico. Mientras el señor Verne se embebía en ese supuesto hallazgo yo me había acercado a husmear entre sus notas. Un trabajo interesante. Recortes de prensa, algunas páginas en una letra menuda pero clara, los resultados de la bolsa londinense, los números correlativos de lo que no podían sino ser billetes de banco. Tuve que reconocerlo.

—Efectivamente. Un trabajo interesante. Mucho. ¡Qué lástima que un esfuerzo tan concienzudo deba desaparecer! ¡Una verdadera lástima!

—¿Cómo?

—Oh, discúlpeme señor Verne, ¿O prefiere que le llame Jules?

—No tengo el placer —me dijo, algo irritado.

—Ni lo tendrá, amigo mío. Aunque...

Ante su mirada atónita recogí un legajo que protegía entre sus dedos. No sin cierta dificultad que la destreza de un buen amanuense no sepa desbaratar. No me demoró mucho leerlo.

—Veo que no es necesario que me presente.

—Usted...

—Por supuesto.

Aquel hombre no era tonto. No lo puede ser un tipo que ha viajado —al menos en aquella fecha— al centro de la Tierra, al África austral, a la Luna y posee —entre otras cosas— cartas marinas suficientes para recorrer veinte mil leguas bajo el mar.

—Me gustaría tener con usted una conversación inteligente —le dije.

—A mí también —me contestó.

—Nada tiene que temer —quise asegurarle.

—Ya veremos —supo añadir.

Por lo tanto, salimos a la calle. París estaba, como casi siempre, espléndido. A lo lejos, dos nubes indiscretas ocultaban un sol decadente. Nos dedicamos por un tiempo a contemplar el cielo. En silencio, aunque sin pestañear, sostuvimos paso a paso una entretenida vigilancia. Al fin, sentados ante un café, en un puesto al aire libre del jardín de Beautemps, pude sincerarme. El primer sorbo del café me estaba quemando los labios.

—Me descubro ante usted, Verne. Me ha descubierto. Yo robé el Banco de Inglaterra.

—¿No es algo arriesgado sostener la culpa de todos sus compinches?

—Es usted extraordinario, *monsieur* —no me quedó sino reconocer—. ¿Por qué no me habla claro y me dice qué sabe?... Cuenta con mi absoluta discreción.

—Solo por su fino humor, caballero —me dijo sonriendo—, solo por eso. *Garçon...*

Durante su perorata, a la que yo asistí con sumo placer y a la que añadí alguna menudencia insignificante, cayeron casi dos botellas de oporto.

—Nunca fue —comenzó— mi intención descubrirlos. La culpa la tiene ese amigo suyo, ese militar retirado y un billete de diez libras. Yo me gano la vida escribiendo y aprovecho casi cualquier dato, por azaroso que le pueda parecer, para crear situaciones.

»Parece ser que su amigo, el señor Cromarty, es, además de un buen soldado, un gran conocedor del continente negro. No bien publiqué mi último libro, que he titulado, como usted sabrá, *Aventuras de tres rusos y tres ingleses en el África austral,* recibí en mi residencia una carta curiosa. Era un escrito difamante donde se ponía en solfa mis conocimientos geográficos y sobre todo los detalles específicos de las escopetas reglamentarias de repetición. Se adjuntaba un billete de diez libras como presente adjunto para que adquiriese, si era el caso mi falta de pecunio, un buen atlas actualizado. La firmaba un tal coronel Cromarty, y venía sellada desde Londres, para ser más exactos desde el pabellón de oficiales del hospital militar, donde este señor convalecía de una herida de caza.

»Quise contestarle inmediatamente recomendándole que remitiese ese billete a la Biblioteca Central de París, que es donde he venido documentándome en los últimos tiempos, cuando un detalle del billete me llamó la atención. Estaba nuevo. Diez libras es una cantidad relativamente pequeña, y aunque he conocido muchos billetes ingleses, este es de un tipo que suele transitar con frecuencia. Es más: sé que el Banco de Inglaterra los emite en tiradas pequeñas dos veces al año: los de valores grandes, cada lustro, y el resto, solo en los años impares. Por lo tanto, se trataba de un billete que a fecha de hoy debería estar un tanto usado. Lo tengo aquí: le ruego que lo observe.

»De ahí, y perdone mi petulancia, que un tipo como yo recurriera a los periódicos y a las biografías solo hay un pequeño paso.

—Y un pequeño grito de compensación —dije.

—No fue el primero. Llevo casi todo el día en la biblioteca. Una pista me llevaba a otra: aunque en el fondo es un caso de cierta sencillez.

—Creo que es un verdadero honor haberle conocido, señor Verne.

—Por los datos del remitente —prosiguió— y una vez comprobada la numeración de la moneda entre las que robaron hace dos años, fue muy fácil descubrir a los ejecutores. No sé cómo perpetraron el delito, pero reconozco que el plan de fuga era insuperable. ¡Dar la vuelta al mundo en 90 jornadas! Anunciado a bombo y platillo. Y, ¡he aquí lo mejor!, fracasar a los diez días. Perdieron trenes a propósito, se obligaron a equivocar los trayectos... ¡Qué plan magnífico, sin duda! La prensa se olvidó de ustedes una vez comprobado que matemáticamente les resultaría imposible la hazaña. Y una vez que la prensa deja de lado un caso, también lo deja el resto del planeta.

—El reportero Fix no.

—Al reportero Fix lo compraron en Hong Kong. Incluso le enseñaron su papel en la comedia. De Nueva York hasta Queenstown tuvieron gran cuidado en aleccionarlo. De todas maneras siempre entró en sus planes que alguien los descubriera. Ustedes no son de los que dejan cabos sueltos.

—En verdad le digo que estoy disfrutando con usted como en contadas ocasiones.

—Se lo agradezco. Y ahora qué va a hacer conmigo.

—A su debido tiempo —le contesté—. Aún le debo a usted una explicación.

»Dé por sentado —dije— que no voy a contarle detalle alguno del robo. Los magos nunca revelan sus trucos. Sobre todo porque son mucho más sencillos de lo que la gente cree. Además, ya sabe, hay seis vidas en juego.

»A las pocas horas de cometido el robo, el personaje que conocemos por "Andrew Speedy" salió vía Cardiff-Burdeos hacia Nueva York, donde debía fondear sin carga alguna. Su espera debía ser larga. Era el que corría más peligro. Los puertos fueron bloqueados casi inmediatamente. Tan solo se dejó partir, previo registro, a los mercantes de bandera extranjera. Inglaterra no puede permitirse un conflicto con otra nación de su categoría. Ya sabe usted que un barco extranjero es considerado legalmente como suelo extranjero también.

»El señor Cromarty, buena reprimenda se merece, es militar, como usted ya sabe, en ejercicio. Instructor, para serle franco. Actuó en el atraco, y en la huida como guardaespaldas. Y salió de Inglaterra con nosotros, solo que unos pasos por detrás. ¿Quién sospecharía de un alto mando, amigo mío?

»Del "señor Fix" algo le diré. Estos periodistas libres, que se ganan la vida vendiéndose al mejor postor, son un peligro. Lo descubrimos en Suez. Fue encantador: desde entonces le estuvimos agradecidos. En realidad él dio la noticia de nuestro fracaso. Sin embargo, no se contentó con aquella exclusiva: decidió seguirnos. Solo el buen hacer de nuestro jefe, su don de gentes, su frialdad, pudo vencerle en China. Desde entonces hasta nuestra vuelta a Inglaterra, sus largas crónicas pasaron a ser puras notas de sociedad. ¡Qué poder extraordinario el de la Prensa, amigo Verne: el futuro de las naciones está en sus manos, se lo aseguro!

»Del "señor Phileas Fogg" y de "Jean Passepartout", su criado (la "princesita Aouda" queda fuera, en realidad fue un asunto de faldas que tuvimos que resolver a golpe de talonario en Bombay), solo puedo decirle que gastaron su tiempo muy a gusto en Filadelfia, después de repartir con el "marino" y el "militar" el resto del botín, por cierto "algo" superior a la cantidad denunciada oficialmente. Nunca se completó el viaje. Cada cual vive su vida a su manera. Dos, en las islas. Uno, en Norteamérica. Uno, en la India. Y otro, acaso, en París.

—Usted me dijo que eran seis.

—Ah, me olvidaba del «convicto». Pobre hombre. Un tal James Strang... ¿No le parece que todos tenemos unos apellidos curiosos? Un hombre de paja. Un tipo lleno de deudas. Un banquero en bancarrota borracho que obligaba a su esposa y a su hijo a mendigar descalzos en la estación de Charing Cross. Se le pagó una cantidad ridícula para que se entregara en una fecha determinada. Le di un papel facilón y lo interpretó como pudo. A la justicia le faltaron manos para encerrarle.

—El dinero, entonces, no se devolvió.

—Contábamos con ello. Ni al Banco de Inglaterra ni a nadie le interesa esa publicidad. ¿Acaso vive usted en un mundo perfecto?

—Pero declararon haber rescatado casi todo el botín.

—Ya le digo, amigo mío, que hay sutiles diferencias entre la verdad y lo que se publica. El señor "Strang" falleció a poco de entrar en prisión de una caída fortuita. Su viuda y su hijo reciben anualmente una pensión estatal.

—Usted es un canalla.

—No. Señor Verne, soy solo un hombre inteligente, el héroe anónimo; soy el hombre de la multitud.

—¡Passepartout!

—Jean, para los amigos, y usted solo puede ser desde este instante para mí un amigo, el mejor de los amigos.

El señor Verne se había dado de bruces con la cruda realidad. Otra vez. Como tantas veces atrás y otras tantas después habría de darse. Llegamos a un acuerdo.

La vuelta al mundo en 80 días salió a la prensa al año siguiente y fue el mayor éxito que mi amigo disfrutó jamás. Cierta disposición en los detalles hubo de ser alterada, para beneficio de la literatura, aunque prácticamente no hubo variación alguna entre nuestros nombres y los de la novela. ¿Para qué, querido lector? ¿Ya los has traducido?

Ha llegado la hora final. Ya lo sabes todo. O casi todo. Hace pocos años, en 1905, recibí una carta en el apartado de Correos que tengo a mi nombre en París. Una carta breve de mi amigo Jules. Probablemente, uno de los hombres más inteligentes que haya existido jamás. Murió poco después: viejo, ciego, sordo, desmañado. Pero rico. Muy rico. Casi tanto como yo. Tal vez más.

Voy a morir pronto. Mayo se acerca deprisa. Y el mundo se revuelve entre la sinrazón y el miedo. Quiero que leas la carta de Jules. Es muy breve. Con ella me despido. Con un último enigma que ese viejo entrañable supo desmañar, del que —si has sido un buen lector— serás también partícipe. Adiós, amigo mío: desconocido y paciente lector. Hasta la eternidad de otra lectura.

«Querido Jean:

Ahora sé que no debo llamarte así. Siempre estuviste ahí y nunca me di cuenta. Aquella tarde, al despedirme, una sensación de infinita melancolía me ocupó no sé qué rincón del alma. Lo atribuí a tu fino humor. A esa manera tuya de hablar casi en susurros. Lo que tomé por cortesía ahora sé que era desencanto.

Lo descubrí a poco de marcharte. Pero soy un caballero y he guardado silencio hasta hoy. Era nuestro pacto.

Vuestra huida —el viaje aquel— y sobre todo la historia del "convicto" me dio la clave. Si todo os salió bien fue porque teníais un as en la manga. Dejasteis a un hombre en Inglaterra. Alguien que demorase vuestra fuga. Que difundiera rumores contradictorios. Alguien que desde la sombra hiciese el trabajo sucio. Tú no eres tú, Passepartout: tú rompes las normas, tú sales de todos los entuertos. Tu nombre no es solo tu nombre.

Supe quién eras, inglés. Y por qué hablas tan bien mi lengua. Solo un bebedor de té se quema la boca —como tú, aquella tarde— con café. Pensáis que el agua solo hierve en las teteras. Os cuesta horrores diferenciar bien la temperatura del agua. Por ejemplo, al afeitarse.

¿Quién es Jean Passepartout? ¿James Forster? O acaso un instructor militar, o un reportero, o ese medio hombre que gana una tras otra infinitas partidas de *whist.*

¿Con qué mitad viajaste por el mundo, rescataste a una mujer, estuviste entre rejas o enviaste a un loco francés un billete de diez libras?

Nunca contestas mis cartas. Pero me gusta escribirte. La vida y las monedas tienen solo dos caras. Y el equilibrio entre las dos es siempre un apoyo inestable. Tú y yo, querido amigo, siempre nos quedaremos con la versión Verne.

Jules»

Jesús URCELOY

Índice